परिमल संस्कृत ग्रन्थमाला संख्या-४

भरतमुनिप्रणीतं

नाट्यशास्त्रम्

श्रीमदभिनवगुप्ताचार्यविरचितया अभिनवभारती-संस्कृतव्याख्यया

समुद्भासितम्

तृतीयो भागः

(अध्यायाः १९-२७)

सम्पादक

डॉ० रविशंकर नागर

के० एल० जोशी

परिमल पब्लिकेशन्स

दिल्ली

प्रकाशक :

परिमल पब्लिकेशन्स

२७/२८, शक्ति नगर,

दिल्ली – ११०००७

दूरभाष : ०११-४७०१५१६८

प्रधान कार्यालय :

परिमल पब्लिकेशन्स

१, मनमोहन कॉम्पलेक्स, नवरंगपुरा पुलिस स्टेशन के पीछे,

नवरंगपुरा, अहमदाबाद – ३८०००९

दूरभाष : ०७९-४९१६७६७४

ISBN : 978-81-7110-005-7 (Vol. 3)

संस्करण : वर्ष 2024

मूल्य : ₹ 350.00

मुद्रक

एस.पी.कौशिक एन्टरप्राइज

नजदीक जी.टी.बी. हॉस्पिटल, दिल्ली

Parimal Sanskrit Series No. 4

NĀṬYAŚĀSTRA OF BHARATAMUNI

WITH THE COMMENTARY ABHINAVABHĀRATĪ OF ABHINAVAGUPTA

VOL. III
CHAPTERS 19-27

EDITED BY

R. S. NAGAR
K. L. JOSHI

PARIMAL PUBLICATIONS
DELHI

Published by

PARIMAL PUBLICATIONS

27/28, Shakti Nagar, Delhi-110007 (INDIA)

ph. : +91-11-47015168

e-mail : order@parimalpublication.com

url : http://www.parimalpublication.com

Head Office

PARIMAL PUBLICATIONS

1, Manmohan Complex, Behind Navrangpura Police Station,

Navrangpura, Ahmedabad-380009 (INDIA)

ph. : +91-79-49167674

Edition : Year 2024

ISBN : 978-81-7110-005-7 (Vol. 3)

Price : ₹ 350.00

Printed at

S.P. Kaushik Enterprises

Near G.T.B. Hospital, Delhi

विषय सूची

एकोनविंशोऽध्यायः

विंशोऽध्यायः

एकविंशोऽध्याय:

द्वाविंशोऽध्याय:

त्रयोविंशोध्यायः

चतुर्विंशोऽध्यायः

———

पञ्चत्रिंशोऽध्यायः

षष्डिशोऽध्यायः

सप्तविंशोऽध्यायः

श्रीरस्तु

श्री गणपतये नमः

नाट्यशास्त्रम्

एकोनविंशोऽध्यायः

— ० —

इतिवृत्तं तु नाट्यस्य[1] शरीरं परिकीर्तितम् ।

पञ्चभिः सन्धिभिस्तस्य विभागः सम्प्रकल्पितः[2] ॥१॥

अभिनवभारती—एकोनविंशोऽध्यायः

देहे ससन्ध्यङ्गगणे समस्ते

यत्स्थापनं स्पर्शनवृत्तिकारि ।

तदिन्द्रियं यस्य वपुर्नमामि

तमान्तरस्पर्शमयं महेशम् ॥

"पुनरस्य शरीरविधाने" त्यादिना (१८-१२७) शरीरमितिवृत्तात्मकं विधानं च तस्य विधानरूपप्रकारात्मकं, सन्धयश्च मुखादयो विधयश्च सन्ध्यङ्गस्वभावा लक्षणीयत्वेन प्रतिज्ञाताः, तत्र शरीरमादौ लक्षयितव्यमिति दर्शयति **इतिवृत्तं त्विति**। तुशब्दो व्यतिरेके—काव्यमात्रस्यानभिनेयस्य तावद् वृत्तमात्रं शरीरं, नटनीयस्य त्वभिनेयरूपस्य **इति** एवंप्रकारतया यदुपस्कृतं वृत्तं, अतएवेतिवृत्तशब्दवाच्यं तद्वस्तु शरीरं, रसाः पुनरात्मा शरीराविर्भावकाः,

---

1. KSS. काव्यस्य ।
2. KSS. विभागाः परिकीर्तिताः ।

इतिवृत्तं द्विधा चैव बुधस्तु परिकल्पयेत् ।

आधिकारिकमेकं स्यात्[1] प्रासङ्गिकमथापरम् ॥२॥

अतएवार्थनिर्मापकत्वात् अर्थतादात्म्यात् अर्थरूपताध्यासात् अर्थैकज्ञाननिवेशितत्वात् अर्थोपरञ्जकत्वात् अर्थनिमित्तत्वाद्वा, इतिवृत्तार्थैकयोगक्षेमत्वं वागात्मनां शब्दानामिति । तदाशयेन—

वाचि यत्नस्तु कर्तव्यो नाट्यस्यैषा तनुः स्मृता । (१४-२)

इति पूर्वमुक्तम्, इह वृत्तं शरीरमिति दर्शितमित्यविरोधः । स तु कथं प्रकारवैचित्र्य इत्याशंक्याह **पञ्चभिः सन्धिभिरिति** । एतदुक्तं भवति—प्रकारवैचित्र्यकल्पनामया एव सन्धयः । तत्र पारम्यपरतया[2] पञ्चसंख्येति, तेन हीनसन्धित्वेऽपि न कश्चिदत्र विरोधः ।

अन्ये तु सर्वत्र पञ्चैव सन्धयः, अपूर्णाङ्गत्वात्तु कस्यचित्सन्धेर्हीनसन्धित्वमुच्यत इत्याहुः । एतच्च स्वस्थाने वितनिष्यामः ।

एवमितिवृत्तशब्दे **इति**भागस्य योऽर्थः सोऽप्रसिद्ध इति कृत्वा द्वितीयार्धेन पञ्चभिरित्यादिना व्याख्यातः, न तु सन्धिनिरूपणमेतदुद्देशक्रमस्तस्यानेकविधत्वात् ।

एवं शरीरमभिधाय तस्य विधानशब्देनोद्दिष्टं प्रकारवैचित्र्यं दर्शयति **इतिवृत्तं द्विधा चैवेति** । इतिवृत्तं स्थितं सत्, बुधो विवेचकः कविर्द्विधैव परिकल्पयेत् । चकारात् प्रकरणादावितिवृत्तं च कल्पयेत् । तच्च द्विधा । **एकमपरमित्यनेनेदमाह**—न निसर्गतः किञ्चिदाधिकारिकम्, अन्यद्वा । कविधिया यदेतदाधिकारिकं कृतं तदापरस्य प्रासङ्गिकतास्तीति द्विधाशब्देन सूचितं, तदेवेदं दर्शितम् । "अधिकरणविचाले च" (पा- ५-३-४३) इति **धाप्रत्ययः** एकं राशिं द्विधा कुर्वति यथा तेनैकमेवेतिवृत्तं द्विशाखमिति यावत् ।

---

1. NS., KSS. तु ।
2. पारम्पर्यता ।

यत्कार्यं हि[1] फलप्राप्त्या सामर्थ्यात्परिकल्प्यते ।
तदाधिकारिकं ज्ञेयमन्यत्प्रासङ्गिकं विदुः ॥३॥
[2]कारणात्फलयोगस्य वृत्तं स्यादाधिकारिकम् ।

तत्प्रकारद्वयं क्रमेण दर्शयति **यत्कार्यं हीति** । प्रधानत्वेन सम्पाद्ये फले यो ज्ञानेच्छाप्रयत्नक्रियालक्षण आरम्भः तत्कार्यमिति वक्ष्यते 'यदाधिकारिकं यस्तु' (१६-२६) इति, तथाभूतो य आरम्भो मुख्यफलप्राप्त्या परिकल्प्यते स आधिकारिकमितिवृत्तम् । हि यस्मात् तथैव ज्ञेयम् । निरुक्तेनाधिकारः सर्वत्रानुयायित्वं हृदयानुयायित्वं प्रयोजनमस्य । प्रासङ्गिकेऽपि हि तदन्तर्लीनमेव । यथा—आधिकारिके सहाप्तेनाचिख्यासासाधनैषाफलजिहीर्षानिष्पत्तौ यथा न शक्त्यन्तरव्यापारणं, तद्वत्प्रासङ्गिकेऽपि सर्वत्र शक्त्यन्तरव्यापाराभाव एव । शक्त्यन्तरेऽपि पृथग्व्यापार्यमाणे तस्याप्याधिकारिकत्वमेव स्यात् । प्रतिज्ञानिवर्हणं जगत्कण्टकरावणोद्धरणं शरणागतविभीषणरक्षणमित्याद्यपि हि प्रधानफले सीताप्रत्यानयनलक्षणे विवक्षिते न शक्त्यन्तरव्यापारसाध्यं, अपि तु तदुपयोगिसामाद्युपायचतुष्टयतद्द्विकत्रिकादिभेदसम्पादननान्तरीयकोपनीतमेव । तापसवत्सराजे राज्यप्रत्यापत्तेः प्रधानफलत्वे वासवदत्तासङ्गमपद्मावतीप्राप्त्यादौ क्रियान्तरानुपयोग एव मन्तव्यः । यदि ह्यस्य वासवदत्ताप्राप्त्युपायत्वं पद्मावतीपरिणयस्य नोच्येत न वत्सराजस्तत्र प्रवर्तेत, तदप्रवृत्तौ कुतः प्रधानफलमिति सर्वप्रासङ्गिकमेकरूपमेव । प्रसक्तिर्हि प्रसङ्गः तत आगतं प्रासङ्गिकं, प्रसज्यते वा प्रधानफलनिष्पत्तये इति प्रसङ्गस्तत आगतमिति । तेन शक्त्यन्तरयोगायोगाभ्यां च यत्प्रासङ्गिकस्यानेकविधत्वं टीकाकृद्भिरभ्यधायि न तदुपाध्यायाः सम्मन्यन्ते । अतएवाह **कारणात्फलयोगस्येति** । अयमर्थः—आधिकारिकं नाम (अधिकारः)

1. KSS. तु ।
2. KSS., NS. read it after the verse. कवेः etc.

[1]तस्योपकरणार्थं तु कीर्त्यते ह्यानुषङ्गिकम् ॥४॥

कवेः प्रयत्नान्नेतृ्णां युक्तानां विध्यपाश्रयात् ।

यस्त्वितिवृत्तं फलसंबन्धं करोति स कविना वर्णनोपायारोहमानीतः तत्समर्थाचरणेन प्रयुज्यते । एवमन्यत्स्यादितिवृत्तमिति पूर्वपक्षमाशंक्य तत्रोत्तरमवान्तरेणाह **तस्योपकरणार्थं त्विति** । हिरप्यर्थे भिन्नक्रमः आनुषङ्गिकमपि कीर्त्यत इति ।

ननु फलप्राप्तिलक्षणेन प्रयोजनेन सप्रयोजनत्वमाधिकारिकस्य लक्षणत्वमुक्तम्, फलप्राप्तिश्च प्रासङ्गिकेऽप्यस्ति सा प्रासङ्गिकीति चेत्, सिद्धे प्रासङ्गिकस्याधिकारिकाद् भेदे भवेदेतत्, तत एव तत्सिद्धौ चक्रकान्योन्याश्रयदोषः, तस्मात्फलप्राप्तिरेव विशिष्य वक्तव्येत्यभिप्रायेणाह **कवेः प्रयत्नान्नेतृ्णां युक्तानामिति** । समुत्कर्षं प्राधान्यमवलम्ब्य फलप्राप्तिः कल्प्यते, प्रधानफलप्राप्निप्रयोजनमाधिकारिकमित्यर्थः ।

ननु फलप्राप्तेः कथं प्राधान्यमाधिकारिकं, निर्वर्त्यत्वादिति चेत स एव दोष इत्याशङ्क्याह **कवेः प्रयत्नादिति** । कविर्यत्फलमुत्कर्षेण विवक्षति तत्प्रधानफलम् । ननु पुरुषेच्छा यद्यनियन्त्रिता, तदा पुनरपि स एव प्रयत्न इत्याह । नेतृ्णां युक्तानां विध्यपाश्रयाद् धीरोदात्तादिभेदानां नायकानां मध्ये यो यत्र नायको युक्न उचितः तस्य यो विधिः सम्पाद्यं वस्तु तदपाश्रयप्रयत्नाद्धेनोः कविफलं प्रधानमिति । यस्मिश्च विधौ यो नायको युक्तः उचिनस्तस्य मयैतत्कर्तव्यमित्यभिसन्धानाभावेऽपि तत्सन्निधौ फलं नायकत्वं विना कर्तव्यम्, यथा तापसवत्सराजे वत्सराजस्य राज्यप्रत्यापत्तिः कर्तव्यतायाममात्याभिसंहितायाम्, अतएव ह्यस्यासौ नेता फलस्य चाकृष्टा अमात्यसम्पादिताभिसन्धिप्रत्युपायपरम्पराजितस्यापि ।

1. KSS. परोपकरणार्थं ।

कल्प्यते हि[1] फलप्राप्तिः समुत्कर्षात्फलस्य च[2] ॥५॥
[लौकिकी[3] सुखदुःखाख्या यथावस्था रसोद्भवा ।
दशधा मन्मथावस्था व्यवस्थात्रिविधा मता ॥]६॥

नन्वेवमपि रामस्य स्वदारप्रत्यानयनकण्टकोद्धरणभीताभयवितरणादौ सर्वत्र कर्तव्यतौचित्यमस्ति, तथापि न व्यवस्थितं लक्षणमित्याह **फलस्य चेति**। चकारेण समुत्कर्षादित्यस्यावृत्तिर्द्योत्यते। तेनायमर्थः—यदेतत्फलं तावत्यंशे अधिकमुत्कर्षमवलम्बते तत्रैव तस्यौचित्यं कविना कल्पनीयम्। तथा हि—रावणोच्छेदाद्यवधि सीताप्रत्यानयनमेव समुत्कृष्टं भवति, तस्यैव सम्पादनायेतरप्रवृत्तिः, सचिवायत्तसिद्धिस्तु यतो वत्सराजस्ततो यौगन्धरायणाद्यमात्यवर्गस्तावानसाविति तदामात्याद्यभिसंहितराज्यप्राप्तिफलस्यैव तत्रोत्कर्षः। सह्येवं मन्यते—राज्यभारचिन्ता एतैर्या कृता सा मयैवेति। एवमाधिकाधिकं हृदयविपरिवर्तमानं, समुचितं च नायकस्य फलं यद्यदा कविप्रयत्नेन विवक्ष्यते सम्पाद्यतया तदा तस्य प्रधानफलत्वं, रामाभ्युदयादौ सीताप्रत्यानयनादेरिव, न हि तत्राश्वमेधयागादेर्नायकोचितस्य कविविवक्षितत्वमस्ति।

नन्वेवमपि कविविवक्षैव पुनरपि प्रधानीभूता तत्र चोक्तो नियमहेत्वभाव इति तत्राह **विध्यपाश्रयादिति**। विधीयत इति विधिः सव्युत्पत्तिः तस्यापाश्रयात्। एतदुक्तं भवति—यादृशि पुरुषार्थे व्युत्पत्तिः कर्तव्या। तदुचितनायकग्रहणेन कविः प्रवर्तमानो न स्वेच्छया प्रवृत्तो भवतीति। हिशब्देन समुच्चयाभिधायिनैतत्सूचितं—विध्यपाश्रयाद्युक्ता ये नेतारस्तेषां यत्फलं तस्योत्कर्षाद्यः कवेः प्रयत्नः ततः फलप्राप्तिः समुत्कर्षावलम्बिनी कल्प्यत इति तात्पर्यम्।

---

1. KSS. यत्।
2. KSS. तु।
3. KSS., NS. लौकिकसुखदुःखाख्या।

संसाध्ये फलयागे तु व्यापारः [1]कारणस्य यः ।
तस्यानुपूर्व्या[2] विज्ञेयाः पञ्चावस्थाः प्रयोक्तृभिः ।।७।।
[3]प्रारम्भश्च प्रयत्नश्च तथा प्राप्तेश्च संभवः ।
नियता च फलप्राप्तिः फलयोगश्च पञ्चमः ।।८।।
औत्सुक्यमात्रबन्धस्तु यद्बीजस्य निबध्यते ।
महतः फलयोगस्य स [4]फलारम्भ इष्यते ।।९।।

अथ कविप्रयत्नेन साध्ये व्यापारपरिस्पन्दो यो वाङ्मनसगतस्तस्य या अवस्था **आनुपूर्व्येति** उद्देशक्रमेणैव प्रयोक्तृभिः कविभिर्निबन्धनीयतया-ज्ञातव्याः ता उद्दिशति **प्रारम्भश्चेति** । **चकारैस्तथाशब्देन** चावश्यंभाविक्रमत्वमासामुन्यते । न हि प्रेक्षापूर्वकारिणोऽवस्थान्तरासम्भावनायां प्रारम्भ उचितो भवति, तत्प्रारम्भश्चेदुत्तरोत्तरावस्थाप्रसर एव । **पञ्चम** इत्यनेन क्रमो विवक्षित इति दर्शयति । एताः क्रमेण दर्शयितुमाह **औत्सुक्यमात्रबन्धस्त्विति** । महतः प्रधानभूतस्य फलस्य युज्यमानस्य तत्तन्नायकोचितस्य यद्बीजमुपायसम्पत् तस्य यदौत्सुक्यमात्रं तद्विषयस्मरणोत्कण्ठानुरूपं, अनेनोपायेनैतत् सिद्ध्यतीति, तस्य बन्धो हृदये निरूढिः प्रारम्भः, सा च नायकस्यामात्यस्य नायिकायाः प्रतिनायकस्य दैवस्य वा । तस्या हि तथैवानुमानाद् व्यवस्था । दैवसाध्यमपि च समुद्रदत्ताभिमतप्राप्त्यादिकं* पुण्योपार्जनं प्रयत्नबहुमानसिद्धये दैवसाहाय्यस्य पुरुषकारस्य फलवर्तिता

1. KSS., NS. साधकस्य ।
2. KSS. तस्यानुपूर्व्यांविज्ञेयाः ।
3. KSS., NS. read before this verse.
नाट्यप्रकरणा भावा अवस्थास्ता मता इह ।
धर्मार्थकामसम्बन्धः फलयोगस्तु कथ्यते ।।
4. KSS. खल्वारम्भः । NS. सोऽत्र प्रारम्भ इष्यते ।

*ब्रह्मयशस्स्वामिना कृते पुष्पदूषितके षष्ठेऽङ्के नन्दयन्तीसमुद्रदत्तयोः समागमः केवलं दैवसाधित एव न तु नीतिचक्षुषा पौरुषप्रभावेन ।

अपश्यतः फलप्राप्तिं व्यापारो यः फलं प्रति ।
परं चौत्सुक्यगमनं स प्रयत्नः प्रकीर्तितः ॥१०॥
ईषत्प्राप्तिर्यदा[1] काचित्फलस्य परिकल्पते ।
भावमात्रेण तं [2]प्राहुर्विधिज्ञाः प्राप्तिसम्भवम् ॥११॥
नियतां तु[3] फलप्राप्तिं यदा[4] भावेन पश्यति ।
नियतां तां फलप्राप्तिं [5]सगुणां परिचक्षते ॥१२॥

तद्युत्पत्तिलाभाय प्रदर्श्यंत इति । एवम**पश्यत** इति तदुपायव्यतिरेकेण फलप्राप्तिमपश्यतः फलदर्शनमसंभाव्यमानं विवेचयतः फलमुद्दिश्य यो व्यापारः उपायविषयपरमौत्सुक्यगमनलक्षणं, तेन विनेदं फलं न भवति तस्मात् स एवोपायोऽन्वेष्यः इत्युपायविषयस्मरणेच्छासन्तानस्वभावः स प्रयत्नः । **ईषत्प्राप्तिरित्यादि** । भवत्यस्मादिति **भावः** उपायः, तस्य सहकार्यन्तरयोगः प्रतिबन्धकवारणं च मात्रपदेनावधारितम् । तदयम**र्थः**—उपायमात्रेण लब्धेन यदा कदाचिद् विशिष्टफलप्राप्तिरीषत् कल्प्यते संभावनामात्रेण स्थाप्यते न तु निश्चीयते तदा प्राप्तेः सम्भवः । संभावनायोग्यत्वमसंभावनाविशिष्टत्वं नाम तृतीयाकर्तुरवस्था ।

नियतां तु फलप्राप्तिं यदेति । फलस्य प्रकर्षेणाप्तिर्यतः सहकारिवर्गः प्रतिबन्धकविध्वंसनसहितता च सामग्रीरूपतः, तां सामग्रीं, यदा तेन भावेन पूर्वोपात्ततया मुख्योपायेन नियतां नियन्त्रितां फलाव्यभिचारिणीं पश्यति तदा नियतफलप्राप्तिर्नामावस्था । ननु कर्तरीत्याशङ्क्याह **सगुणामिति** गौणी उपचरिता तस्येयमवस्था । नियतफलकर्तृविषयत्वेन नियतफलप्राप्तिशब्दो विषय-

---

1. KSS. प्राप्तिश्च या ।
2. KSS. संज्ञेयो विधिज्ञैः प्राप्तिसंभवः ।
3. KSS. च ।
4. KSS. यत्र ।
5. KSS. सगुणं तु विनिर्दिशेत् । NS. सगुणाः ।

अभिप्रेतं समग्रं च प्रतिरूपं क्रियाफलम् ।

[1]इतिवृत्ते भवेद्यस्मिन् फलयोगः प्रकीर्तितः ॥१३॥

सर्वस्यैव हि कार्यस्य प्रारब्धस्य फलार्थिभिः ।

विषयिणोरभेदोपचाराद् युक्त इति यावत् । अत एव पश्यतीत्यनेन दर्शनमेवावस्थेति दर्शितम् । यदि वा सहगुणेन दर्शनेन वर्तते, नियतफलप्राप्तिदर्शनं तन्नामावस्थेत्यर्थः । ये त्वकारप्रश्लेषादभावेन नियतां सन्देहमयीमिति व्याचक्षते ते नियता फलप्राप्तिः संदिग्धा चेत् कथमेतद्विरुद्धं संगच्छतामिति प्रष्टव्याः ।

अभिप्रेतं समग्रं चेति । यस्मिन्निनिवृत्ते कर्त्रवस्थात्मनि नायकस्याभिप्रेतं तादृशम्, अपि च नानुचितं, अपि तु प्रतिरूपमुचितं संभवात् पूर्णं **क्रियाफल**मिति समनन्तरफलं, न च विधिफलमिव स्वर्गादि कालान्तरापेक्षि वर्ण्यते, सावस्था नायकस्य फलयोगः फलोत्पत्तिर्नाम । तत्र सचिवामात्यादेरपि यावस्था सा वस्तुतो नायकगामिन्येव भवतीति नाटकेष नावश्यं सर्वा नायकस्य साक्षादेवोपनिबन्धनीयाः, अपि तु सचिवादिगतत्वेनापि फलयोगस्तु साक्षादेव तद्गत इत्यभिप्रेतमित्यनेन दर्शितम् । अवस्थान्तराणि सचिवादिगतान्यपि पर्यवस्यन्ति नायकादेरेवेत्येतदेव सुकविना रत्नावल्यां "प्रारम्भेऽस्मिन् स्वामिनः सिद्धिहेतौ" (अ-१) इति श्लोकेन प्रतिपदमुक्त्वा अस्मदभिप्रायः समुच्छ्रितेन दर्शितः ।

ननु मानुषव्यापारे नायकस्य तत्सचिवादेर्वा भवन्त्येता अवस्थाः, प्रतिनायकेऽप्येवं तत्र परमसदुपायापेक्षया । यत्र तु दैवायत्तं फलं वर्ण्यते तत्र कथं न च वर्ण्ये पुरुषकारमात्राभिमानिनां दैवमवजानानां चार्वाकादिमतमेयुषां, स दैवबहुमानव्युत्पत्तये हि पुरुषकारोऽप्यफलः, तदभावोऽपि सफलः प्रदर्शनीयः, अत एव दरिद्रचारुदत्तादिरूपकाणि तद्विषयाणि । तस्माद्दैवायत्तत्वे कथमेतदवस्थापञ्चकम् तत्परिहर्तुमाह—**सर्वस्यैव** **हीति** दैवादागच्छतोऽ-

1. KSS. यद्दृश्यते निवृत्ते तु फलयोगः उच्यते ।

[1]एतास्त्वनुक्रमेणैव पञ्चावस्था भवन्ति हि ॥१४॥
[2]आसां स्वभावभिन्नानां परस्परसमागमात् ।
[3]विन्यास एकभावेन फलहेतुः प्रकीर्तितः ॥१५॥

पीत्यर्थः । तत्रापि हि यद्यपि नायको न यतते तथापि यत्र फलं भवति तत्रावश्यमवस्थादिभिर्भाव्यम् । स एव च परं फलेन तदानीमर्थीभवति' 'यमर्थमधिकृत्य प्रवर्तत' इति हि प्रयोजनलक्षणं वदन्ति । तथा हि सेवाद्यशेषोपायप्रारम्भं विनानन्दसंपादनहृदय एव, अपरथा परतः प्राप्तमपि फलं नाङ्गीकुर्यात्, अनङ्गीकरणेऽपि वास्य फलार्थित्वमेवाधिकफलान्तरसन्तोषमनु प्रसिद्ध्यादिफलान्तराभिसन्धानादिति युक्तमुक्तं मुनिना सर्वस्यैव पञ्चावस्था इति ।

नन्वासां तावत् स्वरूपभेदः कालभेदश्च कालाभिन्नानां चैककालत्वाभावात् 'संसाध्ये फलयोगे तु व्यापारः कारणस्य' इति (१९-७) यदुक्तं तत् कथम्, किं च फलयोगे साध्ये च तत्रावस्था कारणस्येति पञ्चेतीहावस्था फलयोग एव, न तु सा कदाचिदन्येत्याशङ्क्याह आसां स्वभावभिन्नानामिति स्वभावभेदे तु कालभेदोऽप्युपलक्ष्यते, स्वभावभेदे दिक्काले दण्डचक्रादिभिरेकफलसंपादना, तेन कालभिन्नानामपि, आसां परस्परमन्योन्यं संगत्या नान्तरीयकत्वेन यदागमनं तदवलम्ब्य यो विन्यासो यत्फलभेदः[4] तत आद्यन्तावहर्षणं निश्चितोत्तरोत्तरकार्याणां कारणकारणानामपि हेतुत्वानपायादिति भावः । यच्चोक्तं फलयोगे कथं फलयोगान्तरमिति तत्राप्याह एकभावेन फलहेतुरिति । एकभावः संबन्धः । तेनायं भावः—फलस्योत्पत्त्यवस्था एका नायकेन सह संबद्धा, द्वितीया येयं संसाध्ये फलयोग इत्यत्र निर्दिष्टा, पूर्वां त्ववस्था मध्यत्रयेण युज्यमाना योग्यफलोत्पत्तिदर्शना पञ्चम्यवस्थेत्यर्थः ।

1. KSS. यथानुक्रमशो ह्येताः NS. एता अनु ।
2. NS. तासां ।
3. KSS. विन्यासः फलभावेन फलाय परिकल्प्यते ।
4. हेतुः ।

[1]इतिवृत्तं [2]समाख्यातं प्रत्यगेवाधिकारिकम् ।
तदारम्भादि कर्तव्यं [3]फलान्तं च यथा भवेत् ॥१६॥
पूर्णसन्धि च कर्तव्यं[4] हीनसन्ध्यपि वा पुनः ।
नियमात्[5] पूर्णसन्धि स्याद्धीनसन्ध्यथ कारणात् ॥

एवमवस्थापञ्चकं प्रदर्श्य तदनुयायित्वेनेतिवृत्तस्याधिकारिकत्वं समर्थयितुमाह-**इतिवृत्तं समाख्यात**मिति । यद्यस्मात्तत् कर्तव्यं कार्यं वस्त्वारम्भादि फलान्तं च तदिति तस्मात्तदवस्थानुयायित्वेनाधिकृतत्वादाधिकारिकमुच्यते । चस्तुशब्दस्यार्थे, यथा तु तदितिवृत्तशब्दवाच्यं भवेत् तथा प्राक् सम्यगाख्यातमितिशब्दार्थमिति निरूपणेन 'पञ्चभिः सन्धिभिस्तस्य विभागः' इत्यनेनैतच्च तद्गतवक्तव्यान्तरोपक्षेपाय पुनरभिहितम् ।

ननु किं सर्वत्र पञ्चैव सन्धय इत्याह **पूर्णसन्धि चेति** । विकल्पः सर्वत्रेति कश्चिदाशङ्कते तं प्रत्याह **नियमादिति** । उत्सर्गेणेति केचित् । उपाध्यायास्त्वाहुः—सर्वत्रेतिवृत्तं पञ्चसन्ध्येव, न हि कश्चिदपि व्यापारो प्रारम्भाद्यवस्थापञ्चकं विना सिद्ध्येत्, न शक्यमौनीकृत्यं वा । उक्तं च—

सर्वस्यैव हि कार्यस्य प्रारब्धस्य फलार्थिभिः ।
एतास्त्वनुक्रमेणैव पञ्चावस्था भवन्ति हि ॥ इति (१९-१४)

अवस्थापञ्चकानुयायिना सन्धिपञ्चकेनापि भाव्यमेव, तेन सर्वं नियमात्पञ्चसन्धि, हीनसन्धित्वं तु तत्र कारणादपूर्णाङ्गत्वलक्षणादुच्यते, अत एव पूर्णसन्धीति व्यपदिश्यते इत्यपिशब्देन चोक्तं 'हीनसन्ध्यपि वा पुनः' इति । डिमः समवकारश्चं चतुस्सन्धी' इति वक्ष्यते, तत्रावमर्शस्य लोपः । 'व्यायोगेहामृगौ चापि

---

1. NS. इतिवृत्ते ।
2. KSS. यथाख्यातं ।
3. KSS. फलन्ति ।
4. KSS. अपि, NS. तु ।
5. KSS. यत्कार्यं NS. तत्कार्यं ।

[1]एकलोपे चतुर्थस्य द्विलोपे त्रिचतुर्थयोः ।
द्वितीयत्रिचतुर्थानां त्रिलोपे लोप इष्यते ॥१८॥
प्रासङ्गिके परार्थत्वान्न ह्येष नियमो भवेत् ।
यद्वृत्तं [2]सम्भवेत्तत्र तद्योज्यमविरोधतः ॥१९॥

सदाकार्यौ त्रिसन्धिकौ' इत्यत्र गर्भविमर्शयोर्लोपः । 'द्विसन्धि तु प्रहसनं वीथ्यङ्कौ भाण एव च' तत्र प्रतिमुखगर्भावमर्शानां लोपः, त्रिशब्देन (द्वितीयत्रिचतुर्थाना-मित्यत्र) तृतीयो लक्ष्यते । तत्रोपक्रमोपसंहारौ तावत् सर्वत्रावश्यंभाविनौ । तत्र तु ये प्रेक्षापूर्वकारिणो विततं बहुफलं कर्तव्यमारभन्ते तेषां पञ्चैव सन्धयः । आर्तिसहिष्णुत्वेन शंक्यमानविरुद्धप्रत्ययस्यापाकरणे "द्वौ प्रतिषेधौ विधि द्रढयतः" इति न्यायात् सुदृढो हि भवत्येषां फलयोगः । डिमादिनायकास्त्वत्युद्धत-प्रायत्वान्नातीव विनिपातमाशङ्कन्ते । व्यायोगादिनायका अपि तारतम्येन फल-योगाङ्गीभावान्नाद्रियन्ते । प्रहसनादिनायकास्त्वधर्मप्रायत्वात्तदितिवृत्तस्य चर्वित-शरीरत्वादुपक्रमोपसंहारमात्रे विश्राम्यन्तीत्यपूर्णा अवमर्शादयः ।

एवं पञ्चभिरितीतिवृत्तशब्दे यस्य हीतिशब्दो व्याख्यातः, सोऽनेन निर्वा-हितार्थः, प्रासङ्गिके तु क इतिशब्दस्यार्थ इति दर्शयति प्रासङ्गिक इति । नियमो य उक्तो नियमात्पूर्णसन्धि स्यादित्यादि स तत्र न भवेत्, विभीषणप्रतिष्ठापन-विषये रामस्य चेदौत्सुक्यबन्धादि योज्येत तर्हि तदेव यत्नसंपाद्यं भवेत् । परा-मृशति यद्वृत्तमिति तत्राधिकारिके यदविरुद्धमत्र प्रासङ्गिके सम्भवि वृत्तं प्रारम्भे-ष्वन्यतमं च तदेव प्रासङ्गिके योजनार्हमिति ।

ननूक्तं 'औत्सुक्यमात्रबन्धस्तु यद्बीजस्य' इत्यादि तत्र चोपायतत्सहकारिवर्ग-प्रतिबन्धत्वं तद्विध्वंसनं चोपक्षिप्तं तत्र तत्स्वरूपं न ज्ञातमित्युपाय सामग्रीस्वरूपं

---

1 NS. चतुर्थस्यैकलोपे तु ।
2. KSS., NS. तु भवेत् तत्र संयोज्यमविरोधतः ।

इतिवृत्ते यथावस्थाः पञ्चारम्भादिकाः स्मृताः।
अर्थप्रकृतयः [1]पञ्च तथा बीजादिका अपि ॥२०॥

[2]बीजं बिन्दुः पताका च प्रकरी कार्यमेव च।

अर्थप्रकृतयः पञ्च ज्ञात्वा योज्या यथाविधि ॥२१॥

दर्शयितुमाह-**इतिवृत्ते यथावस्था** इति, इतिवृत्तविषये यथा येन प्रकारेणाधिकारिकस्य खण्डनलक्षणेन पञ्चावस्था उक्ताः तेनैव प्रकारेणार्थप्रकृतयोऽपि पञ्चैव पठ्यन्ते। तदनभिधाने उपायादिस्वरूपापरिज्ञानात् प्रारम्भाद्यवस्थानां परमार्थतोऽसंवेदने आधिकारिकत्वमविदितं स्यात्। यत्रार्थः फलं तस्य प्रकृतय उपायाः फलहेतव इत्यर्थः। तत्र जडचेतनतया द्विधाकरणं, जडश्च मुख्यकारणभूतः, गूढतरो वा, आद्यं बीजं द्वितीयं कार्यं करणीयं प्रयोक्तव्यमित्यर्थे। चेतनोऽपि द्विधा मुख्य उपकरणभूतश्च, अन्त्योऽपि द्विधा स्वार्थसिद्धिसहिततया परार्थसिद्धया युक्तः शुद्धयापि च*, तत्राद्यो बिन्दुः द्वितीयः पताका तृतीयः प्रकरी। तदेतैः पञ्चभिरुपायैः पूर्णफलं निष्पाद्यते। अत एवाह—**ज्ञात्वा योज्या यथाविधि** इति तासामौद्देशिकोक्तिवदुपनिबन्धक्रमनियम इत्यर्थः।

अन्ये त्वाहुः—अर्थस्य समस्तरूपकवाच्यस्य प्रकृतयः प्रकरणान्यवयवार्थखण्डा इत्यर्थप्रकृतयः—एतच्च व्याख्यानं नातीव प्रकृतं पोषयति। सन्ध्यादीनामपि चार्थप्रकृतित्वमत्र व्याख्याने स्यात्, इतिवृत्तमेवच समुदायरूपम्। अर्थं इतिवृत्ते प्रकृतय इति वक्तव्येऽर्थग्रहणमतिरिक्तं स्यात्, इत्यवस्थाभिश्च तुल्यतावर्णनं वर्णनमात्रं स्यादिति किमनेन।

1. KSS. चासां पञ्च।

2. KSS. बीजबिन्दुपताकाश्च।

* शुद्धयेति केवलपरार्थसिद्धयेत्यर्थः।

[1]स्वल्पमात्रं समुत्सृष्टं बहुधा यद्विसर्पति[2] ।
फलावसानं यच्चैव[3] बीजं तत्परिकीर्तितम्[4] ॥२२
प्रयोजनानां विच्छेदे यदविच्छेदकारणम् ।

तदेतत्पञ्चकमुद्देशक्रमेण लक्षयति **स्वल्पमात्रमिति** । यद्वस्तु—सागरिकान्तःपुरनिवासेन (वसन्तोत्सव) समये गम्भीरप्रयोजनसंवेदनाभावात् स्वल्पमात्रमकिंचित्करप्रायं शंक्यते संवादेनोत्सृष्टं प्रक्षिप्तं यथावश्यं फलान्तं, यतो बहुभिः प्रकारैर्विसर्पत्येव, सर्वथा प्रसरति यत्तत् सिद्धिस्तत्फलमपि यदि निरुध्य फलत्वेन प्रवर्तते प्रथमप्रक्षेपेणैव देशकालौचित्यापेक्षैस्तद्बीजवन्यस्यारघट्टपरिवर्तनन्यायेन बहुतरोपायपरम्परोपरि कार्यमेव यस्यापेक्ष्यं तद्बीजम् । यद्यस्मात्परितः समन्तात्कीर्तितं प्रसिद्धम् । तच्च क्वचिदुपायमात्रं क्वचित्फलमात्रं क्वचिद्द्वयं फलं च क्वचिदुपादानं क्वचिद्धेयव्यसननिवर्तनं क्वचिदुभयमिति । तत्रापि क्वचिन्नायकोद्देशेन क्वचित्प्रतिनायकाश्रयेणेत्यादिभेदैर्बहुधा भिद्यते । तत्र चक्रवर्ति पुत्रलाभो मुनिजनाशीर्वचनद्वारेण फलस्वभावस्यैवाभिज्ञानशाकुन्तले ।

फलमपि च भविष्यदुपायाविनाभावाद् बीजमित्युच्यते । एवमन्यत्रापि यथायथमुदाहार्यम् । आनन्त्याद् ग्रन्थगौरवभयाच्च न प्रतिदिशं लिखितम् ।

अथ बिन्दुं लक्षयति **प्रयोजनानां विच्छेद** इति । प्रयुज्यते फलं यैरुपायानुष्ठानैः तेषामितिवृत्तवशादवश्यकर्तव्यतादिभिर्विच्छेदेऽपि सति यदनुसन्धानात्मकं प्रधाननायकगतं सन्धिद्रव्यज्ञानं बिन्दुः, ज्ञानविचारणं फल-लाभोपायत्वात् । यावदविच्छेदः प्रत्यनुसन्धानेन (न) कृतस्तावन्न किञ्चिदपि कार्यं निर्वहति ।

---

1. KSS. अल्पमात्रं ।
2. KSS. प्रसर्पति ।
3. NS. तच्चैव ।
4. KSS. अभिधीयते । NS. तदिह कीर्तितम् ।

यावत्समाप्तिर्बन्धस्य[1] स बिन्दुः परिकीर्तितः ॥२३॥

ननु बीजं तावत् फलान्तमास्ते, बिन्दोस्तु कथं स्थितिरित्याह—**यावत्समाप्तिरिति**। यावत्स्वस्य बध्यमानस्य फलस्य सम्यगाप्तिस्तावत्। एतदुक्तं भवति—सकलोपायप्रतिजागरणनिमित्तं ह्यनुसन्धानं यावद्धि मुख्यनायकेन प्रत्यनुसन्धानेन (न) क्रियते तावत् जडाजडरूपः सर्वोऽप्युपायधर्मोऽनुपायकल्प एव। तथा हि—तापसवत्सराजे वासवदत्ताप्रेमानुसन्धानं राजमुखेन प्रत्यङ्कं दर्शितम्—"तद्वक्त्रेन्दुविलोकनेन दिवसो नीतः प्रदोषस्तथा"* इति यावत् षष्ठेऽङ्के—

त्वत्संप्राप्तिविलोभितेन सचिवैः प्राणा मया धारिताः
तन्मत्वा त्यजनः शरीरकमिदं नैवास्ति निःस्नेहता।
आसन्नोऽवसरस्तवानुगमने जाता रतिः किं त्वयं
खेदो यच्छतधागतं न हृदयं तस्मिन् क्षणे दारुणे॥

तत्र प्रधानसिद्धिरायत्तसिद्धिरुभयसिद्धिः, प्रधानसिद्धावयं बिन्दुः, आयत्तसिद्धिस्तु राज्यप्राप्तिलक्षणा। तस्याममात्यवर्गकृतमेवानुसन्धानं बिन्दुः। उभयसिद्धौ तूभयकृतः येन यत्प्राधान्येनाभिसंहितं स एव तदनुसंधत्तो। इत्येवं प्रधानानुसन्धानचेतनव्यापारः कारणानुग्राही स्वयं च परमकारणस्वभावस्तैलबिन्दुवत् सर्वव्यापकत्वादपि बिन्दुः। बीजं च मुखसन्धेरेव प्रवर्त्यात्मानमुन्मेषयति बिन्दुस्तदनन्तरमिति विशेषोऽनयोः, द्वे अपि तु समस्तेतिवृत्तव्यापके।

---

1. KSS. इति संज्ञितः।

*तद्गोष्ठ्यैव निशापि मन्मथकृतोत्साहैस्तदङ्गार्पणैः
तां सम्प्रत्यपि मार्गदत्तनयनां द्रष्टुं प्रवृत्तस्य मे
बद्धोत्कण्ठमिदं मनः किमथवा प्रेमा समाप्तोत्सवः॥

(ता० व० १-१५)

यावदिति। अत्र प्रत्यङ्कप्रदर्शितप्रेमानुसन्धानं ध्वन्यालोकलोचने वृत्तिकारेण तृतीयोद्योते विशदीकृतमेव।

यद्वृत्तं [1]तु परार्थं स्यात् प्रधानस्योपकारकम् ।
प्रधानवच्च कल्प्येत सा पताकेति कीर्तिता ॥२४॥
फलं [2]प्रकल्प्यते [3]यस्याः [4]परार्थायैव केवलम् ।
अनुबन्धविहीनत्वात्[5] [6]प्रकरीति विनिर्दिशेत् ॥२५॥
यदाधिकारिकं [7]वस्तु सम्यक् प्राज्ञैः प्रयुज्यते ।
[8]तदर्थो यः समारम्भस्तत्कार्यं परिकीर्तितम् ॥२६॥

यद्वृत्तं तु परार्थं स्यादिति । यस्य संबन्धि वृत्तं संविदनुसन्धानं परस्य प्रयोजनसंपत्तये भवदपि स्वप्रयोजनं संपादयति । अत एवाह **प्रधानवच्च कल्प्येतेति** । सचेतनानुसन्धाना पताका सिद्धिप्रधानस्योपकारिणी । एवं सुग्रीवविभीषणप्रभृतिरपि रामादिनोपक्रियमाणे रामादेरात्मनश्चोपकाराय प्रभवमाने प्रसिद्धिप्राशस्त्ये संपादयतीति । एवमौचित्यानौचित्यज्ञानोपयोगिन्यानयात्र पताकावदुपयोगित्वादियं पताकेति चिरन्तनाः ।

फलं प्रकल्प्यते यस्या इति यतश्च ततः परार्थमेव केवलं सर्वमनुतिष्ठति सा प्रकरी । यथा कृत्यारावणे कुलपतिः, वेणीसंहारे भगवान्वासुदेवः । प्रकर्षेण स्वार्थानपेक्षया करोतीति । इक् सार्वधातुभ्यः संविदपेक्षया च, स्त्रीलिङ्गत्वे कृदिकारादिति ङीष् । फलमिति फलतीति कृत्स्नोपायानुष्ठानमुच्यते ।

यदाधिकारिकमिति प्राज्ञैः प्रधाननायकपताकानायकप्रकरीनायकैश्चेतनरूपैः, यद्वस्तु फलरूपं प्रयुज्यते संपाद्यते संपाद्यत्वेनानुसन्धीयते तत्फल-

---

1. KSS. हि ।
2. KSS. संकल्प्यते ।
3. KSS. सद्भिः ।
4. NS. परार्थं केवलं बुधैः, KSS. परार्थं यस्य केवलम् ।
5. NS. विहीनं स्यात् KSS. बन्धेन हीनस्य ।
6. NS. प्रकरीमिति निर्दि KSS. प्रकरीं तां ।
7. NS. वृत्तं, KSS. यस्तु ।
8. KSS. समुदाहृतम् ।

एतेषां यस्य येनार्थो यतश्च गुण इष्यते ।
[1]तत् प्रधानं तु कर्तव्यं गुणभूतान्यतः परम् ।।२७
एको[2]ऽनेकोऽपि वा सन्धिः [3]पताकायां तु यो भवेत् ।
प्रधानार्थानुयायित्वादनुसन्धिः[4] प्रकीर्त्यते ।।२८

प्रयोजनो यः संपूर्णतादायी पूर्वपरिगृहीतस्य प्रधानस्य बीजाख्योपायस्य फलम्, आरभत इत्यारम्भशब्दवाच्यो द्रव्यक्रियागुणप्रभृतिः सर्वोऽर्थः (यस्य) सहकारी (तत्) कार्यमित्युच्यते, चेतनैः कार्यते फलमिति व्युत्पत्त्या। **सम्यगिति** प्रभुमन्त्रोत्साहशक्तित्रयसंपन्नैरित्यर्थः । तेन जनपदकोशदुर्गादिकव्यापारवैचित्र्यं सामाद्युपायवर्ग इत्येतत्सर्वं कार्येऽन्तर्भवति । तत्र परं प्रथमपरिगृहीतः प्रधानभूतोऽभ्युपायो बीजत्वेनोक्तः ।

ननु प्रारम्भादिवदासामर्थप्रकृतीनां किं सर्वत्र सर्वासां सम्भवस्तथार्थप्रकृतिसन्ध्यवस्थाभिः सह किं यथासंख्यं नियमस्तथा किं स्वात्मन्यासां कर्तृक्रम इति शङ्कात्रयमपाकर्तुमाह **एतेषामिति** पञ्चकवर्गत्रयं परामृश्यते एकैकस्य वर्गस्यैकशेषेण । तदयमर्थः—न सर्वत्र प्रारम्भादिवत् सर्वा अर्थप्रकृतयोऽपि । अपि तु यस्य नायकस्य येनार्थप्रकृतिविशेषेण प्रयोजनसंपत्तिरधिका तदेव प्रधानम, अन्यत्तु भवदपि गुणभूतमसत्कल्पम्, यथा स्वपराक्रमबहुमानशालिनां पताकाप्रकर्यं विवक्षिते एव । बीजबिन्दुकार्याणि तु सर्वत्रानपायीनि । तत्रापि तु गुणप्रधानभावः तथा सन्ध्यवस्थार्थप्रकृतीनां **यस्य येनोचितः** संबन्धः **प्रधानं** नाटकादिकार्यमिति द्वितीयापि निरस्ता। **यतश्च गुण** उपकारो झटिति वाच्यते तदेवार्थप्रकृतिरूपं पञ्चानामन्यतमं प्रधानत्वेन बाहुल्येन निबन्धनीयम्, अन्यद् गुणभावेन प्रधानायत्तसिद्धौ च

---

1. KSS. प्रधानं तत्प्रकर्तव्यं ।
2. KSS. नैको ।
3. KSS. पताकायाश्च योजयेत् ।
4. KSS. अनुबन्धः स कीर्तितः ।

निबध्यमानाया यो यत्रांशेऽप्यधिकोपकारी स तत्र प्रधानीकर्तव्यः । यथा वासवदत्तालाभे (तापसवत्सराजे) बिन्दुः प्रधानं, कौशाम्बीराज्यलाभे तु प्रकरी पताका च प्रधाना, अमात्यस्य राज्यसिद्धौ स्वार्थसिद्धिरिति पताकात्वं केचिदाहुः । एवं सुसङ्गतासांकृत्यायनी* बीजधर्मादिषु वाच्यम् । अपरे तु—प्रथमतरमेव नायकस्य तावद्रूपत्वान्नैव प्रमाणं पृथङ्नायकत्वं, सुग्रीवादयस्तु पृथग्भूता एव, सांप्रतिके कार्ये केवलमाश्रिता इति, एवं प्रमाणमिव पताकादिरूपत्वम् । तेषां मते तापसवत्सराजे उभयत्रापि बिन्दुरेव प्रधानं, पञ्चानामप्यर्थप्रकृतीनामन्यतमस्य द्वयोस्तिसृणां चतसृणां सर्वासां वा प्राधान्यं यथास्वं विभजनीयम् । पताकाप्रवृत्तस्य प्रधानवदतिदेशात् पञ्चसन्धीत्यासां† भवेत् पृथग्गणना । अस्त्वित्यसौ परार्थत्वादेव । अत एव च ङ्गुनः सन्धिः सूच्यते वाभ्यूह्यते वा निबध्यते वा । यथा मायापुष्पके—

वाली यदा विनिहतः प्रथितप्रभावो
दग्धा यथैककपिना प्रसभं च लङ्का ।
तीर्णो यथा जलनिधिर्गिरिसेतुना च
मन्ये तथा विलसितं चपलस्य धातु ॥

पताकायां हि पूर्णवर्णने पताकान्तरं स्यादित्यनवस्था । तद्युक्तमुक्तमनुसन्धित्वान्न पृथग्गणनमस्येति ।

तथा लोल्लटाद्यास्तु मन्यन्ते परार्थे साधयितव्ये पताकानायकस्येतिवृत्ताङ्गा अनुसन्धयः । यथा कृत्यारावणे—

धन्यास्ते ते कृतिनः श्लाघ्या तेषां च जन्मनो वृत्तिः ।
यैरुज्झितात्मकार्यैर्येषामर्थाः प्रसाध्यन्ते ॥

इति मुखानुसन्धिः, "वाली यथे" ति प्रतिमुखस्यानुसन्धिः, शक्तिहते लक्ष्मणे ओषध्यानयने गर्भस्य, अङ्गददौत्ये मन्दोदर्याक्षेपेऽवमर्शस्य, "आ ! अशक्त, अनार्ये तिष्ठ तिष्ठ, अतिरथस्त्वं सा न " इति निर्वहणस्य, इति । एतत्तु भवति सर्वस्यैव हि पञ्चावस्था भवन्तीत्युक्तम् । किं तस्यानुसन्धिद्वित्वाभिधाने प्रयोजनं न पश्यामः ।

---

*सुसङ्गता रत्नावल्यां, सांकृत्यायनी तापसवत्सराजे ।

†त्यास्यात् ।

आगर्भादाविमर्शाद्वा पताका विनिवर्तते ।

[1]**कस्माद्यस्मान्निबन्धोऽस्याः परार्थः परिकीर्त्यते ॥**

[2]**यत्रार्थे चिन्तितेऽन्यस्मिन्स्तल्लिङ्गोऽन्यः प्रयुज्यते ।**

स्वफलसिद्धये यतमानस्य तत्र तत्रावश्यं पृथग्गणमा शङ्केति, तत्प्रशमन-प्रयोजनम्, अस्मत्पक्षे कस्मिस्त्र्हि प्रधानसन्धौ तस्यानुयायित्वमिति दर्शयितु-माह **आगर्भादाविमर्शाद्वेति** प्रतिमुखे गर्भे यदि वा । यमर्थं व्याप्य निवर्तते पताकेतिवृत्तं तावत्येव पताकानायकस्य स्वफलसिद्धिरुपनिबन्धनीया, सिद्ध फलस्त्वसौ प्रधानफल एव व्याप्रियमाण आसीनोऽपि भूतपूर्वगत्या पताका शब्दवाच्यो न मुख्यत्वेन । अत्राह **कस्माद्यस्मादिति** । कस्मादस्याभिप्रायः, प्रधानवच्च कल्प्येतेत्युक्तत्वात् निर्वाहादपि किं तद्भवति, अत्रोत्तरं **यस्मादिति** निर्वहणपर्यन्ते तत्फले क्रियमाणे तुल्यकालयोरुपकार्योपकारक-त्वाभावात् तेन प्रधानोपकारो (कारभावोत्तर) न भवेत् । अभिविधावाङ् । ये तु मर्यादायां तं व्याचक्षते ते न सम्यगमंसत—विनिपातप्रतीकारः प्रधान-विमर्शमन्धौ प्रस्तुतोपयोगः पताकायाः, यत्र कृतघ्नतादृष्टा तन्न नीत्योच्यते कृतज्ञस्तु प्राप्तफलो विनिपातान् प्रतिकुर्यादेवेति । तत्र पताकानायको यथा-स्वार्थे प्रवर्तते **परार्थं** च (संपद्यते), भृत्यस्यान्यस्य वा जडस्य वा स्थितिः—स्वार्थेऽपि सति परार्थे । संपद्यते । तत्पताकास्थानकं पताका तत्र जडस्य स्वार्थ-परार्थप्रवृत्तौ तावदभिसन्धानाभावात् । अभिसन्धानवतः सुग्रीवादेः पताकानाय-काद्भेदः, अजडस्यापि स्वार्थे यद्यप्यनुसन्धानमस्ति तत्रापि परार्थे नास्तीति विशेषः, प्रधानवच्च कल्प्येतेति पताकालक्षणेऽभिधानाद् बहुतरेतिवृत्ते व्यापकता नायकस्य, अस्य तु परिमितेतिवृत्तव्यापकत्वमित्यपि विशेषः ।

तस्य पताकास्थानस्य वक्ष्यमाणभेदैर्भेदवत्त्वात् सामान्यलक्षणं ताव-दाह यत्रार्थे **चिन्तितेऽन्यस्मिन्निति** । अर्थः प्रयोजनं, उपायश्च, कर्मकरणव्युत्पत्त्या

---

1. KSS. तस्माद्यस्मात्तु बन्धोऽस्याः परार्थायोपकल्प्यते ।

2. KSS. यत्रान्यस्मिन्युज्यमाने । KSS. यत्रार्थे चिन्त्यमानेऽपि तल्लिङ्गार्थं

आगन्तुकेन भावेन पताकास्थानकं तु तत् ॥३०॥

सहसैवार्थसम्पत्तिर्गुणवत्युपकारतः[1] ।

पताकास्थानकमिदं प्रथमं परिकीर्तितम्[2] ॥३१॥

अन्यस्मिन्नुपाये प्रयोजने वा चिन्तिते अन्यः उपायान्तरप्रयोजनान्तरलक्षणः **प्रकर्षेण युज्यते** संबध्यते यत्रेति तत्पताकास्थानकम्, पताकाधारत्वादुपचारादितिवृत्तमपि पताकास्थानकम् । उपाध्यायास्त्वाहुः—पताकायाः स्थानमितिवृत्तता, तत्र चार्थः क्रियमाणोऽपि पूर्वपदार्थमुपसंक्रामति, राजवाहन इवायमुद्धुरकन्धर तिष्ठतीति, यथा, तेन पताकास्थानकमितिवृत्तमेवोच्यते । तत्र वर्ण्यमानं तु जडाजडरूपं पताकासदृशमित्यर्थादुक्तं भवति । स चान्योऽर्थस्तल्लिङ्गस्तन्मुख्यमर्थं लिङ्गयति विचित्रयतीति ।

ननु किं तत्र पताकासदृश्यमित्याह **आगन्तुकेन भावेनेति** । भावनं भावः कारणत्वम्, तच्च द्विविधं स्वरूपकृतं सहकारिकृतं च । सहकारिकृतमागन्तुकमुच्यते । तेन सहकारित्वसामान्यात् तत्समर्थाचरणलक्षणात् पताकासादृश्यमिति यावत् । अन्याभिसन्धानेऽन्यसिद्धिश्चेत् भूषणभूतापि कैश्चिद्दूषणत्वेन गृहीता, तैरर्थशब्दः उपायवाच्योपाश्रितः । **तल्लिङ्ग** इति कारणत्वधर्मावप्रवृत्तिनिमित्त उपायः । उदाहरणं सामान्यलक्षणस्य विशेषलक्षणव्याख्याने शक्ययोजनमिति तत्रैव दर्शयिष्यामः । तद्भेदान् क्रमेण लक्षयति **सहसैवार्थसंपत्तिरिति** । यत्रोपकारकमपेक्ष्य गुणवती उत्कृष्टा अर्थस्य फलस्य सहसैवाचिन्तितोपनतत्वेन भवति संपत्तिः तत् प्रथममिति साध्यफलयोगात्प्रधानं पताकास्थानम् । यथा रत्नावल्यां सागरिकायां पाशावलम्बनप्रवृत्तायां वासवदत्तेयमिति मन्यमानो यदा राजा पाशं मुञ्चति तदा तदुक्तया सागरिकां प्रत्यभिज्ञाय "हा कथं प्रिया मे सागरिका, अलमलमतिमात्र" मित्यादि । अत्रान्यत्प्रयोजनं चिन्तितं तद्वैचित्र्यकारि च प्रयोजनान्तरं संपन्नम् । तत्र च दैवयोगः तथाभूतदेशकालयोगो नायकः स्वात्मैवान्याभिसन्धिबलात् कल्पितभेदः, सागरिकैव वा मरणमेवोचितमित्यन्याभिसन्धानेन वदतीति पताकानायकसदृशत्वं भजते । 'अन्यस्मिन्नुपाये

1. KSS. चारतः ।

2. KSS. परिकीर्त्यते ।

[1]वचः सातिशयं श्लिष्टं काव्यबन्धसमाश्रयम् ।
पताकास्थानकमिदं द्वितीयं परिकीर्तितम् ।। ३२।।
अर्थोपक्षेपणं यत्र लीनं सविनयं भवेत् ।
श्लिष्टप्रत्युत्तरोपेतं तृतीयमिदमिष्यते ।।३३ ।।

चिन्तिते सहसोपायान्तरप्राप्तिः यथा नागानन्दे जीमूतवाहनस्य शङ्खचूडाप्राप्तवध्यपटस्य कञ्चुकिना वासोयुगलार्पणम् ।

अन्ये तु 'चतुष्पताकापरम'मितिभाविसन्धिचतुष्टयाभिप्रायेण मन्यमानाः प्रथमद्वितीयादिशब्दान् मुखादिसन्धिविषयप्रयोगाभिप्रायेण व्याचक्षते । अत्र च युक्तिर्न लक्ष्यते, न वा चमत्कारं भजतीत्यसदेव । एतत्तुल्यतया गणनभूतेन्द्रियैः सह पताकापञ्चकगणनमप्यापादयेदिति च वदद्भिश्चिरन्तनैरेवायमुपहासपात्रीकृतः पक्ष इत्यास्ताम् ।

वचः सातिशयं श्लिष्टमिति । काव्यस्य प्रकृतस्य वर्णनीयस्य यो बन्धः, अतिशयोक्त्यादिना योजनं तन्निमित्तवशाद्यद्वचनं सातिशयश्लिष्टमप्रकृतं प्रत्युचितं जातं तद्वचनं तदर्थो वा तदुच्चारयिता वा यादृच्छिकं वा प्रकृतोपयोगित्वेन सहकारित्वेन गच्छद् द्वितीयं पताकास्थानमभिसन्धानापेक्षया । यथा रामाभ्युदये तृतीयेऽङ्के सीतां प्रति सुग्रीवस्य संदेशोक्तिः—

बहुनात्र किमुक्तेन पारेऽपि जलधेः स्थिताम् ।
अचिरादेव देवि त्वामाहरिष्यति राघवः ।।

अत्रान्यप्रयोजनेनातिशक्त्याशयेन प्रयुक्तेऽपि वचसि पारेऽपीत्यादि प्रकृतोपयोगातिशयात्पताकास्थानकम् ।

अर्थोपक्षेपणं यत्रेति । लीनमस्फुटरूपं उत्क्षिप्यमाणमर्थजातं, श्लिष्टेन संबन्धयोग्येनाभिप्रायान्तरप्रयुक्तेनापि प्रत्युत्तरेणोपेतं सद्यत्र, सविनयं विशेषेण नयनेन विशेषनिश्चयप्राप्त्या सहितं संपद्यते तत् तृतीयं पताकास्था

1. KSS. वचसातिशय ।

द्व्यर्थो वचनविन्यासः सुश्लिष्टः काव्ययोजितः ।

[1]उपन्याससुयुक्तश्च तच्चतुर्थमुदाहृतम् ।।३४।।

नकम् । यथा मुद्राराक्षसे चाणक्यः :—"अपि नाम राक्षसो दुरात्मा गृह्येत" । एवमस्फुटेऽर्थे उपक्षिप्ते, (प्रविश्य) सिद्धार्थकः—"अंअ गण्हिदो"* । इत्येतत्प्रत्युत्तरं सन्देशाशयेन प्रयुक्तमौचित्याद्विशेषनिश्चयं करोति । तथा च पुनश्चाणक्यः—(सहर्षमात्मगतं) "हन्त गृहीतो दुरात्मा राक्षसः" इति । इदं च प्रकृतसाध्योपयोगाङ्गित्वात् पताकास्थानीयमिति वीथ्यङ्गाद् गण्डादस्य भेदः— "ऊरुयुग्मं च भग्नं" तद्धि प्रत्युत दुर्योधननाशादाशयश्च दुष्टः । कस्तस्योपयोगः, पाण्डवानुसारेण तु भवतु । इदं पाताकास्थानकं भिन्नविषयत्वं कृतं ह्येतद्रूपं न क्षतिमावहति ।

द्व्यर्थो वचनविन्यास इति यो वचनविन्यासः कथारूपं वा सालङ्कारत्वसंपत्त्याशयेन, शोभनः प्रसादयुक्तः, श्लेषवशात् **द्व्यर्थ** इति अनेकार्थसंप्रयुक्तः तादृशः सन्नुपन्यासे वस्त्वन्तरोपक्षेपे सुष्ठु संपद्यते, तच्चतुर्थम् । यथा— "प्रीत्युत्कर्षकृतो दृशामुदयनस्येन्दोरिवोद्वीक्षते"** (रत्नावली अ १-२३) इत्यत्र हि काव्यरूपताशयेन श्लेषः प्रयुक्तः प्रधानवस्त्वन्तरं सागरिकागतमुत्क्षिपति— "अयं सो राआ उदयणो जस्स अहं तादेण दिण्णा—अयं स राजा उदयनो यस्याहं तातेन दत्ता" (रत्ना अ १) इति । "उद्दामोत्कलिकां"† इति तु

---

1. KSS., NS. उपन्यासः संयुतश्च ।

*आर्यग्रहीतः ।

**अस्तापास्तसमस्तभासि नभसः पारं प्रयाते रवा-
वास्थानीं समये समं नृपजनः सायन्तने संपतन् ।
संप्रत्येष सरोरुहद्युतिमुषः पादांस्तवासेवितुं···

†उद्दामोत्कलिकां विपाण्डुररुचं प्रारब्धजृम्भां क्षणा-
दायासं श्वसनोद्गमैरविरतैरातन्वतीमात्मनः
अद्योद्यानलतामिमां समदनां नारीमिवान्यां ध्रुवं
पश्यन् कोपविपाटलद्युतिमुखं देव्याः करिष्याम्यहम् ।।

[1][**यत्र सातिशयं वाक्यमर्थोपक्षेपणं भवेत् ।**
विनाशिदृष्टमन्ते च पताकार्धं तु तद्भवेत् ॥३५॥]
चतुष्पताकापरमं नाटके[2] कार्यमिष्यते ।
पञ्चभिः सन्धिभिर्युक्तं तांश्च वक्ष्याम्यतः परम्[3] ॥३६॥

नोदाहरणं, द्व्यर्थताप्रतिपत्तावपि हि नात्रार्थेन सहकारिता कुत्रचिदाचरिता । तस्मादेतद्वीथ्यङ्गस्य व्याहारस्यैवात्रोदाहरणं युक्तम् ।

एषामुत्कर्षं दर्शयितुमाह—**चतुष्पताकापरम**मिति । चतुष्पताकाशब्देन समनन्तरं पताकास्थानकमुक्तं तैश्चतुर्भिः कृतैः परममुत्कृष्टं **नाटके** नाट्यविषये **कार्य**मिष्यते तस्मात्तथाकर्तव्यमित्यर्थः ।

पताकानायकेन हि यल्लेशतः कर्तव्यं तदेकेन क्रियते चदुष्टयेन वा । केचिदित्याहुः—चतर्षु सन्धिषु चत्वारः पताकानायकाः, तेषां यथाक्रमं सूचकानि पताकास्थानकानि, प्रथमं मुखसन्धौ यावच्चतुर्थमवमर्शसन्धाविति—तच्चासत्, पताकाया इव प्रकरीकार्यबिन्दुबीजानामपि सूचकान्तराणि वक्तव्यानि स्युः चत्वारश्च नियमेन पताकानायका भवेयुः, आगर्भादिति च पक्षे चतुष्पताकापरममित्यसङ्गतं स्यात्, मुख्यनायके चेतिवृत्तसूचकं न लक्षणतः कथ्यते पताकानायके तु कथ्यत इत्यधरोत्तरमाश्रितं स्यात्, न च मुख्यसंधावाद्यं द्वितीयं प्रतिमुखसन्धावित्यादिक्रमो न्याये लक्ष्ये वा साक्ष्यमाक्षिपति—इत्यलमनेन ।

एवमितिवृत्तं व्याख्यातं, तस्य च भेदद्वयं निरूपितं, प्रसङ्गादाधिकारिकत्वसिद्धये अनुवृत्तिस्थानभूता अवस्थाः पञ्च दर्शिता अर्थप्रकृतयश्च, तत्प्रसङ्गादेव पताकास्थानानि । अधुना त्वितिशब्दार्थं प्रयुक्तं **पञ्चभिः सन्धिभिर्युक्तमिति** । तत्र प्रतिज्ञां करोति **तांश्च वक्ष्यामीति** । अथ निर्णिनीषुरुद्देशं तावदाह-

1. KSS., NS. do not read this verse.
2. KSS., NS. काव्यमिष्यते ।
3. NS. पुनः ।

मुखं प्रतिमुखं चैव गर्भो विमर्श एव च[1] ।

तथा निर्वहणं चेति[2] नाटके पञ्च सन्धयः ॥३७॥

[पञ्चभिः सन्धिभिर्युक्तं प्रधानमनु कीर्त्यते ।

शेषाः प्रधानसन्धीनामनु[3] ग्राह्यनुसन्धयः ॥३८]

यत्र बीजसमुत्पत्तिर्नानार्थरससम्भवा ।

काव्ये शरीरानुगता तन्मुखं परिकीर्तितम् ॥३९॥

मुखं प्रतिमुखं चैवेति । समुच्चयपदैः पञ्चानां सर्वत्रावश्यंभावित्वं द्योतितम् । नियमवाचिभिः क्रमनियमः । नाटक इत्यभिनेयरूपके इत्यर्थः । महावाक्यार्थरूपस्य रूपकार्थस्य पञ्चांशा अवस्थाभेदेन कल्प्यन्ते । तत्र मुखस्य स्वतन्त्रस्येतिवृत्ते समस्तप्रयोजनस्यातएव नायकस्य स्वमुखेन परद्वारेण वा या प्रारम्भावस्था प्रथमा व्याख्याता तदुपयोगी यावानर्थराशिः स मुखसन्धिः । तस्यार्थराशेरवान्तरभागान्युपक्षेपाद्यानि सन्ध्यङ्गानि । एवमन्येषु सन्धिषु वाच्यम् । तेनार्थावयवा सन्धीयमानाः परस्परमङ्गैश्च सन्धय इति समाख्या निरुक्ता । तदेषां सामान्यलक्षणम् । तत्रैषां क्रमेण विशेषलक्षणमाह **यत्र बीजसमुत्पत्तिरिति** । प्रागारम्भभावित्वान्मुखमिव मुखं, यावत् क्रियावत्यर्थभागराशौ बीजस्य मुखोपायस्य सम्यगुत्पत्तिः शरीरेण प्रारम्भात्मना अनुगता भवति, नानाभूतोऽर्थवशात् प्रसङ्गायातो रससंभवो यः स्यात् । एतदुक्तं—प्रारम्भोपयोगी यावानर्थराशिः प्रसक्तानुप्रसक्त्या विचित्रास्वाद आपतितः तावान् मुखसन्धिः, तदभिधायी च रूपकैकदेशः । यथा रत्नावल्यां प्रथमोऽङ्कः तथा हि, अमात्यस्य वीरो, वत्सराजस्य

---

1. NS. गर्भो विमर्शश्च तथैव हि KSS. गर्भोऽविमर्शस्तथा हि ।

2. KSS. चैव सन्धयो नाटके स्मृताः ।

3. KSS., NS. ग्राह्यांस्तु ।

* विमर्शावमर्शशब्दयोरन्यतरस्वीकारेण बहूनां पाठानामश्राव्यता दृश्यते ।

बीजस्योद्घाटनं यत्र[1] दृष्टनष्टमिव क्वचित्

शृङ्गारादमुतौ ततः शृङ्गार इति इयानयं सागरिकाया राजदर्शनेऽमात्यप्रारम्भविषयीकृतेऽर्थराशिरुपयोगीति मुखसन्धिः । एवं प्रतिसन्धि वक्तव्यम् ।

बीजस्योद्घाटनं यत्रेति । कार्यतया दृष्टं कारणतया नष्टमिति केचित्, उपादेये दृष्टं हेये नष्टमित्यन्ये, नायकवृत्ते दृष्टं प्रतिनायकेतिवृत्ते नष्टमित्यपरे । न चैतत्समञ्जसम्, एकविषयमन्तरेण सन्धानायोगात्, नाशस्यापि च हेयादिविषयस्य प्रारम्भवशेन दृष्टतयैव संग्रहसंपत्तेः । तस्मादयमत्रार्थः—बीजस्योद्घाटनं तावत् फलानुगुणो दशाविशेषः तद् दृष्टमपि विरोधिसंनिधेर्नष्टमिव, पांसुना पिहितस्येव बीजस्याङ्कुररूपमुद्घाटनम् । यथा वेणीसंहारे कञ्चुकिवचनम्—

आशस्त्रग्रहणादकुण्ठपरशोस्तस्यापि जेता मुने-

स्तापायास्य न पाण्डुसूनुभिरयं भीष्मः शरैः शायितः ।

प्रौढानेकधनुर्धरारिविजयश्रान्तस्य चैकाकिनो

बालस्यायमरातिलूनधनुषः प्रीतोऽभिमन्योर्वधात् ।। (वे०सं० २/२)

अत्र पाण्डवाभ्युदयस्य मुखोपक्षिप्तस्योद्घाटनं भीष्मवधाद् दृष्टमभिमन्युवधान्नष्टम् । अत्रापि वेदितमिति केचित् । तथा चार्थो* न संगमितः स्यात् । दृष्टतैव प्रतिमुख उपयोगिनी नष्टता त्ववमर्श एवेति केचिदुत्तरोत्तरविकासतारतम्यं दृष्टनष्टत्वमाहुः । पूर्वावस्था हि दृष्टाप्युत्तरदृष्टविकासापेक्षया नष्टा । एवं संमृष्टोपमविकास उत्तरापेक्षयेति मन्यते, अत्रापीवार्थो न संगच्छत एव, न कार्यजननं शक्त्या ।

तस्मादयमत्रार्थ :—दृष्टं नष्टमिव कृत्वा तावन्मुखे न्यस्तं भूमाविव बीजं, अमात्येन सागरिकाचेष्टितं वसन्तोत्सवकामदेवपूजादिना तिरोहितं नष्टमिव‡

1. KSS. NS. यत्तु ।

* तदपार्थो ‡नष्टमेव

[1]मुखन्यस्तस्य सर्वत्र[2] तद्धि प्रतिमुखं स्मृतम् ॥४०॥

उद्भेदस्तस्य बीजस्य प्राप्तिरप्राप्तिरेव वा ॥

पुनश्चान्वेषणं यत्र स गर्भ इति संज्ञितः ॥४१॥

सागरिकाचेष्टितस्य हि बीजस्येव तदाच्छादकमभ्युत्सवादिरूपं भूमिरिव प्रत्युद्बोधकम्। तस्य दृष्टनष्टतुल्यं कृत्वा न्यस्तस्य, अत एव कुङ्कुमबीजस्य यदुद्घाटनं तत्कल्पं, यत्रोद्घाटनं **सर्वत्रैव** कथाभागसमूहे तत्प्रतिमुखं, प्रतिराभिमुख्येन यतोऽत्र वृत्तिः। पराङ्मुखता हि दृष्टनष्टकल्पनानिदर्शनम्। रत्नावल्यां—परप्पेसत्ताणदूसिदं वि मे सरीरं एदस्स दंसणेण अज्ज मे बहुमदं संपण्णम् (परपेष्यत्वदूषितमपि मे शरीरमेतस्य दर्शनेनाद्य मे बहुमतं सम्पन्नम्) इत्यादिसागरिकोक्तेरनङ्गाङ्कात् (प्रथमाङ्कात्) सुसङ्गतारचितराजतत्समागमपर्यन्तं काव्यं द्वितीयाङ्कगतं प्रतिमुखसन्धिः। उद्घाटितत्वाद् बीजस्य स्तोकमात्रं तु शङ्कुकादिभिरुदाहृतं यत्तदेकदेशलक्षणमिति द्रष्टव्यम्।

उद्भेद इति **तस्येति** उत्पत्त्युद्घाटनदशाद्वयाविष्टस्य बीजस्य यत्नोद्भेदः फलजनजनाभिमुख्यत्वं स गर्भः। उद्भेदमेवं विवृणोति **प्राप्ति**रित्यादिना। प्राप्तिर्नायकविषया, अप्राप्तिः प्रतिनायकचरिते पुनश्चान्वेषणमित्युभयसाधारणम्। अन्ये तु वीररौद्रविषय एवैतस्यार्थस्य भावादव्यापित्वादेवमाहुः। प्राप्तिः, अप्राप्तिरन्वेषणमित्येवं भूताभिरवस्थाभिः पुनः पुनर्भवन्तीभिर्युक्तो गर्भसन्धिः, प्राप्तिसम्भवाख्ययावस्थया युक्तत्वेन फलस्य गर्भीभावात्। तथा हि—रत्नावल्यां द्वितीऽङ्के सुसङ्गता— अदक्खिणा दाणिं तुमं, जा एव्वं भट्टिणा हत्थेण गहीदा वि कोवं ण मुंचेसि (अरक्षिणा इदानीं त्वं या एवं भर्त्रा हस्तेन गृहीतापि कोपं न मुञ्चसि) इत्यादौ प्राप्तिः। पुनर्वासवदत्ताप्रवेशेऽप्राप्तिस्तृतीयेऽङ्के। "तद्वृत्तान्वेषणाय गतश्चिरयति वसन्तकः" इत्यन्वेषणम्। विदूषकः—ह्वी ही भोः कोसं-

---

1. KSS. मुखे न्यस्तस्य।
2. KSS. भवेत्।

[1]गर्भनिर्भिन्नबीजार्थो विलोभनकृतोऽथवा[2] ।
[3]क्रोधव्यसनजो वापि स विमर्श इति स्मृतः ।।४२

बीरज्जलंभेणावि ण तारिसो पिअवअस्सस्स परितोसो जारिसो मम सआसादो पिअवअणं सुणिअ भविस्सदि" *इत्यादौ प्राप्तिः । पुनः "इह तदप्यस्त्येव बिम्बाधरे"** इति, विदूषकस्य—"भो वयस्स, किं अवरं"† इत्यत्र वासवदत्ताप्रत्यभिज्ञानादप्राप्तिः । पुनः सागरिकायाः सङ्केतस्थानागमने अन्वेषणम् । पुनर्लतापाशकरणे प्राप्तिरित्येवं गर्भः । अप्राप्त्यंशश्चात्रावश्यंभावी, अन्यथा हि सम्भावनात्मा प्राप्तिसंभवः कथं निश्चय एव हि स्यात् । अवमर्शे त्वप्राप्तेरेव प्रधानता प्राप्त्यंशस्य च न्यूनतेति विशेष‡ ।

गर्भनिर्भिन्नबीजार्थ इति । केचिद्विमर्श इति पठन्ति, अन्येऽवमर्श इति । तत्र सन्देहात्मको विमर्शः । ननु पूर्वः सम्भावनाप्रत्ययः, ततः संशय इति नेदमुचितम्, संशयनिर्णयान्तरालवर्तिनं हि तर्कं तार्किकाः प्राहुः । किं च विमर्शसन्धिर्नियतफलप्राप्त्यवस्थया व्याप्तः, तच्च नियत्वं सन्देहश्चेति किमेतत् । अत्राहुः—तर्कानन्तरमपि हेत्वन्तरवशाद् बाधच्छलरूपतापराकरणे-

1. NS. गर्भात् ।
2. NS., NSS. अपि वा ।
3. KSS. किंचिदाश्लेषसंयुक्तो विमर्श इति स स्मृतः ।

*ही हीः भोः कौशाम्बीराज्यलाभेनापि न तादृशः प्रियवयस्यस्य परितोषो यादृशो मत्सकाशात् प्रियवचनं श्रुत्वा भविष्यति ।

**किंपद्मस्य रुचिं न हन्ति नयनानन्दं विधत्ते न किं
वृद्धिं वा झषकेतनस्य कुरुते नालोकमात्रेण किं ।
वक्त्रेन्दौ तव सत्ययं यदपरः शीतांशुरुज्जृम्भते
दर्पः स्यादमृतेन चेदिह तदप्यस्त्येव बिम्बाधरे ।।

†भो वयस्य किमपरम्

‡"अवमर्शे तु प्राप्तेरेव प्रधानता, अप्राप्त्यंशस्य च न्यूनता" इति पाठः स्यात् । यतः, गर्भसन्धावप्राप्त्यंशः प्रधानं फलसंभावनात्मकत्वात्, अन्यथा स फलनिश्चयात्मक एव स्यादित्युक्तं, तद्व्यतिरेकेऽवमर्शे प्राप्तेरेव प्रधानता ।

संशयो भवेत्, किं न भवति । इहापि च निमित्तबलात्कुतश्चित्संभावितमपि फलं यदा बलवता प्रत्यूह्यते कारणानि च बलवन्ति भवन्ति तदा जनकविघातकयोस्तुल्यबलत्वात् कथं न सन्देहः । तुल्यबलविरोधकविधीयमानवैधुर्यव्याधूननसन्धीयमानस्फारफलावलोकनायां च पुरुषकारः सुतरामुद्धुरकन्धरीभवतीति तर्कानन्तरमत्र संशयः ततो निर्णय इत्येतदेवोचिततरम् । तथा हि—पुरुषकारशालिन एव श्लाघ्यन्ते, अद्भुतमद्भुतं प्राणसन्देहादप्यनेकात्मा समुत्तारितो यत्र संभावनाविनाभवति, यत एवात्र प्रयत्नतो विधुरप्रयत्नतो य उपनिपातः, तत एव पुरुषकारोद्यतः पुनर्नाशमपि विजिगीषागर्भत्वेन प्रोद्यमं भजतीति तदाशयेन नियता फलप्राप्तिरुच्यते । श्रेयांसि बहुविघ्नानीति पश्यता तदत्र मया विघ्नापसारणं कर्तव्यमिति साभिमानः स्वमुद्योगसूत्रं सहस्रगुणीकुरुते, तथा हि सागरिकाबन्धनेऽपि महामात्यप्रयुक्तमैन्द्रजालिकवृत्तं सुनिपुणमुपनिबद्धं तावत् ।

अन्ये त्ववमर्शो विघ्न इति विदन्ति । स च व्याख्याने बीजशब्देन तद्बीजफलं अर्थशब्देन निवृत्तिरुच्यते । तेन गर्भनिर्भिन्नप्रदर्शितमुखं यद्बीजफलं तस्य योऽर्थो निवृत्तिः पुनस्तत्रैव संपादनं निष्प्रत्यूहप्राणतया फलप्रसूतिः, तच्छब्देन यत्रेत्याक्षिप्तम्, सा च निवृत्तिः क्रोधेन च निमित्तेन लोभेन वा व्यसनेन शापादिना वा । अपिशब्दाद् विघ्ननिमित्तान्तराणां प्रतिपदमशक्यनिर्देशानां संग्रहः, स च देव्या वासवदत्तया सागरिकायाः कारानिक्षेपात्प्रभृति येयं तुरीयेऽङ्के राज्ञ उक्तिः—

कण्ठाश्लेषं समासाद्य तस्याः प्रभ्रष्टयानया ।
तुल्यावस्था सखीवेयं तनुराश्वास्यते मम ॥

अत्र विघ्ने वासवदत्ताक्रोधो निमित्तम् । लोभस्तु निमित्तं, यथा तापसवत्सराजे—*"त्वत्संप्राप्तिविलोभितेन सचिवैः प्राणा मया धारिताः"* *(६—३) इति । तदपरे न सहन्ते—न ह्यत्र वासवदत्ताप्राप्तिलोभः प्रकृते फले विघ्न-

---

*त्वत्संप्राप्तिविलोभितेन सचिवैः प्राणा मया धारिताः
तन्मत्वा त्यजतः शरीरकमिदं नैवास्ति निस्स्नेहता ।
आसन्नोऽवसरस्तवानुगमने जाता धृतिः किं त्वियान्
खेदो यच्छतधा गतं न हृदयं तस्मिन् क्षणे दारुणे ॥ (ता०व० ६-३)

अयं श्लोको भिन्नपाठत्वेन कुन्तकाभिनवगुप्तभट्टनायकहेमचन्द्रादिभिरुदाहृतः ।

कारीति, इदं तदोदाहरणं—तत्रैव परिणीतायामपि पद्मावत्यां वासवदत्तामलभमानस्य राज्ञो मरणाध्यवसायो मुमूर्षोः, तदलोभे मन्त्रिणां सुतरां राज्यप्राप्तिदीर्घलाभो निमित्तमिति ।

तच्च व्यसनं त्वमर्षनिमित्तमिति अभिज्ञानशाकुन्तले दर्शितम् । एवमन्यदुत्प्रेक्ष्यम् । तथा हि—सपत्न्यां विद्याप्रभावो निमित्तमवमर्शे, क्वचिद्दैवं, क्वचित्समयः—यथा विक्रमोर्वश्यां पुत्रवदनावलोकनादूर्वश्याः स्वर्गगमनाध्यवसाये ।

अन्ये त्वावृत्तिविमर्शशब्दं कल्पयन्त इत्थं व्याचक्षते—गर्भान्निर्भिन्नो बीजार्थफलं यस्मिन्, विमर्शादिकारणत्वाद् विमर्शरूपे कथावयवे स विमर्शो नामेति । अत्र व्याख्याने मुख्यमस्य सन्धेर्यद्रूपं विदूरकारणसंपातात्मकत्वं नाम तदस्पृष्टमेव स्यात् ।

अन्ये तु लाभयोग्यत्वं, नाशावस्था, अन्वेषजावस्था च यथारुचि गर्भे यथारुचि निबन्धनीया, तत्र यदा लाभात्मिका प्राप्त्यवस्था प्रतिमुखेनैव बध्यते तदान्ये द्वे गर्भे सन्धौ, यदाप्यवमर्शे नाशावस्था तदा गर्भेऽन्वेषणमेव, गर्भे यदा नाशान्वेषणे तदा चावमर्शे विचारो निबन्धनीयः । कथं मया प्राप्तप्रायमप्यपहारितं, किमत्र विगुणोपायानुष्ठानं मया कृतं, उत प्राप्तियोग्यमेवैतन्न भवतीति, यदाहोद्भटः—यासावन्वेषणभूमिरवमृष्टिरवमर्श इति, तच्चेदं व्याख्यानं लक्ष्यविरुद्धं युक्त्या च पूर्वोदितप्रारम्भाद्यवस्थापञ्चकगतक्रमनियमसमर्थनप्रस्तावोक्तया विरुद्धमित्यास्ताम् ।

"अहमनेन विफलायां क्रियायां विलोभ्य प्रवर्तित इति यत्र कर्ता विमृशति स विलोभनकृत इति, क्रोधव्यसनादेस्तु व्यापद्यमाने फलव्यापत्तिविषयो यः कर्तुर्विचारः स क्रोधव्यसनजे विमर्श इत्येवं विमर्शनस्वभाव एव विमर्शः, कार्यविनिपातस्फूत्तरनिर्वहणसन्धिनिबध्यमानाद्भुतरसपरिपोषकत्वेन निबध्यते" इति श्रीशङ्कुकः । तन्मते विचारस्य सर्वसन्ध्यनुयायित्वात् पृथग्विमर्शसत्त्वेनाभिधानं स्यात् ।

व्यापत्तिविषयो विचार इति केचित् । पुनरप्यस्य सरणिरेव[1], सा च न व्याख्यानेन क्रमेण दर्शिता । विलोभनकृतोदाहरणं तु न व्यापत्तिविमर्श इति सर्वं त्वसमञ्जसं यथारुचि परिकल्पितमित्यलमनेन ।

---

1. अस्मत्सरणिरेव.

[1]समानयनमर्थानां [2]मुखाद्यानां सबीजिनाम् ।
[3]नानाभावोत्तराणां यद्भवेन्निर्वहणं तु तत् ।।४३

समानयनमिति । मुखाद्यानां चतुर्णां सन्धीनां येऽर्थाः प्रारम्भाद्याः तेषां सहबीजिभिः बीजविकारैः क्रमेणावस्थाचतुष्टयेन भवद्भिः उत्पत्त्युद्घाटनोद्भेदगर्भनिर्भेदलक्षणैः वर्तमानानां नानाविधैः सुखदुःखात्मकैः हासशोकक्रोधादिभिर्भावैरुत्तराणां चमत्कारास्पदत्वे जातोत्कर्षाणां यत्समाननयनं, यस्मिन्नर्थराशौ समानीयन्ते फलनिष्पत्तौ योज्यन्ते तन्निर्वहणं पलयोगावस्थया व्याप्तम् । अत्र केचिदमून् सर्वान् सन्धीनवस्थापञ्चकनिर्वहणे पृथग्वृत्त्या योज्यमानानिच्छन्ति ।

अन्ये तु सन्धौ सन्ध्यन्तरानुप्रवेशमिच्छन्तोऽपि प्रागवस्थाया एकोत्तरावस्थापरिणामात्मकत्वे कारणं न पश्यन्त्यपि तु (ताः) कार्यीभवन्तीति सांख्यदर्शनतच्छायाश्रयेणैकावस्थायाः फलसंबन्धसंगमनोपकरणभावप्राप्तं तदेकभावानामवस्थान्तराणां फलसंगमनमुचितमेवेति मन्यते ।

अन्ये तु मुखसन्धौ ये अवलम्ब्यमानतया आद्याः प्रधानभूता अर्थाः उपायास्ते महौजसः फलसंपत्तौ साधकाः तेषां फलसंगत्या समाननयनमिति व्याचक्षते । "महौजसां फलोपसंगतानां च" इति पाठे—यदा च सुखप्राप्तेः फलवत्त्वं तदा रतिहासादिबाहुल्यं प्रारम्भादीनां, दुःखहानेस्तु फलत्वे क्रोधशोकादिदुःखात्मकभावाद् बाहुल्यं, (उभयत्र) स्वोचितव्यभिचारिसहितं द्रष्टव्यम् । उदाहरणं रत्नावल्यामैन्द्रजालिकप्रवेशात्प्रभृत्यासमाप्तेः । एषामवस्था सन्ध्यादीनां नायकतदमात्यतत्परिवारनायिकादिमुखेनापि नियोजनं न त्वेकमुखेनैवेति नियम इत्युक्तं पूर्वमेव ।

---

1. KSS., NS. समानञ्चस ।
2. KSS., NS. मुखार्थानां ।
3. NS. नानाभावोन्तराणां KSS. फलोपसङ्गतानां च ज्ञेयं ।

एते तु[1] सन्धयो ज्ञेया नाटकस्य प्रयोक्तृभिः ।
तथा प्रकरणस्यापि शेषाणां च[2] निबोधत ॥४४॥
डिमः समवकारश्च चतुःसन्धी प्रकीर्तितौ ।
न तयोरवमर्शस्तु कर्तव्यः कविभिः सदा ॥४५॥
व्यायोगेहामृगौ चापि सदा कार्यौ त्रिसन्धिकौ[3] ।
गर्भावमर्शौ न स्यातां तयोर्वृत्तिश्च कैशिकी[4] ॥४६॥
द्विसन्धि तु प्रहसनं वीथ्यङ्को भाण एव च ।
मुखनिर्वहणे[5] तत्र कर्तव्ये कविभिः सदा ॥४७॥
[6][वीथी चैव हि भाणश्च तथा प्रहसनं पुनः ।
कैशिकीवृत्तिहीनानि कार्याणि कविभिः सदा] ॥४८॥

एतेषां विनियोगं विभजति **एते** त्वित्यादिना "मुखनिर्वहणे तत्र **कर्तव्ये कविभिः सदा**" इत्यन्तेन। एतच्च पूर्वमेवनिर्णीतार्थं 'एकलोपे चतुर्थ' स्येत्यादि (१९-२७) व्याख्यानावसरे।

कस्मात्तौ (डिमसमवकारौ) चतुःसन्धी इत्याह **न तयोरित्यादिना।** तुर्हेतौ, यतस्तयोरवमर्शं निबद्धुमशक्यमिति। एवमुत्तरत्रापि हेतुग्रन्थान्तरत्वेनेदं योज्यम्,

---

1. KSS. हि।
2. NS. विनिबोधत।
3. KSS., NS त्रिसन्धी परिकीर्तितौ।
4. KSS., NS. न च वृत्तिस्तु कैशिकी।
5. KSS., NS. स्यातां तेषां वृत्तिश्च भारती।
6. KSS., NS. do not read this verse here.

एवं हि सन्धयः कार्या दशरूपे प्रयोक्तृभिः ।

[1]पुनरेषां तु सन्धीनामङ्गकल्पं निबोधत[2] ॥४९॥

सन्धीनां यानि वृत्तानि प्रदेशेष्वनुपूर्वशः ।

स्वसम्पद्गुणयुक्तानि तान्यङ्गान्युपधारयेत् ॥५०॥

न तु लोपस्थानित्वेन, तस्यैको लोप इत्यादिना पूर्वमेवोक्तत्वात् ।

ननु सन्धिपञ्चकात्मक इतिवृत्तशरीरारम्भे कथं दशरूपकादिभेद इत्याशंक्याह **एवं हीति** । हिर्यस्मात्, एवमुक्तेन विनियोगप्रकारेण सन्धयो भवन्ति ततो दशरूपभेद इति केचिदाशङ्कापूर्वकं व्याचक्षते, तच्चासत्, लक्ष्यभेदादेव दशरूपकभेदस्य दर्शितत्वात् । अवश्यं चेतत्, अन्यद्वा, डिमसमवकारयोश्चतुः सन्धिताविशेषात् कथं भेदः स्यात्, नाटकादीनां वा, तस्मादुपसंहारग्रन्थोऽयमिति हीति । अङ्गानां कल्पं कल्पनाप्रकारो वा तेनैवंप्रायमन्यदपीतिवृत्तोपयोगि भवति ।

अङ्गानां सामान्यस्वरूपं प्रयोजनद्वारेण दर्शयितुं प्रथमेन स्वरूपं द्वाभ्यां प्रयोजनमेकेन- द्वयं द्वयेन प्रकाशयन्नाह श्लोकषट्कं "**सन्धीनां यानि वृत्तानी**"त्यादि "**शोभामेति न संशयः**" इत्यन्तम् ।

अर्थभागराशिः सन्धिरित्युक्तं, तत्र सन्धीनां संबन्धनीयानि वृत्तानि संविधानखण्डानि । **अनुपूर्वश** इति मुख्यप्रयोजनसंपादनबलोपनतेन क्रमेण, न तु लक्षणनिरूपणप्रसङ्गपरिकल्पितेन, **प्रदेशेष्वा**दिमध्यान्तभागेषु वर्तनेनाङ्गानि, कुत इत्याह स्वस्याङ्गिनः सन्धेर्या संपत्तेर्निष्पत्तिः तत्र गुणवत्वे शेषभावे यतो यतो युक्तान्युचितानि संबन्धसंपादकत्वादङ्गानीत्यर्थः ।

---

1. KSS. पुनः सन्ध्यन्तरं तेषां ।
2. KSS. अतः परं "साम भेदः" इत्यादि श्लोकत्रयं वर्तते ।

इष्टस्यार्थस्य रचना वृत्तान्तस्यानुपक्षयः ।
रागप्राप्तिः प्रयोगस्य गुह्यानां चैव गूहनम् ॥५१॥
आश्चर्यवदभिख्यानं प्रकाश्यानां प्रकाशनम् ।
[1]अङ्गानां षड्विध ह्येतद् दृष्टं शास्त्रे प्रयोजनम् ॥५२॥
अङ्गहीनो नरो यद्वन्नैवारम्भ[2] क्षमो भवेत् ।
अङ्गहीनं तथा काव्यं न प्रयोगक्षमं भवेत् ॥५३॥

अन्ये त्वाहुः—स्वसंपदो बीजोत्पत्त्युद्घाटनादिका गुणाश्च शब्दार्थवैचित्र्याणि, स्वसंपदां वा गुणाः तैरेव युक्तानीति ।

इष्टस्येत्यादिना प्रयोजनमाह ; अभीष्टस्य प्रयोजनस्य रसास्वादकृतो **रचना** विस्तारणा । **वृत्तान्तस्यानुपक्षयः** क्रमेण स्फुटत्वादयः शलाकाकल्पत्वाभावः, एतत्प्रयोजनं सर्वसाधारणम् । प्रयोगस्येतिवृत्तस्य स्वयं परस्परस्यापि रागप्राप्तिः रञ्जनायोग्यत्वलाभः व्युत्पत्त्यवस्थायोगात्, यदि वा पौनरुक्त्याद्याभासे गुह्याः संछादनीया अर्थाः तेषां संछादनम् । पुनः पुनः श्रुतमपि यदभिख्यानं इतिवृत्तं तत एव नाश्चर्यकारि तदपि अङ्गयोजनायामपूर्वतामिव दधदद्भुततामेति, तदाह **आश्चर्यवदिति** । यच्च व्युत्पत्तौ सातिशयोपयोगि तत एव प्रकाश्यं तस्य प्रकाशनं विस्तारणम्, आद्यन्तु प्रयोजनं चमत्कारकृतं स्मृतिदृष्टमपि प्रत्यक्षविशेषसिद्धमेव, न तु सन्ध्योपासनादिवददृष्टं नापि पूर्वरङ्गाङ्गवदुभयरूपमित्यर्थः । **शास्त्र** इति नाट्यात्मके वेद इत्यर्थः । एषां प्रयोजनानामङ्गलक्षणेषूदाहरणं वर्णयिष्यामः अत एव दृष्टान्तेन द्रढयति । अङ्गकर्तव्यसंपादनं **प्रयोगक्षममिति** । ततः प्रयोजनस्यासंपत्तेर्दृष्टस्य वा

---

1. KSS., NS. do not read this line
2. KSS., NS. युद्धारम्भेऽक्षमो ।

[1]उदात्तमपि यत्काव्यं स्यादङ्गैः परिवर्जितम् ।
हीनत्वाद्धि[2] प्रयोगस्य न सतां रञ्जयेन्मनः ।। ५४।।

काव्यं यदपि हीनार्थं सम्यगङ्गैः समन्वितम् ।
[3]दीप्तत्वात्तु प्रयोगस्य शोभामेति न संशयः ।। ५५।।

[तस्मात् सन्धिप्रदेशेषु[4] यथायोगं[5] यथारसम् ।
कविनाङ्गानि कार्याणि [6]सम्यक्तानि निबोधत] ।।५६।।

प्रच्युतसंभावनात् । एतद् व्यतिरेकद्वारेण स्फुटयति **उदात्तमपीति** लक्षणगुणालङ्कृतियुक्तमित्यर्थः । प्रयोगस्येति अपादानमपि संबन्धित्वेन (षष्ठी), वृक्षस्य पर्णं पततीति यथात्र । तस्य प्रयोगस्य तस्य काव्यस्य यतो हीनत्वं यदयोग्यत्वं यस्मात्, सतां परोपकारप्रवृत्तानां कविनटानां साधुभूतानां वा सामाजिकानां मनो न रञ्जयतीति संभाव्यते । अन्वयद्वारेणोपसंहरति **यदपि** इति । **हीनार्थमिति** स्वल्पमपि प्रयोजनं प्रहसननिदर्शनकथाख्यायिकादि (प्रहसनानिदर्शित कथंचाधीक्यादि (?) ।) प्रयोगः प्रयुक्तिः तत्राङ्गं प्रयोजकं रञ्जनातिशयो व्युत्पत्त्यतिशयश्च तदुभयम् तत्र काव्ये दीप्तं स्फुटमित्यर्थः ।

---

1. KSS., NS. Read this verse after काव्यं यदपि ।
2. KSS., NS. तु ।
3. KSS. दीप्ताङ्गत्वात् ।
4. NS. प्रयोगेषु ।
5. NS. यथादेशं ।
6. KSS., NS. प्रदेशांस्तु ।

उपक्षेपः परिकरः परिन्यासो विलोभनम् ।
युक्तिः प्राप्तिः समाधानं विधानं परिभावना ॥५७॥
उद्भेदः करणं भेद [1]एतान्यङ्गानि वै मुखे ।
तथा प्रतिमुखे चैव [2]शृणुताङ्गानि नामतः ॥५८॥
विलासः परिसर्पश्च विधूतं तापनं तथा ।
नर्म नर्मद्युतिश्चैव तथा [3]प्रगयणं पुनः ॥५९॥
निरोधश्चैव विज्ञेयः पर्युपासनमेव च ।
[4]पुष्पं वज्रमुपन्यासो वर्णसंहार एव च ॥६०॥
एतानि वै प्रतिमुखे गर्भेऽङ्गानि निबोधत ।
अभूताहरणं मार्गो रूपोदाहरणे क्रमः ॥६१॥
संग्रहश्चानुमानं च [5]प्रार्थनाक्षिप्तमेव च ।
तोटकाधिवले चैव [6]ह्युद्वेगो विद्रवस्तथा ॥६२॥

अथाङ्गानामुद्देशमाह—**उपक्षेपः परिकर** इत्यादिना **एतान्यङ्गानि सन्धिषु** (६७) इत्यन्तेन । मुखे द्वादश, प्रतिमुखे गर्भे च त्रयोदश, अवमर्शे द्वादश, निर्वहणे चतुर्दशेति मिलित्वा चतुःषष्टिः ।

केचिन्मन्यन्ते—इह उपक्रम उपसंहारो मध्यमिति प्रत्यवस्थं स्थानभेदत्रयं, तत्र प्रत्येकं सूक्ष्मेणारम्भावस्थापञ्चकेन भाव्यमिति पञ्चदशयो दशाः क्रम-

---

1. NS. द्वादशाङ्गानि ।
2. NS. वक्ष्याम्यङ्गानि ।
3. KSS., NS. प्रशमनं ।
4. KSS., NS. वज्रं पुष्पं ।
5. NS. प्रार्थनाक्षिप्तिरेव ।
9. KSS., NS. चोद्भेदो ।

[1]एतान्यङ्गानि वै गर्भे [2]ह्यवमर्शे निबोधत ।
अपवादश्च [3]संफेटो विद्रवः शक्तिरेव च ।।६३
[4]व्यवसायः प्रसङ्गश्च द्युतिः खेदो निषेधनम् ।
विरोधनमथादानं छादनं च प्ररोचना ।।६४
[5]व्यवहारश्च युक्तिश्च विमर्शाङ्गान्यमूनि च ।
सन्धिर्निरोधो ग्रथनं निर्णयः परिभाषणम् ।।६५।।
[6]द्युतिः प्रसाद आनन्दः समयो [7]ह्युपगूहनम् ।
भाषणं पूर्ववाक्यं च काव्यसंहार एव च ।।६६।।
प्रशस्तिरिति [8]सहारे ज्ञेयान्यङ्गानि नामतः ।
चतुष्षष्ठि बुधैर्ज्ञेयान्येतान्यङ्गानि सन्धिषु ।।६७।।

भाविन्यः, तत्राद्यास्तावद्दशानामङ्गत्वेन वर्ण्यन्ते । अङ्गिबुद्धयुदयात् । तत्रेति चतुर्दश निर्वहणे फलयोगबलात् सर्वा एवोपपाद्यन्ते । अन्यत्र तु मुखादौ काश्चिल्लीनीक्रियन्ते, न द्वादशादिभेदानि तत्राङ्गानीति । तदेतदसत् । एवं

---

1. KSS. अङ्गान्येतानि वै गर्भे विमर्शे च ।
2. NS. विमर्शे च ।
3. KSS. अथ ।
4. NS. प्रसङ्गो व्यवसायश्च ।
5. KSS., NS. एतान्यवमृशेऽङ्गानि भूयो निर्वहणे शृणु ।
6. NS. धृतिः ।
7. NS. श्चोप ।
8. KSS. चाङ्गानि कुर्यान्निर्वहणे पुनः । GOS. same as above ।

[संपादनार्थं बीजस्य सम्यक्[1] सिद्धिकराणि च ।

कार्याण्येतानि कविभि[2] विभज्यार्थानि नाटके ।।]६८।।

पुनरेषां प्रवक्ष्यामि लक्षणानि यथाक्रमम् ।

हि वक्ष्यमाणेषु तेनैव क्रमेण भाव्यम् । न चासावस्ति प्रयोजनशङ्काषट्कं ततश्चानुपपन्नं स्यात्, अनुपक्षय इत्येकमेव हि प्रयोजनं भवेत् । बीजकरणेऽपि च नियमनिदानानुपपत्तौ द्वयोर्द्वादश द्वयोस्त्रयोदशेति कुतस्त्यो विभाग इत्यास्तामदः ।

पुनरेषामिति । पुनश्शब्दो विशेषद्योतक:, लक्षण एवायं क्रमो न निबन्धन इति यावत् । तेन यदुद्भटप्रभृतयोऽङ्गानां सन्धौ क्रमे च नियममाहुस्तद्युक्त्यागमविरुद्धमेव । तथा हि—'संप्रधारणमर्थानां युक्तिरित्यभिधीयते' इति यन्मुखसन्धौ पञ्चममङ्गं वक्ष्यति तत्सर्वेषु सन्धिषु तावन्निबन्धनयोग्यं, न च तथा निवेश्यं बध्यमानमदृष्टकृतं विदध्यात् । न च लक्ष्येन दृश्यते । वेणीसंहारे हि तृतीयेऽङ्के गर्भसन्धौ दुर्योधनकर्णयोर्महति संप्रधारणे द्रोणवधे वृत्ते—

तेजस्वी रिपुहतबन्धुदुःखपारं
बाहुभ्यां तरति धृतायुधप्लवाभ्याम् ।
आचार्यः सुतनिधनं निशम्य संख्ये
किं शस्त्रग्रहसमये विशस्त्र आसीत् ।।

इत्यादि यावत्—

दत्त्वाभयं सोऽतिरथो हन्यमानं किरीटिना ।
सिन्धुराजमुपेक्षेत नैवं चेत् कथमन्यथा ।। इति ।

न चात्र प्रतीतिव्युत्पत्त्योः क्षतिः काचित् । यत्तु सन्धिनैयत्येनाभिधानं तत्र सन्धाववश्यंभावित्वख्यापनार्थं युक्तिर्मुखे भवत्येव । सन्ध्यन्तरालानि तु नेत्थमिति पृथक् तानि वर्णयिष्यन्ते । कानिचित्त्वङ्गानि स्वरूपबलादेव नियमभाञ्जि,

1. KSS., NS. सन्धिकराणि तु ।
2. KSS., NS. विस्पष्टार्थानि ।
3. NS. एतेषां तु पुनर्वक्ष्ये ।

यथोपक्षेपो मुखसन्धावेव प्रथमे । एवं च न ह्यनुपक्षिप्ते वस्तुनि किञ्चिदपि शक्यक्रियम् । यत्तूच्यते '(अ ११) चतुःषष्ठचङ्गसंयुत' मिति तेन संभवमात्रमेषामुक्तं, न तु नियमः । यथासन्धिकृतः कर्तव्यानीति वचनं प्रत्युत सन्ध्यौचित्येनैषां निबन्धनमभिदधदस्मदभिहितनीतिपथोपदेश्येव, योग्यतार्थवृत्तिना हि यथाशब्देनायमव्ययीभावः ।

यत्तूक्तं शरीराङ्गनियमदर्शनात् कथमेतदिति, तत्रापि दृष्टान्ताद् व्यवस्थापि तु न संभवतः स चास्तीत्युक्तं, शाखादयश्च वृक्षावयवा मध्येऽपि ब्रध्नेऽप्यूर्ध्वेऽपि भवन्ति, न च शरीरे पादपादिवदुपक्षेपादिभिरवयवविकल्पः सन्धिरारभ्यते, यच्च प्रतिसन्ध्यभिधानं तद्बाहुल्येन तथा दर्शनात् । तथाप्युपक्षिप्तेऽर्थे विस्नारिते निश्चितगुणादभिलषिते संभावनीयमुपायादिविषयं संप्रधारणमित्युपक्षेपपरिकरपरिन्यासविलोभनहेतुत्वादन्यान्यभिधाय युक्तिरुक्ता, न तु तत्रैव सद्भावात् । आनन्तर्यनियमश्च मुनेरनभिमतो लक्ष्यते । अन्यथा सन्ध्यन्तरालानि सामादीनि मदान्तान्येकविंशतिः, लास्याङ्गानि गेयपदादीनि दश यानि वक्ष्यन्ते, तेषां कुत्र निवेशः स्यात् । सन्धिपञ्चकमयं हि रूपकं क्रमनियतं, तदङ्गसंस्कारभावितश्च सन्धिरिति, न च क्रमेणानेनैव तानि प्रयोज्यानीति वचनमस्ति । सदपि वा न्यायापेतमन्यथा योज्येत । न चोद्देशक्रममनूच्यते निबन्धं*, लक्षणालङ्कारगुणवीथ्यङ्गसन्ध्यन्तराणि लास्याङ्गवृत्तितदङ्गान्यपि तु असाधर्म्यदृष्टान्तः । तदेतत्प्रत्येकं लक्षणे स्फुटीभविष्यतीत्यास्तां तावत् ।

१. **उपक्षेपः**—तत्र प्रस्तावना न तावद्रूपकाङ्गं नटवृत्तव्याप्ततयेतिवृत्ताननुप्रवेशात् । **इति** तदनन्तरं पूर्वं, **काव्यार्थ** इतिवृत्तशरीरलक्षणोऽभिधेयः प्रधानरसलक्षणं च प्रयोजनसंक्षेपेणोपक्षिप्यते । यथा वेणीसंहारे भीमः—

लाक्षागृहानलविषान्नगृहप्रवेशैः
प्राणेषु वित्तनिचयेषु च नः प्रहृत्य ।
आकृष्य पाण्डववधूपरिधानकेशान्
स्वस्था भवन्तु कुरुराजसुताः सभृत्याः ॥इति॥

---

*क्रम इत्युच्यतेः निबन्धः' इति स्यात् ।

काव्यार्थस्य समुत्पत्तिरुपक्षेप इति स्मृतः ॥६१॥

२. **परिकरः**—तत ईषद् विस्तार्यते (परिकरः) । यथा भीमः—

प्रवृद्धं यद्वैरं मम खलु शिशोरेव कुरुभि-
र्न तत्रार्यो हेतुर्न भवति किरीटी न च युवाम् ।
जरासन्धस्योरस्तलमिव विरूढं पुनरपि
क्रुधा भीमः सन्धिं विघटयति यूयं घटयत ॥ (अ० १-१०)

३. **परिन्यासः**—ततोऽपि निश्चयापत्तिरूपतया परितो हृदये सोऽर्थो-न्यस्यते (परिन्यासः) ।

यथा— चञ्चद्भुजाभ्रमितचण्डगदाभिघात-
संचूर्णितोरुयुगलस्य सुयोधनस्य ।
स्त्यानावनद्धघनशोणितशोणपाणि-
रुत्तंसयिष्यति कचान्स्तव देवि भीमः ॥(1-21) इत्यादि ।

४. विलोभनम्—ततस्तदेव गुणवदिति श्लाध्यते, श्लाघैव विलोभनहेतु-**त्वाद्विलोभनम्** । यथा—द्रौपदी—अणुगह्णन्तु मए एदं वअणं देवदाओ (अनुगृह्णन्तु मे एतद्वचनं देवताः) इत्यादि । यथा वा विक्रमोर्वश्यां—

अस्याः सर्गविधौ प्रजापतिरभूच्चन्द्रो नु कान्तिप्रदः
शृङ्गारैकरसः स्वयं नु मदनो मासो नु पुष्पाकरः ।
वेदाभ्यासजडः कथं नु विषयव्यावृत्तकौतूहलो
निर्मातुं प्रभवेन्मनोहरमिदं रूपं पुराणो मुनिः ॥इत्यादि ।

तदेतदुपक्षेपाद्यङ्गचतुष्कं प्रायशो मुखसन्धौ भवति । उक्तेनैव न पौर्वापर्येण भवति । आनन्तर्यनियमस्तु नास्ति, न सन्ध्यन्तराणां सामादीनां मध्येऽनुप्रवेशात् । तदेतदाह मुनिः **काव्यार्थस्य समुत्पत्तिरित्यादिना विलोभनमिति स्मृत**मित्यन्तेन तत्र वृत्तान्तेनोपक्षयः सर्वेषां प्रयोजनमित्युक्तम् । परिकरस्य प्रयोजनमिष्टार्थस्य रचनापि ।

[1]यदुत्पन्नार्थबाहुल्यं ज्ञेयः परिकरस्तु सः ।
[2]तन्निष्पत्तिः परिन्यासो विज्ञेयः कविभिः सदा ॥
गुणनिर्वर्णनं चैव[3] विलोभनमिति स्मृतम् ।
संप्रधारणमर्थानां युक्तिरित्यभिधीयते ॥७१॥
जाभिगमनं प्राप्तिरित्यभिसंज्ञिता ।[4]
बीजर्थस्योपगमनं [5]समाधानमिति स्मृतम् ॥७२॥

---

५. **युक्तिर्यथा**—'सहदेवः—आर्य, किंचन महाराजसन्देशोऽयं आर्येण-व्युत्पन्न एवं गृहीतः' इत्यतः प्रभृति यावद्भीमवचनम्...

युष्मान् ह्रेपयते क्रोधाल्लोके शत्रुकुलक्षयः ।
न लज्जयति दाराणां सभायां केशकर्षणम् ॥(१-१७) इति ।

अस्याः प्रयोजनं प्रकाश्यप्रकाशनमपि ।

६. **प्राप्तिः**—**सुखार्थस्याभिगमनं प्राप्तिरिति** । सुखयतीति सुखं तादृशस्य वस्तुनः । यथा (वेण्याम्)—"एष खलु भगवान् वासुदेवः पाण्डवपक्षपातामर्षितेन सुयोधनेन संयमितुमारब्धः" इत्यादि "कुमारमविलम्बितं द्रष्टुमिच्छामीति "अयं ह्यर्थो भीमस्य चेतः सुखय" तीति सन्धेर्विघटनात् (प्राप्तिः) ।

७. **समाधानम्**—**बीजार्थस्योपगमनमिति** । यस्मिन् बीजं तदिदानीं

---

1. KSS., NS. समुत्पन्न ।
2. KSS. तन्निष्पत्त्या तु कथनं परिन्यासः प्रकीर्तितः । NS. तन्निर्वृतिः ।
3. KSS. यत्तु ।
4. KSS. भसंज्ञितम्, NS. धीयते ।
5. KSS. समाधानमपीष्यते । NS. तत्समाधानमुच्यते ।

सुखदुःखकृतो[1] योऽर्थस्तद्विधानमिति स्मृतम् ।

कुतूहलोत्तरावेगो[2] विज्ञेया[3] परिभावना ।।७३।।

प्रधाननायकानुगतत्वेन सम्यगाहितं भवतीति (समाधानम्) । "यौधिष्ठिर"-मित्यनेन* समाधानं दर्शितम् ।

८. **विधानम्—सुखदुःखकृतो योऽर्थस्तद्विधानमिति** । व्यामिश्रतया सुख-दुःखे अभिधीयेते यत्रेति (विधानम्) । यथा—

भीमः—तत्पाञ्चालि गच्छामो वयमिदानीं कुरुकुलक्षयाय ।

द्रौपदी—णाह जं असुरसमराहिमुहस्स हरिणो मङ्गलं तं तुंहाण होदु—(नाथ, यदसुरसमराभिमुखस्य हरेर्मङ्गलं तत्तव भवतु) इत्यादि (अ 1) तथा—"मा अनवेक्खिदसरीरा संचरह, अप्पमत्त संचरिणिज्जाइं रिपुबलाइं—(मा अनपेक्षितशरीराः संचरथ, अप्रमत्तसंचरणीयानि रिपुबलानि)" इति। अत्र द्रौपद्याः प्रहर्षो भयं च मिश्रतया विहितमिति विचित्रत्वाद् रसवत्ता भवति । तेनेष्टस्यार्थस्य रचना, तथा निगूह्यस्य नायिकाचित्तनिस्त्रिंशभावस्य निगूहनं प्रयोजनम् । एवमन्यत्रापि प्रयोजनमुत्प्रेक्ष्यम् । युक्तिवच्चेदमन्यत्रापि संभवत्येवेत्येवमन्यत्राप्यूह्यम् ।

९. परिभावना—कुतूहलेति कौतुकेन जिज्ञासातिशयेन व्यामिश्रो य आवेगः सा परिभावना किमेतदिति । यथा—संग्रामं संघटनया संशयमाना द्रोपदी तूर्यशब्दं श्रुत्वाह—"णाह किं दाणि एसो पलअंतजलहरत्थणिदमंसलो

---

1. KSS., NS. योऽर्थंस्ताद्विधानमिहोच्यते ।

2. KSS., NS. कौतूहलोत्तरावेशो ।

3. KSS. भवेत्तु ।

*यत्सत्यव्रतभङ्गभीरुमनसा यत्नेन मन्दीकृतं
यद्विस्मर्तुमपीहितं शमवता शान्तिं कुलस्येच्छता ।
तद् द्युतारणिसंभृतं नृपशुना केशाम्बराकर्षणैः
क्रोधज्योतिरिदं महत् कुरुवने यौधिष्ठिरं जृम्भते ।। (१-२५)

बीजार्थस्य प्ररोहो यः स [1]उद्भेद इति स्मृतः ।

प्रकृतार्थसमारम्भः करणं [2]नाम तद्भवेत् ॥७४॥

संघातभेदनार्थो यः स भेद इति कीर्तितः[3] ।

खणे खणे समरदुन्दुभी ताडीअदि —(नाथ किमिदानीमेष प्रलयान्तजलधरस्तनितमांसलो क्षणे क्षणे समरदुन्दुभिस्ताड्यते)" इति

१०. उद्भेदः—**बीजार्थस्य प्ररोह** इति । यथा—द्रौपदी—हा णाह पुणो वि तुए अहं समस्ससइदव्वा (हा नाथ, पुनरपि त्वयाहं समाश्वासयितव्या)

भीमः—भूयः परिभवक्लान्तिलज्जाबन्धुरिताननम् ।

अनिश्शेषितकौरव्यं न पश्यसि वृकोदरम् ॥ इति ।

न चेदमुद्घाटनं येन प्रतिमुखं भवेत्, अपि तु शत्रुक्षयारम्भं बीजस्याङ्कुरः कुरुकुलोद्घाटनेन विनापि प्ररोहमात्रमनुस्थानानुगुण्यात् भूमिसंश्लोष इव बीजस्य ।

११. **करणम्—प्रकृतार्थसमारम्भः करण**मिति* । यथा—

सहदेवः—गच्छामो वयमिदानीं कुरुराजानुज्ञाताः विक्रमानुरूपमाचरितुम्, इत्यादि (वेणी-१) ।

१२. भेदः—**संघातभेदनार्थो यः स भेद** इति । पात्रसंघातस्य यन्निजप्रयोजनोपक्षेपेण निष्क्रमणसिद्धये भेदनं प्रकरणमिव स भेदः । सर्वत्राङ्केऽन्तर्भावी वस्तूपायात्मा भेदः, स सन्ध्यन्तरैकविंशतौ वक्ष्यते । अस्यो-

---

1. KSS. उद्भेदः स तु कीर्तितः ।
2. KSS. करणं परिचक्षते ।
3. KSS. संज्ञितः ।

* अन्ये तु विपदां शमनं करणमाहुः ।

[[1]एतानि तु मुखाङ्गानि वक्ष्ये प्रतिमुखे पुनः] ।।

समीहा रतिभोगार्था विलास इति संज्ञितः[2] ।

दाहरणं—(वेण्यां—अ-१-भीमवाक्यम्) "अन्योन्यास्फालभिन्न" इत्यादि यावत् "पाण्डुपुत्राः"* इति ।

अथ प्रतिमुखोद्दिष्टानामङ्गानामुद्देशक्रमेण लक्षणमाह—

१३. **विलासः—समीहा रतिभोगार्था विलास** इति । रतिलक्षणस्य भावस्य हेतुभूतो यो भोगो विषयः प्रमदा पुरुषो वा तदर्था या समीहा स विलासः । कामफलेषु रूपकेषु प्रतिमुख एव ह्यास्थाफलत्वेन रतिरूपेण भाव्यम् । यथा-भिज्ञानशाकुन्तले—

तापसः—कस्येदमुशीरानुलेपनमित्यादि । तथा राजा—

कामं प्रिया न सुलभा मनस्तु तद्भावदर्शनाश्वासि ।

अकृतार्थेऽपि मनसिजे रतिमुभयप्रार्थना कुरुते ।। इत्यादि ।

यस्तु वेणीसंहारे भानुमत्या सह दुर्योधनस्य दर्शितो विलासः, स नायकस्य तादृशेऽवसरेऽत्यनुचिन इति चिरन्तनैरेवोक्तम् । यथा सहृदयालोककारः—

सन्धिसन्ध्यङ्गघटनं रसबन्धव्यपेक्षया ।

न तु केवलशास्त्रार्थस्थितिसंपादनेच्छया ।। (ध्वन्या ३)

एतच्च विवरण एवास्माभिर्वितत्य दर्शितम् ।

इह च रतिग्रहणं पुमर्थोपयोगि रसगतस्थायिभावोपलक्षणं तेन वीर-प्रधानेषु रूपकेषु प्रतिमुख एव ह्यास्था रतिरूपेण उत्साहः । सम्यग्विषया

---

1. NS. does not read this line.
2. KSS., NS. कीर्तितः ।

* अन्योन्यास्फालभिन्नद्विपरुधिरवसासान्द्रमस्तिष्कपङ्के
मग्नानां स्यन्दनानामुपरिकृतपदन्यासविक्रान्तपत्तौ ।
स्फीतासृक्पानगोष्ठीरसदशिवशिवातूर्यनृत्यत्कबन्धे
संग्रामैकार्णवान्तःपयसि विचरितुं पण्डिताः पाण्डुपुत्राः ।।

दृष्टनष्टानुसरणं परिसर्प इति[1] स्मृतः ॥७६॥

कृतस्यानुनयस्यादौ विद्युतं[2] ह्यपरिग्रहः ।

अपायदर्शनं यत्तु तापनं[3] नाम तद्भवेत् ॥७७॥

समीहा चेष्टा विलास इति मन्तव्यम् । युक्तचैतन्य एव हि रसो मुख उपक्षिप्तः । तस्यैव स्वयं प्रतिमुखस्वोचितारम्भसंभाविताः कर्तव्यः : लस श्लेषणेऽपि हि पठ्यते ।

१४. **परिसर्पः—दृष्टनष्टानुसरणं परिसर्प** इति । यथा (वेण्यां) कञ्चुकी—"आशस्त्रग्रहणादकुण्ठपरशोः"* इत्यादि दृष्टनष्टप्रायो हि कार्यान्तरव्यासङ्गात् । कुरुकुलक्षयो भीष्मवधेन स्थानपरितोषसूचितेन च दुर्योधनस्यायुक्तचेष्टितत्वेनानुसृत इति प्रकृतस्यार्थस्य परिसर्पणात् प्रसरणात् परिसर्पः । यथा चाभिज्ञानशाकुन्तले भवितव्यमात्रतया । तथा हि—

अभ्युन्नता पुरस्तादवगाढा जघनगौरवात्पश्चात् ।

द्वारेऽस्य पाण्डुसिकते पदपङ्क्तिर्दृश्यते हि न वा ॥ (३-५) इति ।

१५. [4]**विधूतम्—कृतस्यानुनयस्येति** । आदौ प्रथमतः, कृतस्यानुनयस्य सामवचसो नाङ्गीकरणं विधूतं, पश्चात् पुनरङ्गीकरणमिति । आदिशब्दात् (उपरोधः), यथा—तत्रैव—शकुन्तला—अइ किं अंतेउरविरहपय्युसिएण राएसिणा अवरुद्धेण—इत्यादि ।

१६. **तापनम्[5]—अपायदर्शनं यत्तु तापन**मिति । यथा रत्नावल्याम्—

---

1. KSS. तु वर्ण्यते ।
2. KSS., NS. विधूतमपरिग्रहः ।
3. NS. यत्तत्तापनं ।
4. विधूतमरतिं प्राहुः। केचित् तत्रारतिरित्यभीष्टानवाप्तितो दुःखम् ॥
5. केचित्तु तापनस्थाने शमनं पठन्ति, अरतेः शमनमथवानुनयग्रहणादरतेर्निग्रहः शमनम् ।

*वेणीसंहारे (अ २-२)

क्रीडार्थं विहितं[1] यत्तु हास्यं नर्मेति[2] तत्स्मृतम् ।

दोषप्रच्छादनार्थं तु हास्यं नर्मद्युतिः स्मृता[3] ॥७८॥

दुल्लहजणाणुराओ लज्जागुरुई परवसो अप्पा ।

पिअसहि विसमं पेम्मं मरणं सरणं णु वरमेक्कं ॥* (२-७)

१७. नर्म—क्रीडार्थं विहितं यत्तु हास्यं नर्मेति । यथा (रत्नावल्यां द्वितीयेऽङ्के) विदूषकः :—

भो मा पांडिच्चगव्वं उव्वह, अहं एदाआ मुहादो सुणिअ वक्खाणइस्सं—(भो मा पाण्डित्यगर्वमुद्वह । अहं एतस्या मुखात् श्रुत्वा व्याख्यास्यामि) इत्यादि ।

१८. **नर्मद्युतिः—दोषप्रच्छादनार्थं तु हास्यं नर्मद्युतिरिति** । दोषो येनोक्तेन प्रच्छादयितुमिष्यते तस्यापि हास्यजननत्वेन नर्म च सुतरां द्योतितं भवतीति नर्मद्युतिः । यथा च (रत्नावल्यां द्वितीयेऽङ्के विदूषकः) चउव्वेई विअ बम्हणो रिअइं पट्ठिदुं पवुत्ता । (चतुर्वेदी ब्राह्मण इव ऋचः पठितुं प्रवृत्ता । इत्यभिहिते

राजा—नावधारितं मया

ततो विदूषकः—दुल्लहजणाणुराओ

इति पठति । अत्र हि मौर्ख्यदोषं छादयितुं यद्विदूषकेणोच्यते तद्राज्ञो हास्यजननमिति नर्मैव द्योतितं भवति । तथा हि राजा—महाब्राह्मण कोऽन्य एवमृचामभिज्ञः—इति ।

---

1. NS. यत्र ।
2. KSS. तु संज्ञितम् ।
3. KSS., NS. नर्मद्युति स्मृतम् ।

*दुर्लभजनानुरागः लज्जा गुर्वी परवश आत्मा ।
प्रियसखि विषमं प्रेम मरणं शरणं नु वरमेकम् ॥

उत्तरोत्तरवाक्यं तु भवेत्प्रगयणं[1] पुनः ।

या तु व्यसनसंप्राप्तिः स निरोधः प्रकीर्तितः[2] ॥७९॥

क्रुद्धस्यानुनयो यस्तु भवेत्तत्पर्युपासनम् ।

---

१९. **प्रगयणम्—उत्तरोत्तरवाक्यन्तु भवेत्प्रगयणमिति** । (यथा—रत्नावल्यां द्वितीयेऽङ्के) विदूषकः—किं णु खु दाणिं गाहेयम् (किं नु खलु इदानीं गाथेयम्)

राजा—कयापि श्लाघ्यनवयौवनया प्रियतममनासादयन्त्या जीवितनिरपेक्षयेदमुक्तम् । विदूषकः—भो किं एदे हिं णं······(भोः किमेतैः न) इत्यादि । प्रगयणमिति रूढिशब्दः ।

अन्ये तु प्रजाशब्दात् विचि क्लिष्ययत्नशब्देन शता क्विना व्युत्पत्ति कल्पयन्ति । प्रागयणमित्यन्ये पठन्ति—प्रागिति पूर्ववचनं ततोऽयनं प्राप्तिः यस्योत्तरवचनस्येति ।

२०. **निरोधः—या तु व्यसनसंप्राप्तिः स निरोध** † इति । (यथा रत्नावल्यां द्वितीयेऽङ्के) राजा "उच्चैर्हंसता त्वयेयं त्रासिता" (इति), व्यसनमत्र खेद मात्रमभीष्टोपरोधान्निरोधः ।

२१. **पर्युपासनम्—क्रुद्धस्यानुनयो यस्त्विति** । यथा—(तत्रैव) विदूषकः—भो मा कुप्प एसा खु कदलीघरन्तरे "एहि†† इत्यादि । राजा अनुनीतः सन्नाह—

---

1. KSS., NS. प्रशमनं बुधाः

2. KSS. निरोधः स्मृतः प्रकीर्तितः NS. निरोधः स तु कीर्तितः ।

*अन्ये तु प्रगमनमिति प्रशमनमिति च पठन्ति

†केचिद्विरोध इति अन्ये रोध इति च पठन्ति

††भो मा कुप्य, एषा खलु कदलीगृहान्तरे (वर्तते), एहि

विशेषवचनं यत्तु तत्पुष्पमिति संज्ञितम् ॥८०॥

'प्रत्यक्षरूक्षं यद्वाक्यं[1] वज्रं तदभिधीयते ।

उपपत्तिकृतो योऽर्थ उपन्यासश्च[2] स स्मृतः ॥८१॥

दुर्वारां कुसुमशरव्यथां वहन्त्या
कामिन्या यदभिहितं पुनः सखीनाम् ।
तद्भूयः शुकशिशुसारिकाभिरुक्तं
धन्यानां श्रवणपथातिथित्वमेति ॥ इत्यादि ।

२२. **पुष्पम्—विशेषवचनं यत्तु पुष्प**मिति । यथा (तत्रैव विदूषकः)—एसो को वि चित्तफलहओ (एष कोऽपि चित्रफलकः)—इत्यादि विदूषकोक्तेः प्रभृति यावत् "परिच्युतस्तं कुचकुम्भमध्यात्" इत्यादि* । यथा हि प्रेमविकासि पुष्पं भवत्येवमत्रापि राज्ञ उत्तरोत्तरानुरागविशेषसूचकं वचो विकासमस्यानुरागस्य दर्शयति । तथा हि सुसङ्गता—सहि गरुआणुरागविक्खित्तहिअओ असंबद्धं भट्टा मन्तेदुं पवुत्तो (सखि गुर्वनुरागविक्षिप्तहृदयोऽसंबद्धं भर्ता मन्त्रितुं प्रवृत्तः) इत्यादि ।

२३. **वज्रम्—प्रत्यक्षरूक्षं यद्वाक्यं वज्र**मिति । यथा (तत्रैव)—"कथमिहस्थोऽहं भवत्या ज्ञात" इति राजन्युक्तवति सुसङ्गता—ण केवलं तुमं, चित्तफलहेण। ता जाव गदुअ देवीए णिवेदेमि । (न केवलं त्वं, चित्रफलकेण । तद्यावद्गत्वा देव्यै निवेदयामि) ।

२४. **उपन्यासः—उपपत्तिकृतो योऽर्थं उपन्यास** इति । यथा (तत्रैव)विदूषकः (ससाध्वसं)—अदिमुहरा खु एसा गब्भदासी (अतिमुखरा खल्वेषा गर्भदासी) । अत्र मौखर्यात्मिकोपपत्तिरुपन्यस्ता ।†

---

1. KSS., NS. तद्वज्रमिति संज्ञितम् ।
2. KSS., NS. तु ।

*परिच्युतस्तत्कुम्भमध्यात् किं शोषमायासि मृणालहार ।
न सूक्ष्मतन्तोरपि तावकस्य तत्रावकाशो भवतः किमु स्यात् ॥

†केचिदुपन्यासः प्रसादनमित्याहुः । भोजेन तूपन्यासाङ्गं परिहृतम् ।

[1]चातुर्वर्ण्योपगमनं वर्णसंहार इष्यते[2] ।
[3]कपटापाश्रयं वाक्यमभूताहरणं विदुः ॥ ८२॥
तत्त्वार्थवचनं चैव[4] मार्ग इत्यभिधीयते ।

२५. **वर्णसंहारः—चातुर्वर्ण्योपगमनं वर्णसंहार** इति । चातुर्वर्ण्यशब्देन पात्राण्युपलक्ष्यन्ते । तेन यत्र पात्राणि पृथक् स्थितान्यपि ढौक्यन्ते स वर्णसंहारः । उपाध्यायास्त्वाहुः—इह वीरप्रधाने तावन्नायकप्रतिनायकौ तत्सचिवौ च प्रधानत्वेन वर्ण्यन्त इति वर्णाः, कामप्रधानेऽपि नायको नायिका तत्सचिवौ चेति । तथा हि रत्नावल्यां (द्वितीयेऽङ्के) सुसङ्गताया वचनात्—"अदी मे अअं गरुओ पसाओ (अतो ममायं गुरुः प्रसादः)" इत्यारभ्य, राजा—त्वरितो ।

सुसङ्गताः—हत्थे गेह्णिअ सहिं पसाएहि णं (हस्ते गृहीत्वा सखीं प्रसादयैनाम्)—इत्यादि । अत्र चतुर्णामिकीभावः प्रयोगस्य, इष्टस्य रचना, प्रकाश्ये प्रकाशनमित्यपि प्रयोजनानि । यत्तु ब्राह्मणादिवर्णचतुष्टय[illegible]मिति, तदफलत्वादनादृत्यमेव ।

अथ गर्भाङ्गान्युद्देशक्रमेण लक्षयति ।

२६. **अभूताहरणम्—कपटापाश्रयं वाक्यमभूताहरण**मिति । यथा वासवदत्तया चित्रफलके दृष्टे विदूषकवचनं—अप्पा किल दुक्खेण आलिहिदुत्ति मम सुणिअ पिअवयस्सेण विण्णाणं दंसिअं (आत्मा किल दुःखेनालिखितुमिति मम वचनं श्रुत्वा प्रियवयस्येन विज्ञानं दर्शितम्)—इत्यादि ।

२७. **मार्गः—तत्त्वार्थवचनं मार्ग** इति । (तत्रैव) "भट्टिणि कदा वि घुणक्खरं वि संभावीयदि (भर्त्रि कदापि घुणाक्षरमपि संभाव्यते)" इति काञ्चन-

---

1. NS. चातुर्वर्ण्यभिगमनं ।
2. अन्यत्र इतः परं—"एतानि तु प्रतिमुखे गर्भे चापि निबोधत" इत्यर्धमधिकं वर्तते ।
3. NS. कपटाद्याश्रयं ।
4. KSS. यत्तत् ।

*"वर्णितार्थतिरस्कारो वर्णसंहार' इत्यपि पाठः अत्रोक्तार्थस्य विषयान्तरप्रसक्त्या प्रच्छादनम् ।"

[1]चित्रार्थसमवाये तु वितर्को रूपमिष्यते ।।८३।।

[2]यत्सातिशयवद्वाक्यं तदुदाहरणं स्मृतम् ।

मालयोक्ते वासदत्ता समयानुसारि परमार्थोचितं वचनमाह—अइ उज्जुए वसन्दओ खु एसो (अयि ऋजुके वसन्तकः खल्वसौ)—इत्यादिमार्गवच्च प्रसिद्धत्वात् परमार्थे मार्ग इति व्यपदेशः ।

२८. **रूपम्—*चित्रार्थसमवाये तु वितर्को** रूपमिति । यथा (रत्नावल्यां द्वितीयेऽङ्के) राजा—प्रसीदेति ब्रूयामिदमसति कोपे न घटते† । इत्यादि विचित्रार्थानां समवाये संभावने सर्वविषय एव विरुद्धस्तर्कः, इदं नोचितमिदं नोचितमिति प्रतियुक्तिपर्यन्तः । युक्तिस्तु नियतप्रतिपत्तिपर्यन्तेति विशेषः, रूपमिति चानियता आकृतिरुच्यते । तत्र विशेषप्रतिपत्तिरिहापि तथोपचाराद् व्यपदेशः ।

२९. **उदाहरणम्—यत्सातिशयवद्वाक्यं तदुदाहरण**मिति । लोकप्रसिद्धवस्त्वपेक्षया यत् सातिशयमुच्यते उत्कर्षमाहरतीत्युदाहरणम् । यथा (तत्रैव तृतीयेऽङ्के)—

मनः प्रकृत्यैव चलं दुर्लक्ष्यं च तथापि मे ।
कामेनैतत्कथं विद्धं समं सर्वैः शिलीमुखैः ।। इति ।

---

1. NS. चित्रार्थसमवायो यस्तद्रूपमिति कीर्तितम् ।

2. KSS. यत्तु सातिशयं वाक्यं तदाहरणमिष्यते ।

*चित्रार्थो वाक्यसंयोगो रूपकमिति पाठे रूपकं संशयस्य तर्केण च्छेदनमिति केचित् । अन्ये तु चित्रार्थमेव वचो रूपकमिति मन्यन्ते ।

†करिष्याम्येवं नो पुनरिति भवेदभ्युपगमः ।
न मे दोषोऽस्तीति त्वमिदमपि च ज्ञास्यसि मृषा
किमेतस्मिन् वक्तुं सममिति न वेद्मि प्रियतमे ।।

भावतत्त्वोपलब्धिस्तु क्रम इत्यभिधीयते ॥८४॥
[1]**सामदानादिसंपन्नः संग्रहः परिकीर्तितः ।**
रूपानुरूपगमनमनुमानमिति स्मृतम् ॥८५॥

तथा च—

वाणाः पञ्च मनोभवस्य नियतास्तेषामसंख्यो जनः
प्रायोऽस्मद्विध एव लक्ष्य इति यल्लोके प्रसिद्धिं गतम् ।
दृष्टं तत्त्वयि विप्रतीपमधुना यस्मादसंख्यैरयं
विद्धः कामिजनः शरैरशरणो नीतस्त्वया पञ्चताम् ॥

इत्यादि ।

३०. **क्रमः—भावतत्त्वोपलब्धिस्तु क्रम** इति । भावस्य भाव्यमानस्य वस्तुनो भावनातिशये सत्यूहं प्रति भावनादिबलात् स्यात् या परमार्थोपलब्धिः सा क्रमः । बुद्धिर्हि तत्र क्रमते न प्रतिहन्यते । यथा (तत्रैव)—

हिया सर्बस्यासौ हरति बिदितास्मीति वदनं
द्वयोर्दृष्ट्वालापं कलयति कथामात्मविषयाम् ।
सखीषु स्मेरासु प्रकटयति वैलक्ष्यमधिकं
प्रिया प्रायेणास्ते हृदयनिहितातङ्कविधुरम् ॥ इत्यादि ।

३१. **संग्रहः—सामदानादिसंपन्नः सङ्ग्रह** इति । साम्ना सङ्केतादिवार्ताः श्रुत्वा (राज्ञा विदूषकाय) कटकस्य दानम् । एवमन्यदपि ।

३२. **अनुमानम्—रूपानुरूपगमन**मिति । रूप्यमानेन प्रत्यक्षाद्युपलभ्यमानेन रूपस्य व्यापकस्याविनाभाविनो गमनं ज्ञानमनुमानं निश्चयात्मकत्वादूहः, उपाया-युक्तेरन्यत्वात् । यथा (तत्रैव)—

पालीयं चम्पकानां नियतमयमसौ सुन्दरः सिन्दुवारः
सान्द्रा **वीथी** तथेयं वकुलविटपिनां पाटलापङ्क्तिरेषा ।

---

1. KSS. सामदानार्थसंयोगः संग्रहः स तु कीर्तितः NS. सामदानार्थ-संयुक्तः संग्रहः परिकीर्तितः ।

[1]रतिहर्षोत्सवानां तु प्रार्थना प्रार्थना भवेत् ।
गर्भस्योद्भेदनं [2]यत्साक्षिप्तिरित्यभिधीयते ॥८६॥

आघ्रायाघ्राय गन्धं विविधमधिगतैः पादपैरेवमस्मिन्
व्यक्तिं पन्थाः प्रयाति द्विगुणतरतमोनिह्नुतोऽप्येष चिह्नैः ॥

इत्यादि । अत्र ह्याघ्रायाघ्राय गन्धमिति गन्धानि(तु?) कुसुमानि तेभ्यः पादपाः, तेभ्योऽपि मार्गमनुमापितमिति राज्ञा विदूषकस्योक्तेः ।

३३. प्रार्थना—रतिहर्षोत्सवानां तु प्रार्थना प्रार्थनेति । एतत् साध्यफलोचितभावलक्षणं, तत्र साध्यफले यः प्राधान्येन समुचितो भावस्तद्विषया या प्रकर्षेणाभ्यर्थना सा प्रार्थनाख्यमङ्गम् । यथा (तत्रैव)—संकेतस्थः प्रतिपालयन् राजा—

तीव्रः स्मरसन्तापो न तदादौ बाधते यथासन्ने ।
तपति प्रावृषि हि तरामभ्यर्णजलागमो दिवसः ॥ इति ।

३४. आक्षिप्तिः—गर्भस्योद्भेदनाक्षिप्तिरिति । हृदयान्तःस्थितं (तस्य)पुनः प्रतिष्ठापितस्यापि यतः कुतश्चिन्निमित्तादुद्भेदनमनपह्नवनीया या स्फुटतापत्तिः सा आक्षिप्तिः, अभिप्रायस्य हि तत्राक्षेपो बहिः कर्षणं । वासवदत्तायामेव सागरिकेति राज्ञा विदूषकेण च परिगृहीतायां तदुक्तिषु "सागरिके, *शीतांशुर्मुखमुत्पले तव दृशौ" इत्यादिषु ।

३५. तोटकम्—संरम्भवचनं चैव तोटकमिति । आवेगगर्भं यद्वचनं तत्तोटकम् । स चावेगो हर्षात्, क्रोधात्, अन्यतोऽपि वा । भिनत्ति यतो हृदयं ततस्तोटकम् । यथा (तत्रैव) विदूषकः—अज्ज वि दाव से देवीए णिच्चरुट्ठाए

---

1. KSS. रतिहर्षोत्सवाद्यर्थप्रार्थना । NS. रतिहर्षोत्सवार्थानां प्रार्थना ।

2. KSS. यत्तु तदाक्षिप्तमिति स्मृतम्, NS. यत्स्यात् क्षिप्तिरित्यभिधीयते ।

*शीतांशुर्मुखमुत्पले तव दृशौ पद्मानुकारौ करौ
रम्भागर्भनिभं तवोरुयुगलं बाहू मृणालोपमौ ।
इत्याह्लादकराखिलाङ्गि रभसान्निःशङ्कमालिङ्ग्य मा-
मङ्गानि त्वमनङ्गतापविधुराण्येह्येहि निर्वापय ॥

संरम्भवचनं [1]चैव तोटकं [2]त्विति संज्ञितम् ।

[3]कपटेनातिसन्धानं [4]ब्रुवतेऽधिबलं बुधाः ॥८७॥

भयं नृपारिदस्यूत्थमुद्वेगः परिकीर्तितः ।

बासवदत्ताए बअणेहि कडुइदे कण्णे सुहावीअदु (अद्यापि तावत्तस्या देव्या नित्यरुष्टाया वासवदत्ताया वचनैः कटूकृते कर्णे सुखय) इत्यादि ।

३६. **अधिबलम्—कपटेनातिसन्धानमधिबल**मिति । परस्परवचनप्रवृत्तयोर्यस्यैवाधिकं (कर्म) सहायबुद्धयादीनबलम्बयति स एव तमतिसन्धातुं वञ्चयितुं समर्थ इति तदिदं कर्माधिबलम् । यथा—सागरिकावेषं धारयन्ती वासवदत्ता विदूषकबुद्धिदौर्बल्याद्राजानमतिसंधत्ते 'किं पद्मस्य रुचिं न हन्ति'* इत्यादि श्लोकान्तमधिबलम् ।

३७. **उद्वेगः—भयं नृपारिदस्यूत्थमुद्वेग** इति । अरिशब्दान्नाचिकादि । यथा (तत्रैव) राजा—कथं देवी वासवदत्ता, वयस्य किमेतत् । विदूषकः—णं अंहाणं जीविअसंशओ (ननु अस्माकं जीवितसंशयः)—इत्यादि ।

३८. विद्रवः—**शङ्का भगत्रासकृतो विद्रव** इति । भयत्रासकारिणो वस्तुतो या शङ्का यदाशङ्कनं स विद्रवः, विद्रवति विलीयते हृदयं येनेति । यथा (तत्रैव)—

†प्रिया मुञ्चत्यद्य ध्रुवमसहना जीवितमसौ

प्रकृष्टस्य प्रेम्णः स्खलितमविषह्यं हि भवति ॥इति।

अन्ये तु शङ्काभयत्रासैः कृतोः यः स विद्रव इति । तत्र च विशेष्यपदमन्वेष्यम्,

---

1. NS. प्रायं ।
2. KSS. तोटकं नाम ।
3. NS. कपटेनाभिसन्धानं ।
4. KSS. ज्ञेयं त्वधिबलं ।

*गर्भसन्धिलक्षणेऽयं श्लोक उदाहृतः ।

†पूर्वार्धं—समारूढ़ा प्रीतिः प्रणयबहुमानादनुदिनं
व्यलीकं वीक्ष्येदं कृतमकृतपूर्वं खलु मया ।

[1]शङ्का भयत्रासकृतो विद्रयः सुमुदाहृतः ॥८८॥

दोषप्रख्यापनं [2]यत्तु सोऽपवाद इति स्मृतः ।

समुदाय एव विशेष्य इति श्रीशङ्कुकः, उदाहरति च कृत्यारावणे षष्ठेऽङ्के गर्भसन्धौ, (नेपथ्ये) (मण्डोदरी)—हा अय्यउत्त परित्ताआहि परित्ताआहि (हा आर्यपुत्र परित्रायस्व परित्रायस्व) । प्रतीहारी (श्रुत्वा आत्मगतं)—अहो भट्टिणी बिअ आक्खंददि । (अहो भर्त्रीवाक्रन्दति) (प्रकाशं) भट्टा भवदो अन्तेउरे महन्दो कलकलो सुणीअदि । (भर्तः भवतोऽन्तःपुरे महान् कलकलः श्रूयते)

राजा—ज्ञायतां किमेतदिति ।

अत्र रावणस्याशङ्का प्रतिहार्यास्त्रासभये ।

अथावमर्शसन्धावङ्गानां लक्षणमाह—

३९. **अपवादः—दोषप्रख्यापनं यत्तु सोऽपवाद** इति । यथा (तत्रैव) सागरिकोक्तेरनन्तरं † राजा—अयि मिथ्यावादिनी खल्वसि—

इच्छासोत्कम्पिनि कम्पितं स्तनयुगे मौने प्रियं भाषितं
वक्त्रेऽस्याः कुटिलीकृतभ्रुणि रुषा यातं मया पादयोः ।
इत्थं नः सहजाभिजात्यजनिता सवैव देव्याः परं
प्रेमावद्धविवर्धिताधिकरसा प्रीतिस्तु या सा त्वयि ॥इति

अत्र देवीगुणानां सातिशयकोपनत्वेनापवदनं कृतम् ।

४०. **संफेटः—रोषग्रथितवाक्यन्तु संफेट** इति । केचित्तु स्फोट अनादर इति धातुं मनस्कृत्य संस्फोट इति पठन्ति । यथा (तत्रैव)=वासवदत्ता

1. KSS., NS. read here नृपाग्निभयसंयुक्तः संभ्रमो विद्रवः स्मृतः and एतान्यङ्गानि गर्भे तु वक्ष्येऽवमर्शने पुनः ।

2. KSS., NS. यत् स्यात्सोऽयवादः प्रकीर्तितः ।

†सागरिका—अय्यउत्त किं अलीअदक्खिणदाए जीविदादो वि वललहदाराए देवीए अत्ताणअं अवराहिणं करोसि (आर्यपुत्र, किमलीकदक्षिणतया जीविताद्वल्लभाया देव्या आत्मानमपराधिनं करोषि) ।

रोषग्रथितवाक्यं तु संफेटः परिकीर्तितः[1] ॥८९॥

गुरुव्यतिक्रमो यस्तु स द्रवः परिकीर्तितः[2] ।

[3]विरोधिप्रशमो यश्च सा शक्तिः परिकीर्तिता ॥९०॥

(सरोषं सहसोपसृत्य) अय्यउत्त, जुत्तं······सरिसं (आर्यपुत्र' युक्तं, सदृशम्) ······इत्यादि ।

४१. **द्रव—गुरुव्यतिक्रमो यस्तु स द्रव** इति । यथा (तत्रैव)—भर्तृ-संनिधानेऽपि विदूषकस्य सागरिकायाश्च वासवदत्तया बन्धनम् । यथा वा—तापसवत्सराजे षष्ठेऽङ्के वासवदत्ताया यौगन्धरायणवचनातिक्रमेण मरणाध्यवसायः । द्रवणं चलनं मार्गादिति द्रवः ।

४२. **शक्तिः—विरोधिप्रशमः शक्ति**रिति । विरोधिनः कुपितस्य प्रशमः प्रसादनं शक्तिः बुद्धिविभवादिशक्तिकार्यत्वात् । यथा (तत्रैव)—

सव्याजैः शपथैः प्रियेण वचसा चित्तानुवृत्त्या भृशं
वैलक्ष्येण परेण पादपतनैर्वाक्यैः सखीनां मुहुः ।
प्रत्यापत्तिमुपागता मम तथा देवी रुदत्या तथा
प्रक्षाल्यैव तथैव बाष्पसलिलैः कोपोऽपनीतः स्वयम् ॥इत्यादि

४३. **व्यवसायः—व्यवसायश्च विज्ञेयः प्रतिज्ञाहेतुसंभव** इति । प्रतिज्ञातस्याङ्गीकृतस्यार्थस्य हेतवो ये तेषां संभवः प्राप्तिर्व्यवसायः । यथा (तत्रैव)—ऐन्द्रजालिकप्रवेशादितो यावत् "एक्को उण खेडओ अवस्सं पेक्खितव्वो"* इति तावत् यौगन्धरायणेन यत्कर्तुमङ्गीकृतं तस्यैव हेतुः (तस्य) प्राप्तिः ।

४४. **प्रसङ्गः—प्रसङ्गश्चापि (श्चैव १) विज्ञेयो गुरूणां परिकीर्तन**मिति । यथा (तत्रैव) वासवदत्ताः उज्जअणीदो आअदोत्ति अत्थि मे तस्सि इन्दआलिए पक्खवादो (उज्जयिन्या आगत इति अस्ति मे तस्मिन्निन्द्रजालिके पक्षपातः)—इत्यादि । अत्र हि बन्धुकुलादागमोऽस्य बहुमानकारणम् ।

---

1. KSS. स उदाहृतः ।
2. KS., NS. विज्ञेयोऽभिद्रवस्तु सः ।
3. KSS. विरोधोपगमो यस्तु NS. विरोधप्रशमो ।

*एकं पुनः खेलनमवश्यं प्रेक्षितव्यम्

व्यवसायश्च विज्ञेयः प्रतिज्ञाहेतुसंभवः[1]।

प्रसङ्गश्चैव विज्ञेयो गुरुणा[2] परिकीर्तनम् ।।६१।।

वाक्यमाधर्षसंयुक्तं[3] द्युतिस्तज्ज्ञैरुदाहृया ।

मनश्चेष्टाविनिष्पन्नः श्रमः खेद उदाहृतः ।।६२।।

---

४५. **द्युतिः—वाक्यमाधर्षसंयुक्त द्युतिरिति**। आधर्षो न्यक्कारः तेन संयुक्तम् । यथा विदूषकः—हा दासीए उत्त इन्दआलिअ (आः दास्याः पुत्र इन्द्रजालिक)—इत्यादि ।

४६. **खेदः—मदोश्चेष्टाविनिष्पन्नः श्रमः खेद** इति मानसः कायीयश्चेत्युभयोऽपि यावत् । आद्यो यथा—सिंहलेश्वरस्य कुशलप्रश्ने यथा वसुभूतिर्निश्चस्य "देव न जाते किं कथयामि" इत्यत आरभ्य रत्नावल्याः समुद्रपतनाकर्णनोदितवासवदत्ताविलापपर्यन्तम् । शारीरस्तु खेदः (विक्रमोर्वश्याम्) पुरूरवसा "अहो श्रान्तोऽस्मि यावत्तस्या गिरिनद्यास्तीर" इत्यादि ।

यद्यपि श्रमोद्वेगवितर्कलज्जाप्रभृतयो व्यभिचारिवर्गे पूर्वमुक्तास्तथाप्येते सत्यवसरेऽवश्यप्रोज्याः प्रागुक्तप्रयोजनार्थसिद्धये, ते पृथक्प्रयोजनत्वात् सन्ध्यङ्गत्वेनोक्ता मन्तव्याः ।

४७. **प्रतिषेधः—ईप्सितार्थप्रतीघातः प्रतिषेध** इति । यथा रत्नावलीवृत्तान्तवर्णने ईप्सितार्थप्रतीघाते बाभ्रव्येण प्रस्तुते तस्य प्रतिघातोऽन्तःपुरदाहेन ।

४८. **निरोधनम्—कार्यात्ययोपगमनं निरोधनमिति** । यथा राजा—"कथमन्तःपुरेऽग्निः । हा हा धिक्कष्टं दग्धा देवी वासवदत्ता" इत्यादि यावत् सागरिकोत्सादनपर्यन्तम् । अत्र हि कार्ये वासवदत्ता सागरिकाप्रेमविस्रम्भस्यात्ययो विनाशमुपगतः प्राप्तः ।

---

1. KSS. दोषसंभवः ।
2. NS. गुरूणां ।
3. KSS., NS. वाक्यमाघर्षणकृतं द्युतिस्तज्ज्ञैरुदाहृतम् ।

ईप्सितार्थप्रतीघातः प्रतिषेधः प्रकीर्तितः[1] ।

[2]कार्यात्ययोपगमनं विरोधनमिति स्मृतम् ।।६३।।

बीजकार्योपगमनमादानमिति संज्ञितम ।

[3]अपमानकृतं वाक्यं कार्यार्थे च्छादनं भवेत् ।।६४।।

---

४९. **आदानम्**—**बीजकार्योपगमनमादान**मिति बीजफलस्य समीपताभवनमित्यर्थः । यथा सागरिका राजानं दृष्ट्वा (स्वगतं) 'अय्यउत्त' इत्यादि, अत्र हि बन्धुकुलादागमो यावद्राज्ञ उक्तिः--

व्यक्तं लग्नोऽपि भवतीं न धक्ष्यति हुताशनः ।
यतः सन्तापमेवायं स्पर्शस्ते हरति प्रिये ।।

इत्यन्तम् ।

५०. **छादनम्**—**अपमानकृतं वाक्यं छादन**मिति । **वाक्य**मिति तदार्थो लक्ष्यते । करोति बहुमाने वर्तने, तेन दुष्टोऽप्यर्थोऽपमानेन बहुमतीकृतः । तदपमानकलङ्कापवारणाच्छादनमिति । यथा सागरिका—दिट्ठिआ पज्जंलिदो भअवं हुदासणो, अज्ज करइस्सदि मे सअलदुक्खावसाणम् । (दिष्टया प्रज्वलितो भगवान् हुताशनः, अद्य करिष्यति मे सकलदुःखावसानम् ।) इति ।

५१. **प्ररोचना**—**प्ररोचना च विज्ञेया संहारार्थप्रदर्शिनी** इति । संह्रियमाणस्य निर्वाह्यमाणस्यार्थस्य दर्शिका प्रकर्षेण रोचत इति प्ररोचना । यथा—

क्वासौ ज्वलन् हुतवहस्तदवस्थमेत-
दन्तःपुरं कथमवन्तिनृपात्मजेयम् ।
बाभ्रव्य एष वसुभूतिरयं वयस्यः
स्वप्नो मतिभ्रममिति*

---

1. KSS., NS. निषेधः स तु कीर्तितः ।
2. KSS., NS. विरोधनं तु संरम्भादुत्तरोत्तरभाषणम् ।
3. KSS., NS. अवमानात् ।

*स्वप्नो मतिभ्रम इदं नु किमिन्द्रजालम्—इति चतुर्थः पादः । स्वप्ने मतिर्भ्रमति किं त्विदमिन्द्रजालम्—इति पाठान्तरम् ।

प्ररोचना च विज्ञेया संहारार्थप्रदर्शिनी[1] ।

[2](प्रत्यक्षवचनं यत्तु स व्याहार इति स्मृतः ॥६५॥

सविच्छेदं वचो यत्र सा युक्तिरिति संज्ञिता ।

ज्ञेया विचलना तज्ज्ञैरवमानार्थसंयुता) ॥६६॥

[3](एतान्यवमृशेऽङ्गानि संहारे तु निबोधत) ।

युक्तिरित्यन्ये इदमङ्ग व्यवहरन्ति । अत्रोद्देशक्रमत्यागे यत्केषांचिदङ्गानां लक्षणं तत्क्रमानियमसूचनार्थः । अनेन पाठविपर्यासेन यत्कैश्चिदुद्देशस्यान्यथापठनं तद्ग्रन्थकाराशयापरिज्ञानकृतम् । केचिदत्रान्तममङ्गं नाधीयते, द्वादशाङ्गमेवैतत्सन्धिमाहुः । अन्ये तु त्रयोदशाङ्गत्वेऽप्यस्य निर्वहणसन्धावपि प्रसक्तेरितिवृत्तान्तर्भूतत्वेन गणनमन्याय्यमिति त्रयोदशाङ्गत्वात् चतुःषष्टिसंख्यां समर्थयन्ते ।

अथ निर्वहणसन्धावुद्देशक्रमेणाङ्गानि लक्षयितुं प्रक्रमते

५२. सन्धिः—मुखबीजोपगमनं सन्धिरिति । यथा वसुभूतिः—बाभ्रव्य, सदृशीयं राजपुत्र्याः—इत्यादि मुखे यदुक्तं तदिह निकटीभूतं सन्धानं सन्धिः ।

५३. निरोधः—कार्यस्यान्वेषणं युक्त्या निरोध इति यथा वसुभूतिः—कुत इयं कन्यकेत्यादि ।

५४. ग्रथनम्—उपक्षेपस्तु कार्याणां ग्रथनमिति यथा (यौगन्धरायणः—देव क्षम्यतां यन्मयाऽनिवेद्य कृतम्—इत्यादि । अत्र रत्नावलीलाभरूपकार्यस्योपेक्षपाद् ग्रथनम् ।)

५५. निर्णयः—अनुभूतार्थकथनं निर्णय इति । प्रमाणसिद्धस्य वस्तुनः कथनमित्यर्थः । यथा रत्नावल्यां चतुर्थेऽङ्के वसुभूतिः—अपि रत्नावली, ननु त्वमीदृशीमवस्थां प्राप्तासि ।

---

1. KSS., NS. सम्भारार्थप्रकाशिनी ।
2. KSS., NS. do not read it.
3. KSS., NS. एतान्यवमृशाङ्गानि ।

[1]मुखबीजोपगमनं सन्धिरित्यभिधीयते ।।६७।।

कार्यस्यान्वेषणं युक्त्या निरोध[2] इति कीर्तितः ।

उपक्षेपस्तु कार्याणां ग्रथनं परिकीर्तितम् ।।६८।।

[3]अनुभूतार्थकथनं निर्णयः समुदाहृतः ।

सागरिका—(सप्रत्यभिज्ञं) तुमं पि किं अमच्चवसुभूदी

वसु—स एवाहं मन्दभाग्यः इति—

प्रभृतियावद विदूषकवाक्यं "सविहवो होदु" इति ।

५६. परिभाषणम्—परिवादकृत्तं यत् तत् परिभाषणमिति ।

यथा सागरिका— किदापराहा खु अहं देवीए ता ण सक्खुणोमि मुहं दंसेदुं (कृतापराधा खल्वहं देव्या, तत् न शक्नोमि मुखं दर्शयितुम्) । वासवदत्ता अपवार्य)—अय्यउत्त लज्जामि खु अहं इमिणा णिसंसत्तणेण ता अवणेहि से बन्धणं । (आर्यपुत्र, लज्जे खल्वहमनेन नृशंसत्वेन, तदपनयास्या बन्धनम् ।)

एतदुभयोरप्यन्योन्यापराधोद्धट्टनं वचनम् यौगन्धरायणोऽपि प्रविश्यैवश्यैवमेवापराधमुद्धट्टयति तथा—

देव्या मद्वचनाद्यदाभ्युपगतः पत्युर्वियोगस्तदा

सा चाप्यन्यकलत्रसंघटनया दुःखं मया प्रापिता* । इत्यादि ।

५७. द्युतिः—लब्धस्यार्थस्याशमनं द्युतिरिति । सामर्थ्यात्प्रशमनीयस्य क्रोधादेरर्थस्य प्राप्तस्यापि यत्प्रशमनं सा द्युतिः । (यथा तत्रैव) देव श्रूयतामिदम् । सिंहलेश्वरदुहिता सिद्धै रादिष्टा" इत्यादि यावद्देव्या उक्तिः, अय्य

---

1. KSS.. सुख ।
2. KSS.. विरोध ।
3. KSS.. अनुभूतस्य ।

*तस्याः प्रीतिमयं करिष्यति, जगत्स्वामित्वलाभः प्रभोः ।
स्वयं दर्शयितुं तथापि बदनं शक्नोमि नो लज्जया ।।

परिवावकृतं यत्स्यात्तदाहुः परिभाषणम् ॥९९॥

लब्धस्यार्थस्य शमनं [1]द्युतिमाचक्षते पुनः ।

[2]समागमस्तथार्थानामानन्दः परिकीर्तितः ॥१००॥

अमच्च फुढं एव्व किं ण भणासि पडिवादेहि रअणावलित्ति । (आर्य अमात्य, स्फुटमेव किं न भणसि प्रतिपादय तस्य रत्नावलीमिति ।)

५८. आनन्दः—**समागमस्तथार्थानामानन्द** इति । अर्थितस्य तथेति प्रकारशतैं प्रार्थितस्य सम्यगपुनर्वियोगवद्यदागमनं तदानन्तहेतुत्वादानन्दः । यथा (तत्रैव) राजा—को देव्याः प्रसादं न बहुमन्यते—इत्यादि ।

५९. समयः—**दुःखस्यापगमो यस्तु समय** इति । अपगमनसपगमः । यथा—अय्यउत्त दूरे खु एदाए णादिउलं ता तह अणुचिठ्ठ जहां बन्धुजणं ण सुमरेति (वासवदत्ता—आर्यपुत्र, दूरे खलु अस्या ज्ञातिकुलं, तत्तथानुतिष्ठ यथा वन्धुजनं न स्मरति)

६०. प्रसादः—**शुश्रूषाद्युपसंपन्नः प्रसाद** इति । यथा वासवदत्ता—"एत्तिअं दाव मम बहिणिआ अणुरूपं ह्योदु" इति स्वैराभरणैरलङ्करोतीति । (एतावता तावन्मे भगिन्यनुरूपं भवतु) ।

केचिद् द्युतेरनन्तरमिदमङ्गं पठन्ति ।

६१. उपगूहनम्—**अद्भुतस्य तु संप्राप्तिरुपगूहनमिति** । यथा विदूषकः—ही-ही भो कहं कहं संपुण्णमणोरहा संउत्तह्म (इत्युत्थाय नृत्यति) (ही ही भोः कथं कथं संपूर्णमनोरथाः संवृत्ताः स्मः)

६२. भाषणम्—**सामदानादिसंपन्न भाषणमिति** । यद्यपि तदार्थेऽपि संग्रहाख्यमिदमङ्गमुक्तं तथाप्यत्र स्थानेऽवश्यं प्रयोक्तव्यता ख्यापयितुं पुनरुपादनं शब्दान्तरेण च । यथा वसुभूतिः—देवि स्थाने देवीशब्दमुद्वहसि—

---

1. KSS. द्युतिरित्यभिधीयते ।

2. NS. धृतिमाचक्षते पुनः KSS. नपागवस्तु योऽर्थानामानन्दः स तु कीर्तितः ।

दुःखस्यापगमो[1] यस्तु सभयः[2] स निगद्यते ।
शुश्रूषाद्युपसंपन्नः प्रसादः प्रतिरुच्यते ॥१०१॥
अद्भुतस्य तु[2] संप्राप्तिरूपगूहनमिष्यते[3] ।
सामदानादिसंपन्नं[4] भाषणं समुदाहृतम्[5] ॥१०२॥
पूर्ववाक्यं तु विज्ञेयं यथोक्तार्थप्रदर्शनम्[6] ।
वरप्रदानसंप्राप्तिः काव्यसंहार इष्यते ॥१०३

इति । सामदानं तु यथा भगवती जीमूतवाहनस्य वरं ददाति—"त्वां विद्याधरचक्रवर्तिनमहं प्रीत्या करोमि क्षणात्"* इत्यादि ।

अन्ये मन्यन्ते—आदिशब्देन भेददण्डादेरुपायान्तरस्य संग्राह्यत्वं, तस्य वेग (चेह ?) स्थाने स्पष्टेन पथानौचित्यात्, गर्भसन्धियुक्तसामाद्युपायानुवदनमात्रमत्र यत्क्रियते इत्थमिदं प्राप्तमित्येवंप्रायं तदिदं भाषणाख्यमङ्गमिति ।

६३. **पूर्ववाक्यं**—पूर्ववाक्यं यथोक्तार्थप्रकाशनमिति । यथा बाभ्रव्यः—इदानीं सफलपरिश्रमोऽस्मि संपन्न—इति ।

६४. **काव्यसंहारः**—वरप्रदानसंप्राप्तिः काव्यसंहार इति । यथा यौगन्धरायणः—देव तदुच्यता किं ते भूयः प्रियमुपहरामित्यादि यावत्, "यातो विक्रम-

---

1. NS. दुःखस्यापगमश्चैव ।
2. KSS. स शमः ।
2. NS. च ।
3. NS. KSS. भवेत् तदुपगूहनम् ।
4. KSS.. संयुक्तं ।
5. KSS. तूष्यते बुधैः ।
6. NS. यथार्थोक्तार्थदर्शनम् KSS. यथोक्तार्थप्रदर्शकम् ।

*हंसांसाहतहैमपङ्कजरजः संपर्कपङ्कोक्षितै-
रुत्पन्नैर्मम मानसादुपनतैस्तोयैर्महापावनैः ।
स्वेच्छानिर्मितरत्नकुम्भनिहितैरेषाभिषिच्य स्वयं
त्वां··· ॥ (नागानन्दे-अ-५)

[1]नृपदेशप्रशान्तिश्च[2] प्रशस्तिरभिधीयते ।

[3]यथासन्धि तु कर्तव्यान्येतान्यङ्गानि नाटके ॥१०४

कविभिः काव्यकुशलैः [4]रसभावमपेक्ष्य तु ।

बाहुरात्मसमतां''† इत्यादि ।

६५. **प्रशस्तिः—नृपदेशप्रशान्तिश्च प्रशस्तिरिति** । (यथा रत्नावल्यां)—

उर्वीमुद्दामसस्यां जनयतु विसृजन् वासवो वृष्टिमिष्टां
इष्टैस्त्रैविष्टपानां विदधतु विधिवत्प्रीणनं विप्रमुख्याः ।
आकल्पान्तं क्रियायाः क्रमसमुपचितं संगमं सज्जनानां
निर्विश्लेषावकाशं पिशुनजनवचोवर्जनाद्वज्रलेपः ॥

यथासन्धि त्विति यो यस्मिन् सन्धौ योग्य इत्यर्थः । योग्यतां च कविरेव जानाति, न च मुक्तककविः, किन्तु प्रबन्धयोजनासमर्थः । तदाह **कविभिरित्यादि** ।

ननु कवेः कीदृशं तत्प्रबन्धनिर्माणकौशलमित्याह **रसभावमपेक्ष्येति**, तदपेक्षा च कौशलमित्यर्थः । रस एव हि प्रीत्या व्युत्पत्तिप्रदं नाट्यात्मक शास्त्र-मित्युक्तम् । ततश्च यद्यथा यद्यस्यानुपयोगि तदरोचकिनो रुचितदधिशर्करापयः-प्रभृतिरसान्तरमध्ययोजितं—तद्द्वारेणान्तःप्रविष्टं सत् पुष्टिं व्याधिनिवृत्तिं च विधत्ते, तथैव पुमर्थोपायो हृदयमनुप्रवेष्टुमसमर्थं सुन्दरतदुचितरससङ्क्रमणया प्राप्तान्तःप्रवेशो बिनेयजनस्य संपाद्ये वस्तुनि कल्पपादपकल्पनायै कल्पते । रससंक्रान्तिश्च विभावादिरूपतयैव नान्यथेत्युक्तं षष्ठे । **एतानीति** । तान्य--

---

1. KSS. नृपदेव ।
2. NS. प्रशस्तिः ।
3. KSS. इत्येतानि यथासन्धि कार्याण्यङ्गानि रूपके ।
4. KSS., NS. रसभावानवेक्ष्य ।

† तायो विक्रमबाहुरात्मसमतां प्राप्तेयमुर्वीतले
सारं सागरिका ससागरमहीप्राप्त्येकहेतुः प्रिया ।
देवी प्रीतिमुपागता च भगिनिलाभाज्जिताः कोशलाः
किं नास्ति त्वयि सत्यमात्यवृषभे यस्मिन् करोमि स्पृहाम् ॥

[1]संमिश्राणि कदाचित्तु द्वित्रियोगेन वा पुनः ॥१०५

ङ्गानि लिखितानि विबक्षितरसभावादिसंपूर्णभावभाञ्जि भवन्ति यानि त्वेकरसावहितमनसो यत्रान्तरनिरपेक्षतयैवाहमहमिकया समुचितभावेन बन्धशय्यामनुवर्तन्ते । इति वृत्तविच्छोऽपि हि रसस्यैव पोषकः, अन्यथा विच्छेदे स्थाय्यादेस्त्रुटितत्वात् क्व रसवार्ता । तेन रसस्यैवायं विभावादि-परिकरो यदङ्गचक्रमिति । तथा हि *"लाक्षागृहानले" त्युपक्षेपो वीर-रौद्रयोर्विभावांशपूरकः, *"प्रवृद्धं यद्वैर" मिति क्रोधस्य वीरे व्यभिचारिणो रौद्रे स्थायिनः स्वरूपं प्रत्युज्जीवकः परिकरः, *"चञ्चद्भुज" इति च परिन्या-सोऽनुभावांशं पुष्णाति, *"अणुगह्णन्तु एदं ववसिदं देवदाओ" (द्रौपदी—अनुगृह्णन्त्वेतद्व्यवसितं देवताः) (वेण्या—अङ्क ?) इत्यादि विलोभनम् । अतो निवृत्त्यौत्सुक्यहर्षमतिस्मृतिप्रभृति व्यभिचारि, स चायं सन्धानधुर्यः, एव-मन्यदपि योज्यम् ।

ननु सन्धिपरतन्त्रैरङ्गैर्भवितव्यम्, तद्रसपारन्त्र्यमेषां कुतस्त्यम्, उच्यते—सन्धयो ह्यवस्थापरतन्त्राः 'प्रारम्भाभिधानदशाविशेषोपयोगिकथाखण्डलकं मुखसन्धिरित्युक्तम्, एवमन्यत्र । अवस्था अप्यन्यकृतिविशेषमनून्यन्ते । नन्वतः किम्, इदमतो भवतीत्याह—रसभावापेक्षया तु कार्यं स्थितं तस्यापेक्षया अवस्थानं ज्ञात्वेति, कार्यमपि रसप्रवाहजननपर्यन्तत्वेन कृतार्थता संपद्यते इति यावत् ।

संमिश्राणीति सन्ध्यन्तरोक्तं सन्ध्यन्तरेऽपीत्यर्थः । यथा युक्तिर्मुखेऽप्युक्ता गर्भेऽप्युपनिबद्धा वितर्कव्यभिचार्यंशपोषकभावेन वेणीसंहारे, यथोदाहृतं प्राक् "तेजस्वी रिपुहतबन्धुदुःखभार" मित्यादि । **द्वित्रीति** द्वित्वत्रित्व योगेनेत्यर्थः । तेनैकमपि सन्ध्यङ्गं तत्रैव सन्धौ द्विस्त्रिर्वा कर्तव्यम् । यथा-रत्नावल्यां प्रतिमुखे विलासः सागरिकायां राज्ञि वाऽसकृदुपनिबद्धः प्रधानं शृङ्गारं समुद्दीपयति । वेणीसंहारे संफेडविद्रवौ पुनः प्रदर्शितौ वीररौद्रोद्दीपगौ भवतः । अतिशयेन तु पौनःपुन्ये वैरस्यं स्यादिति द्वित्रिग्रहणम् । तथा द्वयोर्योगो द्वाभ्यामङ्गाभ्यां संपाद्यं तदेकेनैव चेद्घटते तत्किमपरेण । एवं त्रियोगः ।

---

1. KSS., NS. सर्वाङ्गानि ।

* वेणीसंहारे ।

ज्ञात्वा कार्यमवस्थां च [1]कार्याण्यङ्गानि सन्धिषु ।

[2]एतेषामेव चाङ्गानां सम्बद्धान्यर्थयुक्तितः ॥१०६॥

सन्ध्यन्तराणि[3] सन्धीनां विशेषास्त्वेकविंशतिः ।

साम भेदस्तथा दण्डः प्रदानं वध एव च ॥१०७॥

प्रत्युत्पन्नमतित्वं च गोत्रस्खलितमेव च ।

साहसं च भयं चैव ह्रीर्माया क्रोध एव च ॥१०८॥

द्वियोगो यथा प्रतिमानिरुद्धे भीमसूनोर्वसुनागस्य कृते—उपेक्षानन्तरमेवं न परिकरः आद्येनैव कृतें परिन्यासदर्शनम् । एवं त्रियोगः, यथा भेज्जलविरचिते राधाविप्रलम्भे रासकाङ्क उपक्षेपेणैव हि 'लिअलीस्सा"* इत्यादि परिकर-परिन्यासकार्यगुरुभूते पालिते एकोद्देशेन (?) विलोभननिरूपण । एवं चतुरङ्गो यात् सन्धिर्भवतीति ।

अथ सन्ध्यन्तराणि दर्शयितुमाह एतेषामेव चाङ्गानामित्यादि । तत्र केचिदाहुः—अन्तरं छिद्रं सन्धिरिति । तदङ्गमात्रं—तात्स्थ्याच्च तत्स्थान्यं तेन सन्ध्यङ्गच्छिद्रवर्तित्वात् सन्ध्यन्तराणि, अत एव चाङ्गानां संबद्धानि । ननु किं शेषमात्रेण, नेत्याह, किं त्वर्थस्य प्रयोजनस्य योगेन, अत एव सन्ध्यङ्गानां विशेषकः, तदर्थविशेषसंबद्धं हि तदङ्गं भवति (इति) ।

अन्ये मन्यन्ते—य एवोपक्षेपाद्या सामान्या उक्ताः तेषामेवैतद्विशेषा अवान्तरभेदाः । उपक्षेपो हि सामादिविशेषभिन्नः, तथा हि लाक्षागृहानल" (वेणी-१) इति क्रोधात्मोपक्षेपः, रामाभ्युदये भयात्मोपक्षेप प्रतिमानिरुद्धे स्वप्नरूपः, उदात्तराघवे हेत्ववधारणात्मा । एवमन्यदनुसरणीयम् इति । एते च विभावानुभावव्यभिचारिरूपा एव । न तु तदतिरिक्तं जगति किञ्चिदस्ति प्रयोगे प्रयोगोज्ज्वलत्वोपयोगाय तूपलक्षणत्वेनैकविंशतिरित्युक्तं कवेर्मार्गं प्रदर्शयितुम् ।

1. KSS., NS. योज्यानि ।
2. KSS. does not read एतेषामेव···स्मृतम् ।
3. NS. वक्ष्यामि त्वर्थोपक्षेपकाणि च ।

* राधाप्रलम्बे···"विहवस्सा"

ओजः संवरणं भ्रान्तिस्तथा हेत्वपधारणम्[1] ।
दूतो लेखस्तथा स्वप्नश्चित्रं मद इति स्मृतम् ॥१०९॥
[2]विष्कम्भश्चूलिकाश्चैव तथा चैव प्रवेशकः ।
अङ्कावतारोऽङ्कमुखमर्थोपक्षेपपञ्चकम् ॥११०॥
मध्यमपुरुषनियोज्यो नाटकमुखसन्धिमात्र[3]संचारः ।
विष्कम्भकस्तु[4] कार्यः पुरोहितामात्यकञ्चुकिभिः ॥१११॥
शुद्धः संकीर्णो वा द्विविधो विष्कम्भकस्तु विज्ञेयः ।
मध्यमपात्रैः शुद्धः संकीर्णो नीचमध्य[5]कृतः ॥११२॥
अन्तर्यवनिकासंस्थैः [6]सूतादिभिरनेकधा ।

तत्र सामादयो वीरे उज्ज्वलत्वहेतवः, वधो रौद्रे, प्रत्युत्पन्नमतित्वं मतिलक्षणं व्यभिचारिरूपं, सर्वत्र गोत्रस्खलनमीर्ष्याविप्रलम्भे, साहसं (शृंगारवीरादौ), चापलं हास्यादौ। एवमन्यत्र। **ओज** इति तेजः, सामान्याभिनये (अ-२२) लक्षयिष्यते—"अधिक्षेपावमानादेः" (इत्यत्र), संवरणमवहित्थं, चित्रं विस्मयः शिल्पविशेषश्च। एते सर्वेषु नाटकादिरूपकेषु सुलभाः स्वयं च सुज्ञाना इति तदुदाहरणपरिवर्तनेन ग्रन्थो न विस्तारितः।

1. NS. अवधारणम् ।

2. अत्र बडौदासंस्करणस्य संस्कर्त्रा पण्डितवर्येण रामकृष्णकविना लिखितं यत्—अर्थोपक्षेपपञ्चकोद्देशलक्षणविधायिन एते सप्त श्लोकाः प्रक्षिप्ता एव, यतः पूर्वाध्यायेऽङ्कलक्षणावसरे यत्रार्थस्य समाप्तिरित्यत्र (१६-२६) तल्लक्षणानि सूचितानि मुनिना व्याख्यात्रा च कोहलमतानुसारेन वा संग्रहकारमतेन वा श्लोकाश्चैते कैश्चद्विनिवेशिताः। एतेषां सप्तमः कोहलस्यैव, द्वितीयस्तु कोहलश्लोकाच्चतुर्थपादे भिद्यते, तृतीयपञ्चमौ भरतस्यैवाष्टादशाद्गृहीतौ।

3. KSS. वस्तु ।

4. KSS. ,NS. संस्कृतपुरोहिता···।

5. KSS. मध्यमैः ।

6. NS. शून्यादिभिरनेकधा । KSS. उत्तमाधममध्यमैः ।

अर्थोपक्षेपणं यत्तु क्रियते सा हि चूलिका ॥११३॥

[1]अङ्कान्तरानुसारी संक्षेपार्थमधिकृत्य बिन्दूनाम् ।

प्रकरणनाटकविषये प्रवेशको नाम विज्ञेयः ॥११४॥

अङ्कान्त[2] एव चाङ्को निपतति यस्मिन्[3] प्रयोगमासाद्य ।

बीजार्थयुक्तियुक्तो ज्ञेयो[4] ह्यङ्कावतारोऽसौ ॥ ११५॥

विश्लिष्टमुखमङ्कस्य स्त्रिया वा पुरुषेण वा ।

[5]यदुपक्षिप्यते पूर्वं तदङ्कमुख[6]मुच्यते] ॥११६॥

एवमितिवृत्तनिरूपणनान्तरीयकत्वेन सन्धयः सन्ध्यङ्गानि सन्ध्यन्तराणि चात्मभूतरसोपयोगीन्यपि प्राधान्येनेतिवृत्तात्मकं शरीरांशमभिनिविशमानानि, तत एव वृत्तिचतुष्कसाधारणे निर्दर्शितानि । अधुना तु यस्याः प्रसादेन शास्त्रेतिहासादिभ्योऽभ्युद्धरकन्धरीभूतं सर्वजनाहरणीयतास्पदत्वं तु नाट्यं, यामुद्दिश्य प्रथमेऽध्याये "कैशिकीमपि योजय यच्च तस्याः क्षमं द्रव्यं" इत्यादि बहुतरमुक्तं, तदाविर्भावकानि, अत एवात्मभूतरसभावभावाभिनिवेशशालीन्येव लास्याङ्गान्यपि कविप्रयोक्तृभिरभिनेतव्यकाव्यविषये सर्वथैव योज्यानीति दर्शयितुं सर्वथैव योज्यानीति दर्शयितुमाह **अन्यान्यपि लास्यविधावङ्गानीत्यादि** । **नाटक**मित्यभिनेयमात्रम् । इतःपरमध्यायान्तमुक्तेभ्योऽङ्गेभ्यो लास्यविधौ यान्यङ्गानि वक्ष्यन्ते तानि नाटकोपयोगीन्यपि भवन्ति ।

नन्वेवमङ्गानामभेदादङ्गिनोऽपि लास्यस्य नाटके को भेद इत्याशङ्कां शमयति (**अस्मा**दिति) । अस्मान्नाटकादनुकाराभिनेयलक्षणात् विनिस्सृतानि

---

1. KSS. अङ्कान्तराधिकारी ।
2. KSS. NS. अङ्कान्तरेऽथवाङ्के ।
3. KSS. यस्मात् ।
4. KSS. विज्ञेयो अङ्कावतार···।
5. KSS. NS. यत्र संक्षिप्यते ।
6. KSS. NS. इष्यते ।

[3]*अन्यान्यपि लास्यविधावङ्गानि तु नाटकोपयोगीनि ।
अस्माद्विनिःसृतानि तु भाण इवैकप्रयोज्यानि ॥११७॥
[भाणाकृतिवल्लास्यं विज्ञेयं त्वेकपात्रहार्यं वा ।
प्रकरणवदूह्यं कार्यासंस्तवयुक्तं विविधभावम् ॥]११८॥
गेयपदं स्थितपाठ्यमासीनं पुष्पगण्डिका ।
प्रच्छेदकं त्रिमूढं च सैन्धवाख्यं द्विमूढकम् ॥११९॥

बहिर्भूतानि, एकपात्रहार्याणि । **भाण** इति **इव**शब्देन नाटकमाह, भाणे नाट्यरूपता समस्ति, न तु लास्ये कथंचिदपि तस्य नाट्यरूपवैलक्षण्यात् । तच्चोपपादितं वितत्य तुर्येऽध्याये ।

ननु कानि लास्याङ्गानि नाट्ये वक्ष्यन्त इत्याह **गेयपद**मित्यादि **दशविधं ह्येतदङ्गनिर्देशलक्षणम**त्यन्तम् । एतस्य अङ्गनिर्देशस्याङ्गोद्देशस्य दशविधं, यद्विशेषलक्षणं तालाध्याये (अ-३१) लास्यनिरूपणावसरे वक्ष्यते, तथा चोपसंहरिष्यति "एतेषां लास्यविधौ विज्ञेयं लक्षण" मिति (अ-१९) । तत्रैव हि संपूर्णमङ्गानां रूपं, इह तर्हि कथमुपयोग इति नाट्योपयोगितां गमयितुं **आसनेषूपविष्टैर्य** इत्यादिग्रन्थः । तेनेदं तात्पर्यम्—यानि लास्याङ्गानि वक्ष्यन्ते तेभ्यः कश्चिदवैचित्र्यांशो लोकापरिदृष्टोऽपि रञ्जनावैचित्र्याय कविप्रयोक्तृभिर्नाट्ये निबन्धनीयः

अन्ये तु व्याचक्षते—तथाविधलास्याङ्गयोजनैवात्र क्रियते, तथा हि गेयपदे निदर्शनं दर्शयति "ततः प्रविशति वीणां वादयन्ती मलयवती चेटी च । मलयवती 'उत्फुल्लकमलकेसर' इत्यादि गायति" (नागा-१) इति । तच्चेदमसत् । अत्र ह्यन्यव्यापारवद् देवतापरितोषः, किंचिद्गेयं जप्यसहस्रतुल्यं तन्मिश्रं जप्यं कोटिफलसाधनमित्यादिपुराणवाक्यबलात्, कर्तव्यत्वेनाभिसंहितो मलयवत्याः । "सा च प्रयोज्येति" न लास्यार्थोऽत्र किञ्चित्, न लास्याङ्गतापि । यत्रापि, ततः प्रविशतो गायन्त्यौ चेट्यौ, "कुसुमाउहपिअदूअउपे" (रत्ना-२) इत्यादि तत्रापि परिभ्रमणादिवदेव लौकिकवृत्तं वसन्तोत्स-

---

1. KSS., NS Do not read here from अन्यान्यपि…प्रयोगज्ञैः ।

उत्तमोत्तमकं चैवमुक्तप्रत्युक्तमेव च।

लास्ये दशविधं ह्येतदङ्गनिर्देशलक्षणम् ॥१२०॥

आसनेषूपविष्टैर्यत्तन्त्रीभाण्डोपबृंहितम्।

वप्रमोदाभ्युदयावसरकृतं। प्रयोजने चेद्यावत् क्रियते तत्र यद्यप्यनुकार्यस्य तथापि नाट्यङ्गत्वे पृथगनुपदेश्यतापत्तिः, यथा (यदा) ह्यश्वमेधयागाद्यनुकारः कर्तव्यस्तदोपयुज्यते यज्ञाङ्गज्ञानमिति यज्ञाङ्गान्युपदेश्यानि भवेयुः। न हि तादृग्वस्तुमात्रमप्यस्ति यन्नाट्ये नोपयुज्यते च। तस्माल्लास्ये यान्यङ्गानि तत उपजीव्ये लौकिक एवांशो रञ्जनोपयोगी लास्याङ्गत्वेन मुनेरिह विवक्षितः। अन्यथा "आसनेषूपविष्टैर्य" दित्यादि किमिहोक्त्या, "एतेषां लक्षणं व्याख्यास्ये" इत्येतदिहैव तु नैवोक्तमित्येतद् विशृङ्खलं स्यात्, "ततश्च परिधानक" मित्यादि (३१-३८०) (यत्पूर्वरङ्गविधौ (अ-३१) लास्याङ्ग-लक्षणमुक्तं तदप्यत्राभिनेयभागे प्रयोक्तव्यं स्यात्।)

ततो यावानंशो नाट्योपयोगी तं दर्शयितुमाह—**आसनेषूपविष्टैर्यदिति**। यच्छब्दो निपातो यस्मिन्नित्यत्रार्थे, तेन यत्र काव्ये प्रयोगे वा **शुष्कमित्यनु**-करणीयतया शून्यं **गायनै**रिति न तु पात्रैः, **आसनोपविष्टै**रिति स्वस्थैः, न तु नेपथ्ये गीयत इत्यादिवत्, कविप्रयोगायातमावेशविशेषं जृम्भद्भिर्गीयते यत्। **तन्त्रीभाण्डान्वितमिति** सर्वातोद्ययुतं, न तु भाव्यासीनपाठ्यवत्तद्विहीनं तद्गेयस्य पदं स्थानमिति कृत्वा गेयपदम्, तेन ध्रुवागानपञ्चकमन्तरालापस्वररहितं यत्र प्रयोगयोग्यं भवति स काव्यप्रयोगो गेयपदमित्युक्तं भवति, यत्र हि प्रयोगे तत्तत्राभिनिविष्टं सामाजिकरञ्जकं भवतीति यावानंशोऽसौ लास्याङ्गादिहोपजीवितः।

यत्तु गायनैः पात्रैः शुष्कमित्यर्थात् छेकाश्रितं गेयं निर्गीतमपि वा, एतत् त्र्यश्रं चतुरश्रं वेत्येवंभूतं गीयमानं गेयानि पदानि यत्र गेयपदमिति व्याचक्षते, तत्पूर्वमेवापास्तम्।

अथ स्थितप्रापि यल्लास्याङ्गं भविष्यति तदुपजीवितुमाह **प्राकृतं यद्वियुक्ता त्विति**। लास्येऽपि तावद् देवतानरपतिरञ्जनप्रधानं पाठ्यमस्ति तच्चित्तग्रहणं हि तत्र तेनैव मध्ये वैचित्र्याय पाठ्येनापि क्रियते, तत्र स्थिते च पठत्यासीनेवेति पाठ्यगतं तदलौकिकं रञ्जनाङ्गं चित्रत्वं तस्मादङ्गादुपजीव्यते। तथा हि—यद्वियुक्ता आतप्तापि सती प्राकृतभाषालक्षणयुक्तं तथात्तरसमिति

गायनैर्गीयते शुष्कं तद्गेयपदमुच्यते ॥१२१॥
[या नृत्यत्यासना नारी गेयं प्रियगुणान्वितम् ।
साङ्गोपाङ्गविधानेन तद्गेयपदमुच्यते ॥] १२२ ॥
प्राकृतं यद्वियुक्ता तु पठेदात्तरसं स्थिता ।
मदनानलतप्ताङ्गी स्थितपाठ्यं तदुच्यते ॥१२३ ॥
[बहुचारीसमायुक्तं पञ्चपाणिकलानुगम् ।
चञ्चत्पुटेन वा युक्तं स्थितपाठ्यं विधीयते ॥]१२४॥
आसीनमास्यते यत्र सर्वातोद्यविवर्जितम् ।
अप्रसारितगात्रं च चिन्ताशोकसमन्वितम् ॥१२५॥
वृत्तानि विविधानि स्युर्गेयं गाने च संश्रितम् ।
चेष्टाभिश्चाश्रयः पुंसां यत्र सा पुष्पगण्डिका ॥१२६॥

रसोपयोगि स्थायिरसग्रहणपूर्वकं पठेत् । एतल्लौकिकं यल्लास्याङ्गादुपजीव्यमानं स्थितपाठ्यम् । एतच्चावेशोपलक्षणं तेन क्रोधाविष्टोऽपि संस्कृतेन पठतीत्याद्यपि मन्तव्यम् ।

अन्ये तु बहुचारीयुतेन चञ्चत्पुटेनोत्तरेण यत् स्थितपाठ्यमिति लक्षणं कुर्वन्ति, उदाहरन्ति, रत्नावल्यां द्वितीयेऽङ्के राजा—"उद्दामोत्कलिका" मित्यादीति, तत्पूर्वमेव निरस्तम् । न च पाठ्ये चावसरोऽत्र तालस्त्र्यश्रश्चतुरश्रो वा यथा तु लास्याङ्गत्वे । तत्सर्वं तालाध्याय एव वक्ष्यामः ।

अथासीनपाठ्यादुपजीवनीयमंशमाह—**आसीनमास्यते यत्रेति** । अत्यन्तशोकावेशेऽभिनयादिशून्यत्वेन यत्र आस्ते सोंऽश उपरञ्जकगुणश्चतुर्विधातोद्यवर्जितोऽतिसुकुमारकाकलीप्रायप्रमदागीतमात्रावशेषो यश्चित्तग्राही (स लौकिकः) लौकिकादपि च तत्र हि साम्यमात्रार्थस्य तस्याश्रयमाणा च स्थितिः, तदासीनन्नामाङ्गं, आसीनपाठ्यादुपजीवितेनासनांशेन योगतश्च सर्वत्र करुणादौ रञ्जनोपयोगि । उदाह—**चिन्ताशोकसमन्वितमिति** । अधःशय (नध्यानाधोमुखाद्यनुभावयुतम् । सर्वेति ध्यानविलापादिचिन्ताशोकानुभावेषु ततादेरप्रयोज्यतया तद्राहित्यमुक्तम्,) निःशब्दमिति भावः । तदनु **अप्रसारितगात्रमित्यभिन**-

[यत्र स्त्री नरवेषेण ललितं संस्कृतं पठेत् ।

सखीनां तु विनोदाय सा ज्ञेया पुष्पगण्डिका ।।१२७।।

नृत्तं तु विविधं यत्र गीतं चातोद्यसंयुतम् ।

स्त्रियः पुंवच्च चेष्टन्ते सा ज्ञेया पुष्पगण्डिका ।।]१२८।।

प्रच्छेदकः स विज्ञेयो यत्र चन्द्रातपाहतः ।

स्त्रियः प्रियेषु सज्जन्ते ह्यपि विप्रियकारिषु ।।१२९।।

यशून्यमित्यर्थः । सुप्रसारितगात्रमित्यन्ये पठन्ति, तत्रापि (सौष्ठवाङ्गप्रदर्शन-पृथग्यत्नराहित्येन) स्रस्तगात्रतयाभिनयशून्यतैव ।

पुष्पगण्डिकाख्यलास्याङ्गादुपजीव्यांशमाह—**वृत्तानीति** । गान इति ततेन मध्ये सुषिरेण मध्येऽवनद्धेन मिश्रणाकृतो विचित्रभावः पात्राणां सुकुमार-प्रयोगोऽभिनेयेऽपि रञ्जक एव अद्यप्यलौकिकं यद्वैचित्र्यम् । मालासादृश्या-त्पुष्पगण्डिका गाननृत्तगीतगतवैचित्र्ययोगात् (स्त्रीलिङ्गविवक्षया च स्त्रीपात्राणां पुष्पगण्डिकोक्ता । **पुंसामिति**) सा च चेष्टाश्रयशब्दाभ्यां पर्यायेण योज्या ।

अथ प्रच्छेदकाङ्गकृतं वैचित्र्यं योजयितुमाह (**प्रच्छेदक** इति लास्यविधाने-(अ ३१) वक्ष्यते "ज्योत्स्नायां मदिरायां वा दर्पणे सलिलेऽथवा ।) छाया-सादृश्यकान्तस्य प्रहर्षार्थविभूषित" मिति (३१ अ) त्रिधाप्रच्छेदकस्य लक्षण-(मुक्तम् । तत्र जलक्रीडायां जले प्रसाधने दर्पणे पानगोष्ठ्यां पान) ईषत्प्रति-फलिततत्तदाकृतिदर्शने सति कान्तायाः, प्रहर्ष इति त्रिधा प्रच्छेदं प्रति विमल (फलन?) मिति पर्यायात् (काव्येषु कविभिः प्रतिबिम्बदर्शनजातहर्षस्य स्त्रीणां प्रणयकोपप्रसादनसामर्थ्यं वर्णितम् ।) यथा—

पणमह पणयप्पकुविअगोरीचलणग्गलग्गपडिबिंबं ।
तंसु णहदप्पणेसु अ एआअअ तनुअरं रुद्दं ।।
(पणमत पणअप्पकुपिअकोरीचलणक्कलक्कपटिंपिपम् ।
तंसु नखतप्पनेसुंठ्य एकातस तनुतरं रुत्तम् ।।*)

---

*इयं गुणाढ्यकृतबृहत्कथायां प्रथमा गाथा—प्रणमत प्रणयप्रकुपितगौरीचर-णाग्रलग्नप्रतिबिम्बम् । तेषु नखदर्पणेषु एकादशतनुतरं रुद्रम् ।। इति छाया

अनिष्ठुरश्लक्ष्णपदं समवृत्तैरलङ्कृतम् ।

नाट्यं पुरुषभावाढ्यं त्रिमूढकमिति स्मृतम् ॥१३०॥

इत्यादि । तत्र च त्रिविधेऽपि ज्योत्स्नैवोपयोगिनी,...............धानलीलानि स्वाधीनभर्तृकोचितसंभोगविशेषोपलम्भेन । एतदुक्तं भवति—लोकवृत्ते तावन्न सर्वदा संपूर्णचन्द्रोदयो भवति प्रयोगे तु संभावनागर्भतया रसोपयोगी तथाविधः कालविशेषो गृहीतव्यः । तथा च रत्नावल्यां भूयसा चन्द्रोदयो वर्णितः, "संप्रत्येष सरोरुहद्युतिमुष" (१-२३) इति, "उदायतटान्तरित" मिति (१-२४), "वक्त्रेन्दौ तव सत्ययं यदपरः शीतांशुरभ्युद्गत" (३-१३) इति । एवं रसोपयोग्यलौकिककालविशेषग्रहणं प्रच्छेदकादुपजीवितम् । यदाहुरुपाध्यायपादाः—

यद्यत्रास्ति न तत्रास्य कविर्वर्णनमर्हति ।

यन्नासंभवि तत्रास्य तद्वर्ण्यं सोमनस्यदम् ॥

देशोऽद्रिदन्तुरो द्यौर्वा तटित्कुण्डलमण्डिता ।

ईदृक्स्यादथवा न स्यात् किं कदाचन कुत्रचित् ॥इत्यादि ।

अथ त्रिमूढलक्षणादुपयोगिनं भागं निरूपयितुमाह—**अनिष्ठुरश्लक्ष्णपद**मित्यादि । त्रिमूढके तावल्लास्याङ्गे नायकस्य व्यलीकवशादेकस्या द्वेष्यतोऽभिनवायाः प्रथमप्रणयबद्धलज्जादिनेति मोहस्त्रयाणाम् । तत्र नायकस्यावश्यमनिष्ठुराण्येवोदयनविषयाणीव वचांसि भवन्ति । तत इह वचसि रसोपयोगी गुणालङ्कारांशः स्वीकर्तव्यः । न हि लोके यद्दते माधुर्यौजःप्रभृतिगुणगणोऽस्ति सर्वो ह्येवमाविष्टो यत् किंचिद्वदति तत्काव्यमेव स्यात् । छायामात्रेण त्वंशतः स एवापूर्णत्वादनुपयोग्येव । तस्मादलौकिकमेवैतद्वैचित्र्यं रसोपयोगे सर्वं तद्गुणग्रामकृतम् । **समवृत्तै**रित्यनेन वृत्तकृतवैचित्र्यं, **पुरुषभावाढ्य**मित्यनेन पात्रकृतमपि हेलाभावादि, एवं विशेषकृतं वैचित्र्यं यत्र नाट्ये सौन्दर्यमस्तीति दर्शयन् गुणानामेवान्वयव्यतिरेकाभ्यां तत्र प्रभावं दर्शयति ।

अथ सैन्धवकादुपजीव्यमंशं स्वीकर्तुमाह—**पात्रं विभ्रष्टसंकेत**मिति ।

"सैन्धवीमाश्रिता भाषा ज्ञेयं तत्सैन्धवं बुधैः ।

रूपवाद्यादिसंयुक्तं"

इति च लास्याङ्गविधाने (अ-३१) वक्ष्यते । तत्र यदा नान्यप्राकृतादिभाषोप-

पात्रं विभ्रष्टसङ्केतं सुव्यक्तकरणान्वितम् ।
प्राकृतैर्वचनैर्युक्तं विदुः सैन्धवकं बुधाः ॥१३१॥
[रूपवाद्यादिसंयुक्तं पाठ्येन च विवर्जितम् ।
नाट्यं हि तत्तु विज्ञेयं सैन्धवं नाट्यकोविदैः ॥]१३२॥

करणत्वेन सैन्धवीप्राया आश्रीयते तद्रसोपयोगि रञ्जनाधिक्यात्, अलौकिकोऽयमर्थो रञ्जनोपयोगी लास्याङ्गात् स्वीकृतो भवति । तथा हि शृङ्गाररसे सातिशयोपयोगिनी प्राकृतभाषेति सट्टकः कर्पूरमञ्जर्याख्यो राजशेखरेण तन्मय एव निबद्धः, भेज्जलेन राधाविप्रलम्भाख्यो रासकाङ्कः सैन्धवभाषाबाहुल्येन, चन्द्रकेन स्वानि रूपकाणि वीररौद्राधिकोपयोगीनि संस्कृतभाषयैव* । अत एव च तत्तद्रसोपयोगतारतम्यादेवैकतमस्यातोऽन्यस्यात्र प्राधान्यं कल्प्यते ।

तदेतदाह—**पात्र**मित्यादिना । जातावेकवचनं, तेन यत्र पात्राणि **प्राकृतैर्वचनै**र्युक्तानि, अत एव विभ्रष्टः संकेतविशेषः रसोचितः काक्वध्याये कथितपूर्वः, स एष भ्रष्ठात्मा भ्रंशं नीतः संकेतो यत्र, सुष्ठु व्यक्तिर्यतो रसस्य तेनैव **करणेन** वीणावाद्यादिक्रिययान्वितं पात्रं **सैन्धवक**मिति विषयतद्वतोरभेदोपचारात् । तेन दशरूपकस्य यद् भाषाकृतं वैचित्र्यं कोहलादिभिरुक्तं तदिह मुनिना सैन्धवाङ्गनिरूपणे स्वीकृतमेव ।

करुणान्वितमिति त्वपपाठः । एवं 'पाठ्यविहीनं सैन्धवक' मिति, 'यथा रत्नावल्यां विदूषको नृत्यतीति प्रियाप्रतिनिधिप्रभ्रंश, इति मुनिमतोपेक्षयैव लक्षण उदाहृतं च कृतं न चोक्तं युक्त्या तेन किंचिदित्यसदेव ।

द्विमूढकाद् वैचित्र्यांशं स्वीकरोति **मुखप्रतिमुख**मित्यादिना । यत्र काव्ये लास्यमित्याश्रये द्वयोर्नायकस्य नायिकायाश्च नायिकयोर्वा प्रतिमूढक इव मोहो व्यावर्ण्यते तत्र, तालनिरूपणायामेकस्तालश्चतुर्भिः पादैर्युक्तः सन्नावर्तत इति वक्ष्यते (अ-३१)—

---

*भासकृतमिति मुद्रापितं भारतकथावस्तुकं पञ्चरात्रादिनाटकषट्कं चन्द्रकस्यैवेति रामकृष्णकविना स्वाकृतम् ।

मुखप्रतिमुखोपेतं चतुरश्रपदक्रमम् ।
श्लिष्टभावरसोपेतं वैचित्र्यार्थं द्विमूढके ॥१३३॥
उत्तमोत्तमकं विद्यादनेकरससंश्रयम् ।
विचित्रैः श्लोकबन्धैश्च हेलाहावविचित्रितम् ॥१३४॥

मुखप्रतिमुखोपेतं तथा चाचपुटाश्रयम् ।
यथाक्षरैः सन्निपातैस्तथा द्वादशभिर्युतम् ॥ इति ।

तस्मादङ्गाङ्गपरिक्रमे यदेव तालानुसरणं चतुर्षु च मुखेषु गतिपरिसमापनं लोके गत्यादावपरिदृष्टमपि नटसामाजिकवर्गसविधाध्यासनेन साभ्याङ्गस्यानन्दस्वभावतया रसांशेतराङ्गत्वादतिशयेन रसोपयोगीति तत् स्वीकृतम् ।

मुखं यदग्रे सामाजिकाः प्रतिमुख्यस्ततोऽन्या दिशो लास्याङ्गं नेतुम्, मुखप्रतिमुखे गीतकाङ्गत्वेन हि । (**चतुरश्रेति**) चतुरश्रं कृत्वा क्रान्तदिक्चतुष्टयैः पदैः क्रमणं यत्रेति । किमेवं सति भवतीत्याह वैचित्र्यार्थं वैचित्र्यमत्र प्रयोजनमिति । तेनापि किमिति चेत्तत आह (**श्लिष्टभावेति**) श्लिष्टभावेन सर्वसाभ्यलक्षणेन चित्तवृत्तिसंघट्टेन रसानामुपगतं स्फुटत्वं येनेति ।

गीतकाङ्गाभ्यां मुखप्रतिमुखाभ्यामङ्गसौष्ठवेन रसभावैर्नार्थिकाद्वयरचनया च युतमिति श्रीशङ्कुकाद्याः, तच्च प्रागेव परीक्षितम् ।

मुखप्रतिमुखौ सन्धी इत्येतदपि न समीचीनं, अनुपयोगादस्यार्थस्येत्युपाध्यायमतमेवानवद्यमावेदितपूर्वं ग्राह्यम् ।

अथोत्तमोत्तमकमङ्गं नाट्यं उपयोजयितुमाह—**उत्तमोत्तमकं विद्यादनेकरससंश्रयमित्यादि** । "उत्तमोत्तमके त्वादौ नर्कुटं संप्रयोजयेत्" इत्यादिना "हेलाहावविभूषित" मित्यन्तेन लास्याङ्गं लक्षयिष्यते (३१-अ) । तत्र च चित्तवृत्तिपरिपोषो हेलाहावादिचेष्टालङ्कारमुखेन यः स्थितः सोऽत्र लौकिकः सन्नुपजीव्यते । न हि भगवदवतारस्य रामस्य कुलकलत्रमनुपेक्ष्यं, पराभवखलीकारश्च न सोढव्यः, क्षत्रियेण च लोककण्टकाभ्युद्धरणं कर्तव्यमिति यच्छास्त्रार्थपरिपालनं मुक्त्वा, रावणहृतसीतासमानयनाद्युचितं निमित्तं, परमार्थतो न तु यथा प्रतिरूपं "मुहुर्व्याधूतास्तादृश" मित्यादि वर्ण्यते तथास्य तृतीयत्रेतावतीर्णस्य (रामस्य) संभाव्यते । रामायणेऽपि मुनिना तथा वर्णितमिति

कोपप्रसादजनितं साधिक्षेपपदाश्रयम् ।

उक्तप्रत्युक्तमेवं स्याच्चित्रगीतार्थयोजितम् ॥१३५॥

चेत् किमतो वेदेऽपि हि तथा वर्ण्यतां, न वयमतो विभीमः । स हि भागः काव्यं यश्च यश्च रसाभिनिष्यन्दी वर्ण्य इत्युक्तमसकृत् । ततश्चान्यतररञ्जनोपक्रमविनेयहृदयसंवादिवैचित्र्यांशोऽसौ नाट्ये लास्याङ्गप्रसादोपनत एव । उत्तमानि तावल्लास्याङ्गानि, तेभ्योऽपीदमुत्तमं, सर्वं हि रसपर्यायीति दर्शितं प्राक् । ततः संज्ञायां कन् ।

अनेकस्यासाधारणस्य रसस्य संश्रयोऽस्मिन्निति, स्थायिनां बहुत्वनूतनत्वाद् घटनाविचित्रत्वमुक्तम् । श्लोके च बध्यत इति श्लोकबन्धः, (बन्धानां) विधास्तैः विविधैः (चित्रैः) परमार्थताभूतैः क्वचित्कदाचित्संभवमात्रं तथा वर्णितैर्युक्तम्, यथा (विक्रमोर्वश्यां)—"आ दुरात्मन् रक्षः, क्व नु खलु मे प्रियतमामादाय गच्छसि । (विभाव्य) नवजलधरः सन्नद्धोऽयं"* इत्यादि पुरूरवस उक्तिश्चानुरागेणैव व्याख्यातेति किं पुनरुक्त्या ।

हेलाहावैर्विशेषेण दीप्त्यागमनरूपेण भूषितमिति सात्त्विकाद्यनुभाववर्गस्य सर्वस्यादीप्ततोपलक्षिता—

तत्राक्षिभ्रूविकाराद्यः शृङ्गाराकारसंयुतः ।

सग्रीवारेचको ज्ञेयो भावस्थितसमुत्थितः ।

स एव हावः सा हेला ललिताभिनयात्मिका । (अ-२२)

इति हेलाहावयोर्लक्षणम् ।

अथान्त्यमङ्गं नाट्योपयोगि कर्तुमाह—**कोपप्रसादजनितमित्यादि** । प्रथमार्धेन भाविलक्षणमेकदेशद्वारेणानूद्यते, द्वितीयेन तत आकृष्य वैचित्र्यभागो नाट्योपयोगी कथ्यते । तदयमर्थः—कोपप्रसादजनितं साधिक्षेपपदाश्रयं चेत्यादिरूपं यदुक्तं प्रत्युक्तं तथास्यगाने (अ-३१) वक्ष्यते, नाट्ये **एवमिति** समनन्तरमेवं वक्ष्यमाणेन पथिना स्यात्, तमाह **चित्रेति** । चित्रं यद्गीतं

नवजलधरः सन्नद्धोऽयं न दृप्तनिशाचरः

सुरधनुरिदं दूराकृष्टं न नाम शरासनम् ।

यत्र प्रियाकृतिं दृष्ट्वा विनोदयति मानसम् ।
मदनानल तप्ताङ्गी तच्चित्रपदमुच्यते ।।१३६।।

अयमपि पटुर्धारासारो न बाणपरम्परा
कनकनिकषस्निग्धा विद्युत् प्रिया न ममोर्वशी ।।(४-१)।।

ध्रुवागानकाव्यं तस्य योऽर्थस्तेन संयोजनं यस्मिन्नाट्यांशे उक्तप्रत्युक्ते हि (वैचित्र्यं) लास्याङ्गात् स्वीकृतम् । यथा "बाले नाथ विमुञ्च मानिनि रुषम्*" इत्यादौ भिन्नानां वाच्यखण्डलकानां समन्वयो रसावेशमहिम्नैव, न तु श्रुतिलिङ्गादिप्रमाणषट्कं तदन्यत्रावकाशं लभते "क्वाकार्यं शशलक्ष्मणः क्व च कुलं"** इत्यादावियमेव वार्ता । एवं "णलिनीदलणीसहमुत्तदेहिआ । अइदुल्लहपडिबंधाणुराइआ । (नलिनीदलनिस्सहमुक्तदेहा । अतिदुर्लभप्रतिबन्धानुरागा) ।।"

इत्यादेर्द्विपदिकागीतार्थस्याभिनये काव्यार्थस्य च "हिअअ समास्सस" (शाकु), इत्यादेरसावेशकृत एवाभिनयार्थसमावेशो लोकापरिदृष्ट उपरञ्जनाय सातिशयमुपयोगी रसावेशवैवश्यप्रसादादित्युक्ताप्रत्युक्ताल्लास्याङ्गादुपजीवितः ।

यद्यपि "स्थाने ध्रुवास्वभिनयो यः क्रियते" (३२-४७) इति नाट्यनिरूपणायां वक्ष्यते तथापि कविना तादृक्कार्यं प्रयोक्त्रा च तादृग्गीतं कर्तव्यमिति शिक्षणाय कुतश्चेदमङ्गमुपजीवितमिति शङ्काशमनाय रूपकाङ्गत्वेनेहास्याभिधानं, सामान्याभिनये त्वभिनयत्वेनास्य निरूपणं भविष्यति "षडात्मकस्तु शारीर" (२२-४०) इत्यत्र । कोपप्रसादजनितत्वमित्यनेन चित्तवृत्त्यावेशस्थानमस्याङ्गस्य निवेशविषय इत्युक्तम् । यत उक्तप्रत्युक्तमहिम्ना चाकाशभाषितात्मकमप्यलौकिकरूपं स्वीकुर्वता तत्सहचरं स्वगतजनान्तिकापवारितकाद्युपलक्षितम् । न च सर्वथा तन्नाशो लोके क्वचित् संभवन्नाट्येऽपीति गीयमानः स्यात्, अनेन श्रोतुः काकतालीयवशात् स्वचित्तवृत्त्यार्थसंवादो भवति । यथा हर्षचरिते भगवत्याः सरस्वत्याः †"तरलयसि दृशं

---

* अयं श्लोकः षोडशेऽध्याये आख्यानलक्षणस्य लक्ष्यतयोदाहृतः ।

** अयमपि षोडशेऽध्याये उपपत्तिलक्षण उदाहृतः ।

†तरलयसि दृशं किमुत्सुकामकलुषमानसवासललिते ।
अवतर कलहंसि वापिकां पुनरसि यास्यसि पङ्कजालयम् ।। (उ-१)

दृष्ट्वा स्वप्ने प्रियं यत्र मदनानलतापिता ।

करोति विविधान् भावांस्तद्वै भाविकमुच्यते ।।१२७।।

समुत्सुका" मित्यपरवक्त्रं शृण्वन्त्याः । तत्सर्वं हि लोके यथा न स्यात् तर्हि प्रत्यक्षकल्पं कथमिव तत्र प्रतीतिरिति नाट्यरूपतैव भ्रंशेत ।

अन्ये तु चित्रपदं भाविकं चेत्यङ्गद्वयमाहुः पठन्ति च—

यत्र प्रियाकृतिं दृष्ट्वा विनोदयति मानसम् ।

मदनानलतप्ताङ्गी तच्चित्रपदमुच्यते ।।

दृष्ट्वा स्वप्ने प्रियं यत्र मदनानलतापिता ।

करोति विविधान् भावांस्तद्वैभाविकमुच्यते ।। इति ।

तच्चेदमसत्, "लास्ये दशविधं" (१९-१२०) इत्यत्रत्येन ग्रन्थेन, दशाङ्गं लास्य" मिति च तालाध्याये (३१) पठिष्यमाणेन विरोधात्, न चास्योपयोगः कश्चित् । तथा ह्यलौकिककैशिक्युपयोगि रसांशे सर्वथोपकारि यद्वैचित्र्यं तल्लास्याङ्गद्वारेणाह, स्वकार्यं तच्च सर्वं दशभिरेव संगृहीतम् । तथा हि— प्रधाने चित्तवृत्त्यंशे† वा वैचित्र्यं विभावाद्यंशे वा उपरञ्जकभावे वा । तत्र (चित्तवृत्त्यंशे प्रच्छेदकाद्‡) विभावांशगतं तु वैचित्र्यं, सैन्धवकात् काक्वाद्यंशे, स्थितपाठ्याल्लक्षणगुणाद्यंशे, त्रिमूढकादनुवृत्तांशे, पुष्पगण्डिकात आहार्ये उपरञ्जकगीतातोद्ययोजने च, सात्त्विके आसीनपाठ्यात्, उपरञ्जकभावेऽपि (निः)शब्दाद् ध्रुवागानभागे सर्वातोद्ययोगे च गेयपदात्, गीतार्थस्य पात्रे करुणार्थाभिनये उक्तप्रत्युक्ताद्वाचिकस्य, स्वरतालनुसरणा द्विमूढकात् तत एवाङ्गिकवैचित्र्यमपि, व्यभिचार्यंशे तु वैचित्र्यमुत्तमोत्तमकात् । एवं तदतिरिक्तो नास्त्येवांश इति च दशैवाङ्गानि । वाग्भागस्तनुत्वेनोपरञ्जकभागः स्वरसात्मनि हि तद्वैचित्र्ये भूयसा मुनिना निरूपणं कृतम् । अतएव चालौकिको वैचित्र्यांशः प्रत्युत रसे सातिशयोपयोग इतिशब्दतो मुनेरनुकारो, रसात्मा नाट्यमिति (इति)नाभिप्रेतमिति लक्ष्यते । अलौकिकवैचित्र्यसारो हि रसः, तथा चोक्तं भट्टतोतेन—

---

†चित्तवृत्त्यनुवृत्त्यंशे" इति स्यात्

‡तत्रानुत्तमोत्तमकात्

एतेषां लास्यविधौ विज्ञेयं लक्षणं प्रयोगज्ञैः ।

लक्षणालङ्कृतिगुणा दोषाः शब्दप्रवृत्तयः ।
वृत्तिसन्ध्यङ्गसंरम्भः संभारो यः कवेः किल ॥
अन्योन्यस्यानुकूल्येन संभूयैव समुत्थितैः ।
झटित्येव रसा यत्र व्यज्यन्ते ह्लादिभिर्गुणाः (णैः ?) ॥
वृत्तैः सरलबन्धैर्यत् स्निग्धैश्चूर्णपदैरपि ।
अश्लिष्टहृद्यघटनं भाषया सुप्रसिद्धया ॥
यच्चेदृक्काव्यमात्रं सद्रसभावानुभावकम् ।
सामान्याभिनये प्रोक्तं वाच्याभिनयसंज्ञया (अ-२२) ॥
एवंप्रकारं यत्किंचिद्वस्तुजातं (कथार्पितम्) ।
अनूनाधिकसामग्रीपरिणामोन्मिषद्रसम् ॥
*रसपोषाय तज्जाते नाट्यस्वयं स्वरो ।
प्रतिभायाः प्रगल्भायाः सर्वमोडुप एष सः ॥

इति भावनाप्राणनाया यल्लोके हि संभाव्यते परम् अथ (परमार्थं तत्? ।) वस्तुतो लोकोत्तरत्वेनैव संभारेण युक्ता कविवाणी हठादेव रसमयी भवति साधारणताप्राणत्वादिति तत्र तात्पर्यम् ।

ननु लास्याङ्गेभ्यो यो भागानुपजीवति स तावदिहोक्तः, तेषां तु स्वरूपं वक्तव्यमित्याशंक्याह **एतेषां लास्यविधाविति** । एतद् दशरूपकलक्षणं कवीनां सुखग्रहणाय राशीकर्तुमाह **पञ्चसन्धीत्यादि** । नाटकमित्यभिनेय-काव्यमात्रम् । तत्र पञ्चसन्धीत्यादि **संभवमात्रे** मन्तव्यम् । **महान्तो** रसाः पुरुषार्थोपयोगिनः यत्र । महान् **भोगो** रञ्जनाप्रधानो रसो यत्र, आभोग

---

*रसपोषाय तज्जातं लोकान्नाट्यजगत्स्वयम् ।
प्रतिभायाः प्रगल्भायाः सर्वस्वं कविवेधसः ॥

इति भ्रष्टनष्टाक्षरप्रायस्यास्य श्लोकस्यायमभिप्रायः स्यात् (रामकृष्णकविः) ।

तदिहैव तु यन्नोक्तं प्रसङ्गविनिवृत्तहेतोस्तु ॥१३८॥

पञ्चसन्धि चतुर्वृत्ति चतुःषष्ट्यङ्गसंयुतम् ।

षट्त्रिंशल्लक्षणोपेतं गुणालङ्कारभूषितम् ॥१३९॥

महारसं महाभोगमुदात्तवचनान्वितम् ।

महापुरुषसंचारं साध्वाचार जनप्रियम् ॥१४०॥

सुश्लिष्टसन्धिसंयोगं[1] सुप्रयोगं सुखाश्रयम् ।

मृदुशब्दाभिधानं च कविः कुर्यात्तु नाटकम् ॥१४१॥

अवस्था या तु[2] लोकस्य सुखदुःखसमुद्भवा ।

नानापुरुषसंचारा नाटकेऽसौ विधीयते[3] ॥१४२॥

न तज्ज्ञानं न तच्छिल्पं न सा विद्या न सा कला ।

न तत् कर्म न वा[4] योगो नाट्येऽस्मिन्यन्न[5] दृश्यते ॥१४३॥

इत्यन्ये । **उदात्तवचनान्वित**मिति गुणान् श्लेषप्रसादादीन् स्वीकुरुते । **सुश्लिष्टसन्धिसंयोग**मिति सन्ध्यन्तराणि (च), **सुप्रयोग**मिति लास्याङ्गानि, **सुखाश्रय**मिति छन्दोवृत्तवैचित्र्यं, मृदुशब्दैरभिधानं वर्णना विवक्षितस्यार्थस्य यत्रेति माधुर्यप्रसादार्थव्यक्तिगुणानां प्रकर्षणं सूचयति । एवं नाटकं कुर्यात् । यश्च नाटकं कुर्यात् स एव कविः । किं तेनेत्याह **अवस्था या**त्विति ।

1. जादिबान्तेषु सामाद्येकविंशतिसन्ध्यन्तरानन्तरमर्थोपक्षेपकाः तेषामनन्तरं—"वृत्तिवृत्त्यङ्गसंपन्नं **पताका**र्थप्रतिक्रियम् (NS. पदार्थप्रकृतिक्षमम्) पञ्चावस्था **समुत्पन्नं** (अभिनिष्पन्नं) पञ्चभिः सन्धिभिर्युतम् । षट्त्रिंशल्लक्षणोपेतं......"इति वर्तते ।

---

1. KSS. सन्धियोगं च ।
2. NS. हि ।
3. KSS., NS. संभवेदिह ।
4. KSS., NS. योगोऽसौ
5. KSS., KS. नाटके यन्न ।

योऽयं[1] स्वभावो लोकस्य नानावस्थान्तरात्मकः ।
[2]सोऽङ्गाद्यभिनयैर्युक्तो नाट्यमित्यभिधीयते ।।६४४।।
देवतानामृषीणां च राज्ञां चोत्कृष्टमेधसाम्[3] ।
पूर्ववृत्तानुचरितं नाटकं नाम तद्भवेत् ।।१४५।।
यस्मात् [4]स्वभावं संत्यज्य[5] साङ्गोपाङ्गगतिक्रमैः ।
[6]प्रयुज्यते ज्ञायते च तस्माद्वै नाटकं स्मृतम् ।।१४६।।
सर्वभावैः सर्वरसैः सर्वकर्मप्रवृत्तिभिः ।
नानावस्थान्तरोपेतं नाटकं संविधीयते ।।१४७।।
[[7]अनेकशिल्पजातानि [8]नैककर्मक्रियाणि च ।
[9]तान्यशेषाणि रूपाणि कर्तव्यानि [10]प्रयोक्तृभिः ।।] १४८।।

नानापुरुषेषु सञ्चार एको भावानुप्रवेशो रसात्मना यस्याः सा तादृशी यतो नाटके विधीयते संपाद्यते रसरूपतां नीयत इत्यर्थः । उक्तं चैतद्वितत्य ।

ननु सर्वे चात्र किमवस्थाना इत्याशंक्य प्रथमाध्यायोक्तमेव श्लोकद्वयं पठति न तद्ज्ञानमिति, **योऽयं स्वभावो लोकस्येति** । एतच्च तत्रैव व्याख्यातमिति किं पुनरुक्तेन । पूर्ववृत्तानुचरितं कथं नाटकशब्दस्यार्थ इत्याह **यस्मात्स्वभावं संतज्येति** नट नताविति नमनं स्वभावत्यागेन प्रह्वीभावलक्षणं, ये त्वन्ये नट वृत्ताविति पठन्ति तन्मतेऽपीह नमनं, नटशब्दो जनिदाच्युसूत्रेण

---

1. KSS. यो यः
2. KSS. साङ्गाभिनयसंयुक्तो ।
3. KSS. लोकस्य चैव हि ।
4. NS. स्वभावः ।
5. KSS., NS. संहृत्य ।
6. KSS., KS. अभिनीयते गम्यते च ।
7. KSS. यान्येव NS. यान्येक ।
8. KSS., NS. ह्यं ककर्मकृतानि च ।
9. KSS., NS. तानि शेषाणि।
10. NS. प्रयोज्यानि

लोकस्वभावं संप्रेक्ष्य नराणां च बलाबलम् ।
संभोगं चैव युक्तिं च ततः कार्यं तु[1] नाटकम् ॥१४९॥
भविष्यति युगे प्रायो भविष्यन्त्यबुधा नराः ।
ये चापि हि भविष्यन्ति ते [2]यत्नश्रुतबुद्धयः ॥१५०॥
[3]कर्मशिल्पानि शास्त्राणि विचक्षणबलानि च ।
[4]सर्वाण्येतानि नश्यन्ति यदा लोकः प्रणश्यति ॥१५१॥
तदेवं लोकभाषाणां[5] प्रसमीक्ष्य बलाबलम् ।
मृदुशब्दं सुखार्थं च कविः कुर्यात्तु नाटकम् ॥१५२॥
चेक्रीडिताद्यैः शब्दैस्तु काव्यबन्धा भवन्ति ये ।
वेश्या इव न [6]ते भान्ति कमण्डलुधरैर्द्विजैः ॥१५३॥

(उणादि ४-११५) व्युत्पादितो गृहीतव्य इति दर्शयति साङ्गोपाङ्गा ये पदक्रमा गतिवैचित्र्याणि । एतच्च समस्तं नाट्याङ्गोपलक्षणं प्रयुज्यत इति नटैर्ज्ञायते चेति सामाजिकैस्तेनोभयोरपि नमनमुक्तमिति संभावनाकृतमौचित्यम् । **मृदुशब्देति** यदुक्तं तस्य प्रयोजनमाह **भविष्यति** त्रेतायुगापेक्षया द्वापरे कलौ वेत्यर्थः । **सुखार्थ**मित्यर्थव्यक्तिः स्वीकृता । एतदुपसंहरन्नन्यदासूत्रयन्नध्यायमध्यायान्तरेण सङ्गमयति **दशरूपविधानं** चेति शिवम् ।

---

1. NS. कुर्यात्तु
2. KSS., NS. तेऽप्यल्पश्रुतबुद्धयः ।
3. KSS., NS. बुद्धयः कर्मशिल्पानि वैचक्षण्यं कलासु च ।
4. KSS. सर्वाणि पुंसां प्रसमीक्ष्य च ।
5. ड-भावानां
6. शोभन्ते

[1]दशरूपविधानं च मया प्रोक्तं द्विजोत्तमाः ।
अतः परं प्रवक्ष्यामि वृत्तीनामिह लक्षणम् ॥१५४॥

इति भरतीये नाट्यशास्त्रे सन्धिनिरूपणं
नामाध्यायो एकोनविंशः ॥

द्विजवरतोतनिरूपितसन्ध्यध्यायार्थतत्त्वघटनेयम् ।
अभिनवगुप्तेन कृता शिवचरणाम्भोजमधुपेन ॥

इति श्रीमहामाहेश्वराभिनवगुप्ताचार्यविरचितायां नाट्यवेदविवृतावभिनव-
भारत्यामेकोनविंशः सन्ध्यध्यायः समाप्तः ॥

---

1. KSS., NS. इतिवृत्तं ससन्ध्यङ्गं ।

श्रीः

नाट्यशास्त्रम्

विंशोऽध्यायः[1]

— ० —

समुत्थानं तु वृत्तीनां व्याख्यास्याम्यनुपूर्वशः ।

यथा वस्तूद्भवं चैव काव्यानां च विकल्पनम् ॥१॥

अभिनवभारती—विंशोऽध्यायः

वृत्त्यध्यायः

निश्शेषशब्दव्यवहारवृत्तिवैचित्र्यमभ्येति यतः प्रतिष्ठाम् ।

श्रोत्रात्मकं तत्परमेश्वरस्य वन्देतमां रूपमरूपधाम्नः ॥

वृत्तिभेदात्काव्यभेदा भवन्तीत्युक्तं दशरूपकारम्भे (१८-५) । तत्र वृत्तयो न ज्ञाता इति तदवधारणार्थमाह **समुत्थानं त्विति** ।

यद्यपि कायवाङ्मनसां चेष्टा एव सह वैचित्र्येण वृत्तयः ताश्च समस्तजीवलोकव्यापिन्योऽनिदंप्रथमताप्रवृत्ताः प्रवाहेन वहन्ति, तथापि विशिष्टेन हृदयावेशेन युक्ता वृत्तयो नाट्योपकारिण्यः । आवेशश्च तारतम्यलक्षणो द्विधा लैकिकोऽन्यश्च । तत्र लैकिक आवेशः सुखदुःखतारतम्यकृतो न रसागमास्वाद्यो ह्यसावित्युक्तं रसाध्याये (अ ६) । अलौकिकस्त्वनावेशोऽप्यावेशमयः कवेरिव सामाजिकस्येव । क्वाप्यवसरे हृदयसंवादसरसस्यैव यो भासते स

---

1. KSS. द्वाविंशोऽध्यायः NS., GOS. विंशोऽध्यायः ।

एकार्णवं जगत् कृत्वा भगवानच्युतो यदा ।
शेते स्म नागपर्यङ्के लोकान्[1] संक्षिप्य मायया ॥२॥
अथ वीर्य[2]बलोन्मत्तावसुरौ मधुकैटभौ ।
तर्जयामासतुर्देवं तरसा युद्धकाङ्क्षया[3] ॥३॥
[4]निजबाहू विमृद्नन्तौ भूतभावनमक्षयम् ।
[5]जानुभिर्मुष्टिभिश्चैव योधयामासतुः प्रभुम् ॥४॥
[6]बहुभिः परुषैर्वाक्यैरन्योन्यसमभिद्रवम् ।
[7]नानाधिक्षेपवचनैः कम्पयन्ताविवोदधिम् ॥५॥

एव साधारणे चमत्कारगोचरव्यापारविशेषो रसस्योपकरणीभवति । तादृशश्च प्रथमतः कृतयुगारम्भे भगवतो वासुदेवस्यैव । तस्य हि स्वफलसिद्धये न किंचित् कर्तव्यमस्ति लोकानुग्रहं मुक्त्वा । यथा हि "न मे पार्थास्ति कर्तव्यं (गीता३-२२)" इति तेन साधारणस्य भावेन प्रविष्टानावेशेऽप्यावेशमयो, भगवानेव प्रथमतो नान्यः, पूर्वसर्गगामिनो व्यापारस्य प्रलयमहारजनीप्रस्तावेन भ्रष्टसंसारत्वात् अत एवाह—

एकार्णवं जगत्कृत्वा भगवानच्युतो यदा ।
शेते स्म नागपर्यङ्के लोकान् संक्षिप्य मायया ॥ इति ।

त्रेतायुगे च नान्यं प्रपत्स्यति । यद्यपि चादिकविर्वाल्मीकिरिति प्रवादस्तथापि प्रलयानन्तरं कृतयुगे भाविनि सन्ध्यवसरप्रतिबन्धदर्पदलनजनित-

1. KSS. लोकं ।
2. KSS., NS. मदोन्मत्तौ ।
3. KSS., NS. युद्धकांक्षिणौ ।
4. KSS., बाहु विमर्दमानौ तौ NS. निजबाहुविसृष्टौ तौ ।
5. KSS. मुष्टिभिर्जानुभिश्चैव ताडयामासतुः प्रभुम् ।
6. KSS., NS. अभिद्रवन्तावन्योन्यं वाक्यैश्च परुषैस्तथा ।
7. KSS., NS. नानाविक्षेप ।

[1]तयोर्नानाप्रकाराणि वचांसि वदतोस्तदा[2] ।
[3]श्रुत्वा त्वभिहतमना द्रुहिणो वाक्यमब्रवीत् ।।६
[4]किमिदं भारतीवृत्तिर्वाग्भिरेव प्रवर्तते ।
उत्तरोत्तरसंबद्धा नन्विमौ निधनं नय ।।७।।
पितामहवचः श्रुत्वा प्रोवाच मधुसूदनः ।
[5]कार्यहेतोर्मया ब्रह्मन् भारतीयं विनिर्मिता ।।८।।
[6]वदतां वाक्यभूयिष्ठा भारतीयं भविष्यति ।

विघ्नापसरण पुरस्सरसृष्टिसम्पत्तौ चिरेण वाल्मीकिमुनेः प्रादुर्भावो भविष्यतीति साधारण्याशयेनैव च भगवानेव वृत्तीनां स्रष्टोक्तः न तौ तु मधुकैटभौ, तयोरावेशेन लौकिकेन व्याप्तत्वात्, उद्रिक्ततमतमस्सन्तानितस्वांतत्वेनाविद्यामयत्वात् । विद्यावकाशवशविकसितहृदयकमलपरिमलरूपत्वाच्च, आनन्दसारस्य रसोपयोगिनो व्यापारानावेशस्य भगवत्येव सम्भावनं न तु दैत्ययोः । अतएवाह **किमिदं भारतीवृत्तिर्**भगवन् वाग्भिरेव प्रवर्तते इति भगवतेत्यनेन ह्युक्तं, भगवानेव हि वृत्तीनां प्रवर्तयिता नटवदनावेशदर्शनात्, न तु मधुकैटभौ (तयोः) लौकिके चैव स्यादिति । **द्रुहिणोऽभिहतमना वाक्यमब्रवीदि**त्यनेन प्रेक्षकत्वं ब्रह्मणः प्रदर्शयन् सामाजिकहृदये विश्रान्तिप्राधान्यं वृत्तीनामाह । तन्निष्ठत्वाद्रसचर्वणाया वाक्यग्रहणेन कार्यद्वारको वृत्तीनां नाट्योपयोग इति सूचयति **वाग्भिरेवेति** । वाचिकप्राधान्ये भारतीवृत्तिः । भारतीशब्देन हि वागुच्यत इति कार्यहेतोरित्युक्तं तत्कार्यं दर्शयति

1. NSS. तयोर्नैक ।
2. KSS., NS. श्रुत्वा वाक्यानि सर्जतोः ।
3. KSS., NS. किञ्चिदाकम्पित ।
4. NS. किमियं ।
5. KSS. बाढं कार्यक्रियाहेतोः ।
6. KSS. भाषतोः NS. भाष्यतोः ।

[1]तस्मादेतौ निहन्म्यद्य इत्युवाच वचनं हरिः ॥९॥

शुद्धैरविकृतैरङ्गैः साङ्गहारैस्तथा[2] भृशम् ।

[3]योधयामासतुर्दैत्यौ युद्धमार्गविशारदौ ॥१०॥

[4]भूमिसंयोगसंस्थानैः पदन्यासैर्हरेस्तदा[5] ।

अतिभारोऽभवद् भूमेर्भारती तत्र निर्मिता ॥११॥

वल्गितैः शार्ङ्गधनुषस्तीव्रैर्दीप्ततरैरथ[6] ।

सत्त्वाधिकैरसंभ्रान्तैः सात्त्वती तत्र निर्मिता ॥१२॥

वदतामिति कवीनामिति यावत् । **शुद्धैरिति** स्वोत्प्रेक्षितवैचित्र्यशून्यैः । अङ्गानां हारान्नयतामिति भृशं युद्धमार्गे विशारदाविति संबन्धः । भूमि-संयोगेन संस्थान उद्धटि (ट्टि !) तसङ्कुचितादिरूपं येषां, पदन्यासानां न्यस्यमानानां पदानाम् । **अतिभार** इत्यक्षरसाम्यादपि निर्वचनं दर्शयन् नटव्यापारयोगेऽपि आन्तरविकल्पात्मकाभिः (वाग्भिः) संजुल्पबाहुल्ये भारत्येव वृत्तिरिति दर्शयति । **सत्त्वाधिकै**रिति मनोव्यापाराधिक्ये सात्त्वतीवृत्तिरित्याह सत्-सत्त्वरूपं विद्यते येषां तत्त्वं तेषामयमिति । सत्त्वं च तत्र परच्छिद्रान्वेषणोपायमप्रतितानवैचित्र्योत्प्रेक्षणप्रकाशलाघवात्मकं, अत एवाह **विचित्रै**रिति । स्वोत्प्रेक्षितेन हि वैचित्र्येण विना कथं युद्धविशारदौ जय्यौ स्याताम्, द्वयोर्ह्येकागमानुसन्धानेन युध्यमानयोः सम्बुद्धिकयोः कस्य जयः कस्य पराजयो वा भवेदिति, शिखापाशं पट्टबन्धम्, तुर्हेतौ शृङ्गारस्थानलक्ष्मीसम्भोगादिस्मरणात् । लीलया विलासेन अन्वयः शिखापाशमयेन आबध्योदासीनो वर्तत इति । चारीभिः प्रायेण निश्शङ्कं प्रवर्तमानौ दैत्यौ सुखं निपात्येते मय्येव

---

1. KSS., NS. **अहमेतौ** निहन्म्यद्य इत्युक्त्वा ।
2. KSS., NS.
3. KSS., NS. योधयामास तौ ।
4. KSS., NS. भूमिसंस्थानसंयोगैः ।
5. KSS., NS. तदा हरेः ।
6. KSS. तीव्रैर्दीप्तिकरैः NS. दीप्तिकैः ।

विचित्रैरङ्गहारैस्तु देवो लीलासमन्वितैः ।
बबन्ध यच्छिखापाशं कैशिकी तत्र निर्मिता ॥१३॥
संरम्भावेगबहुलैर्नानाचारी समुत्थितैः ।
नियुद्धकरणैश्चित्रै[1]रुत्पन्नारभटी ततः ॥१४॥
यां यां देवः समाचष्टे क्रियां वृत्तिषु संस्थिताम्[2] ।
तां तदर्थानुगै[3]र्जल्पैर्द्रुहिणः प्रत्यपूजयत् ॥१५॥
यदा हतौ तावसुरौ हरिणा मधुकैटभौ ।
[4]ततोऽब्रवीत् पद्मयोनिर्नारायणमरिन्दमम् ॥१६॥
अहो विचित्रैर्विषमैः[5] स्फुटैः सललितैरपि ।
अङ्गहारैः कृतं देव त्वया दानवनाशनम् ॥१७॥
तस्मादयं हि लोकस्य नियुद्धसमयक्रमः ।
सर्वशस्त्रविमोक्षेषु न्यायसंज्ञो भविष्यति ॥१८॥

परिश्रमापनयनं सम्पद्यत इति । **देव** इति लोकवदनाविष्टः । **यां यामिति** वीप्सया सर्वैव क्रिया वृत्तिचतुष्टयव्याप्तेत्याह । न हि वाङ्मनश्चेष्टातोऽतिरिक्तकर्मास्ति । न च क्रियाशून्यः कश्चिदप्यंशोऽस्ति । मूर्छामोहमरणादावपि सूक्ष्मप्राणपरिस्पन्दाद्यनुमेयसञ्चितपरिस्पन्दसम्भावना । मृतस्तु ताम्रपाषाणप्रख्यो न तस्य वृत्तिकथनेन किंचित्स्वपरम्, अन्यस्य शोकादिविभावनां प्रतिपाद्यमानः काव्याङ्गतामेति स च तदानीं करुणादिरसाक्रान्तः काव्ये व्यावर्णनीयो भवति । रसभावपर्यवसितो हि सर्वः कार्यं संदर्भः । रसभावाश्च चेतनेष्वेव, तेषु च न व्यापारत्रयशून्यः कश्चिदपि काव्यांशोऽस्ति ।

1. KSS., NS. निर्मिता ।
2. KSS., NS. क्रियां वृत्तिसमुत्थिताम् ।
3. KSS., NS. वाक्यैः ।
4. KSS., NS. उक्तवांस्तु तदा ब्रह्मा ।
5. KSS., NS. विशदैः ।

[1]न्यायाश्रितैरङ्गहारैर्न्यायाच्चैव समुत्थितैः ।
यस्माद्युद्धानि वर्तन्ते तस्मान्न्यायाः प्रकीर्तिताः[2] ॥१९॥
[3][चारीषु च समुत्पन्नो नानाचारीसमाश्रयः ।
न्यायसंज्ञः कृतो ह्येष द्रुहिणेन महात्मना ॥]२०॥
[4][ततो वेदेषु निक्षिप्ता द्रुहिणेन महात्मना ।
[5]पुनरिष्वस्त्रजाते च नानाचारीसमाकुले ॥२१॥
पुनर्नाट्यप्रयोगेषु नानाभावसमन्विताः[6] ।
वृत्तिसंज्ञाः कृता ह्येताः[7] काव्यबन्धसमाश्रयाः ॥]२२॥

तेन पञ्चवृत्तयो द्वे वृत्ती इत्यादयोऽसंविदितभरताभिप्रायपण्डितसहृदयम्मन्यपरिकल्पितसद्भावाः प्रवादा निरस्ता भवन्ति । एतच्च पूर्वमेवास्माभिः प्रदर्शितम् ।

जप्यैरिति भक्त्यावेशमात्रवृत्तिं च दर्शयन् कवेर्मुख्यं रसाधिष्ठत्वमेव रूपं विस्तारणात्मकवर्णनाप्राधान्यं चेति दर्शयति । (**विषमैः**) शस्त्रागममार्गात्मनागम्यप्रकारैः (अद्मु)तैरपि, तथा **स्फुटै**रपि सर्वलक्षणप्रसिद्धैरपि चित्रैः स्वार्थोत्प्रेक्षितवैचित्र्यवद्भिः, **सललितै**रिति लोचनगोचरवर्तित्वेनातिभ्रम्यैरित्यर्थः । **अयमिति** भवदुपज्ञातवैचित्र्यबृंहित इत्यर्थः । **नियुद्धसमयक्रम** इति **समय**ग्रहणेन वैचित्र्ययोगेऽपि शस्त्रागमापरित्यागमाह । क्रमः परिक्रमणं **क्रमो** वा शत्रुविक्रमणयोगे गतागतस्य निभृतं शस्त्रादिशून्यं युद्धं नियुद्धं मल्ल-

1. KSS., NS. युद्धं कृतं ह्येतत् ।
2. KSS., NS. न्यायः प्रकीर्तितः ।
3. KSS., NS. do not read this verse.
4. KSS., NS. ततो देवेषु ।
5. KSS., NS. पुनरिष्टसुजातेन ।
6. KSS., NS. रसान्विताः ।
7. KSS., NS. ह्येषा नानाभावरसा श्रेया ।

चरितैर्यस्य देवस्य जप्यं[1] यद्यादृशं कृतम् ।
ऋषिभिस्तादृशी वृत्तिः कृता पाठ्यादिसंयुता[2] ॥२३॥
नाट्यवेदसमुत्पन्ना वागङ्गाभिनयात्मिका ।
मया काव्यक्रियाहेतोः प्रक्षिप्ता द्रुहिणाज्ञया ॥२४॥
ऋग्वेदाद्भारती क्षिप्ता[3] यजुर्वेदाच्च[4] सात्वती ।
कैशिकी सामवेदाच्च शेषा चाथर्वणादपि[5] ॥२५॥

युद्धं, तद्गतमपि यदेतद्रूपं तदुत्प्रेक्ष्यवैचित्र्ययोगात्सर्वेषु शस्त्रास्त्रयुद्धेष्वप्युपयोगि भविष्यति । **विमोक्ष**ग्रहणात् क्षेप्तव्यकुन्तचक्रादिविषयत्वमेव केचिदाहुः । तच्चासत्, क्षिपेः पातमात्रपर्यवसायिनः खड्गादियुद्धेष्वप्यप्रतिहतार्थयुक्तत्वात् । न्यायशब्दनिर्वचनमाङ्गिकाभिनयनिरूपणायां कृतं स्मारयति **न्यायाश्रितै**रिति एतच्च तत्रैव व्याख्यातम् ।

एवं वृत्तीनामुत्पत्तिर्व्याख्याता । आसामेव नाट्यं प्रत्यवतारणं कर्तुमाह **चरितैर्यस्ये**ति भगवद्विश्वचरितैर्गर्भाधेयभूतैः उपलक्षितं यत् पूर्वं ब्रह्मणा **जप्यं** स्तोत्रकाव्यरूपं कृतं, तादृशं भावादिचेष्टाप्रधानं, तादृश्येव वृत्तिः । ऋषिभिः ब्रह्मपुत्रैः पाठ्यादिभिः सम्यग्युक्ता **कृता** अनुसृता । यद्यथा पाठ्यप्रधाना भारती, अभिनयप्रधाना सात्त्वती, अनुभावाद्यावेश [स] मयरसप्रधानारभटी, गीतवाद्योपरञ्जकप्रधाना कैशिकीति । अत एव वक्ष्यति **ऋग्वेदाद्भारती**त्यादि नाट्यवेदोत्पत्तौ प्रथमाध्याये व्याख्याता या सा । द्रुहिणाज्ञा कैशिकीमपि योजय (१-४२) इत्यादिका या तया । काव्यस्य क्रिया काव्यरूपतापादनं, तदेव हेतुः, ततः । प्रकर्षेण क्षिप्ता येनाभिनेयानभिनेयकाव्यवैलक्षण्यमित्यर्थः ।

---

1. KSS., NS. द्रव्यं ।
2. KSS., NS. वाक्याङ्गसम्भवा ।
3. KSS., NS.
4. KSS., NS. वत्तु ।
5. KSS., NS. तथा ।

या वाक्प्रधाना पुरुषप्रयोज्या

स्त्रीवर्जिता संस्कृतपाठ्य[1] युक्ता ।

स्वनामधेयैर्भरतैः प्रयुक्ता

सा भारती नाम भवेत्तु वृत्तिः ॥२६॥

भेदास्तस्यास्तु विज्ञेयाश्चत्वारोऽङ्गत्वमागताः ।

ननु भगवता वासुदेवेनाप्यंशावताररूपत्वात्संभाव्य*.................. व्ययोदयमूर्तिना कुतः इमा वृत्तय आनीता इत्याशङ्क्याह—**ऋग्वेदादित्यादि** । छन्दोमयश्च परमेश्वरो नान्यत इति भावः ।

अथासां परस्परसङ्कीर्णतया लक्ष्ये (बहुरूपतां) वहन्तीनां यत्र यत्प्राधान्येनान्यतमरूपावभासनं तत्प्रदर्शयितुमुत्तरो ग्रन्थः । (वाङ्मनःनकायचेष्टांशेषु) न ह्येकोऽपि कश्चिच्चेष्टांशोऽस्ति । कायचेष्टा अपि हि मानसीभिः सूक्ष्माभिश्च वाचिकीभिश्चेष्टाभिर्व्याप्यन्त एव । "न सोऽस्ति प्रत्ययो लोके यः शब्दानुगमादृते" (वाक्यपदीयं १-१२४) इति न्यायात्, मानस्यपि वाचिक्यपि चेष्टा अवश्यं सूक्ष्मं काल (य?) परिस्पन्दमन्दप्राणव्यापाररूपं नाभि(ति?)वर्तते । तदुक्तम्—

अर्थक्रियासु वाक् सर्वान् समीहयति देहिनः ।

तदुत्क्रान्तौ विसंज्ञोऽयं दृश्यते काष्ठकुयड्वत् ॥ (सङ्ग्रहः*)

न च रसोपयोगिलालित्यभागशून्यः कोऽपि नाट्ये परिस्पन्द इत्यन्योन्यं संवलिता वृत्तयः केवलं क्वचित्किंचिदधिकमिति प्राधान्येन व्यपदेशः परिवर्तते । तत्र भारत्याः प्राधान्यं दर्शयति **या वाक्प्रधानेति** । **स्त्रीवर्जितेति** कैशिकीप्राधान्यावकाशं गमयति । **संस्कृतेति** वचसा प्राकृतपाठ्यलालित्यात् कैशिकीमवश्यमाक्षिपेदिति सूचयति । **भरतैरिति** नटैः स्वतो वंशकरं नामधेयं येषां (तैः), भरतसंतानत्वात्तद्धिते भरताः । **भेदा** इति अस्यामित्यर्थोऽत्र

---

1. KSS., NS. वाक्ययुक्ता ।

*अयं श्लोको भगवता भर्तृहरिणा वाक्यपदीये स्ववृत्तौ (१-१२७) उदाहृतः, व्याडिसंग्रहात् स्यात् ।

प्ररोचनामुखं चैव वीथी प्रहसनं तथा ॥२७॥
जयाभ्युदयिनी चैव मङ्गल्या विजयावहा ।
सर्वपापप्रशमनी पूर्वरङ्गे प्ररोचना ॥२८॥
[उपक्षेपेण काव्यस्य हेतुयुक्तिसमाश्रया ।
सिद्धेनामन्त्रणा या तु विज्ञेया सा प्ररोचना ॥]२९॥
नटी विदूषको वापि पारिपार्श्विक एव वा ।
सूत्रधारेण सहिताः संलापं [1]यत्तु कुर्वते ॥३०॥
चित्रैर्वाक्यैः स्वकार्योत्थैर्वीथ्यङ्गैरन्यथापि वा ।

न तु प्रकाराः, त्रैलोक्यव्यापिन्या हि भारत्याः कश्चिदंशः प्ररोचनारूपः, एवमामुखस्वभाव इत्यादि । अत एवाह—**अङ्गत्वमिति** अंशत्वं प्राप्ता इत्यर्थः, अन्यथा यदि रूपकस्याङ्गत्वं प्राप्ता इत्युच्यते तदा वीथी प्रहसनं च रूपक-भेदः, न तु रूपकस्याङ्गम् । तथा नाट्यस्याङ्गत्वं प्राप्तं (प्राप्ता?) नाटचमिति समु-दायः । यदि वा एकैकमपि काव्यं दशरूपमित्युक्तं प्राक् । **पूर्वरङ्ग** इति तद्विषये, **प्ररोचना** पूर्वमुक्ता तत्र च कृते वा प्ररोचना सा भारत्यंश इत्यर्थः ।

नटीत्यादिना आमुखं लक्षयति । **वा** शब्देन व्यस्तानां नटीप्रभृतीनाँ सूत्रधारेण सङ्घातमाह । **अपिशब्देना**त्मना समस्तानां, द्वितीयो **वा** शब्दः समस्तव्यस्ततां विकल्पयति । **एवशब्दः** सूत्रधारस्यावश्यंभावं दर्शयति । **चित्रै**रिति भाविरूपकार्थानुकूलविषयानुसारिभिः, स्वं कार्यं नटव्यापारं, वीथ्यङ्गैरिति श्लिष्टवक्रोक्तिप्रत्युक्तिप्रायैरित्यर्थः, यथा "पीताम्बरगुरु-शक्त्या हरत्युषां प्रसभमनिरुद्धः" इत्यादि । **अन्यथे**ति स्पष्टोक्तिप्रत्यु-क्तिभिः, यथा नागानन्दे "नाटयितव्ये किमित्यकारणमेव रुद्यते" इत्यादि । **आमुख**मिति मुखसन्धेर्निवर्तते यतः, आङ् मर्यादायाम्, यदि वात्रामुखं आरम्भमी-षन्मुखं वा प्रस्ताव्यतेऽनयेति (प्रस्तावना) बाहुलकेन तच्छीलसंज्ञयोरिति ·········निकारो न भवति । तत्र कदाचित्कार्याभिमुखं नीयते पूर्वरङ्गविधिः,

---

1. KSS., NS. त्रय ।

[1]आमुखं तत्तु विज्ञेयं बुधैः प्रस्तावनापि वा ॥३१॥

[लक्षणं पूर्वमुक्तं तु वीथ्याः प्रहसनस्य च।

आमुखाङ्गान्यतो वक्ष्ये यथावदनुपूर्वशः ॥]३२॥

उद्घात्यकः कथोद्घातः प्रयोगातिशयस्तथा।

प्रवृत्तकावलगिते [2]पञ्चाङ्गान्यामुखस्य तु ॥३३॥

तदभिमुखं वा कार्यारम्भः तन्नीयते, सा द्विधेति (५-१८०) पूर्वरङ्गाध्याये दर्शितमस्माभिः। एवं च यदा स्थापकोऽपि सूत्रधारतुल्यगुणाकारो रामादिवदेव प्रयुज्यते तदेदं कविकृतमामुखं भवति।

अन्ये त्वाहुः—पूर्वरङ्गाध्यायेऽपि या प्रस्तावनोक्ता सापि भारतीभेद एवेति, किं द्वैविध्याभिधानप्रयासेन। यत्तु "क्रुद्धो भीम इत एवाभिवर्तते तन्न युक्तमस्य पुरतोऽवस्थातुं" इत्यादि, तत्तदीयसत्त्वावेशादेवास्य प्रकाशनाय सामाजिकानां साक्षात्कारकल्पाध्यवसायसम्पत्त्यर्थं सूत्रधारेणोच्यते, शिशुसन्त्रासाय कयाचिदाकृत्या कश्चिदत्रस्यन्नपि त्राससंरम्भगर्भमाह "अयमागतो राक्षसः" इति, यथोक्तं भावाध्याये (७) "सत्त्वशुद्धा मूर्तव्याः"* इति, एतच्च तत्रैव निर्णीतम्। तस्यामुखस्य पञ्चाङ्गानि भेदा इत्यर्थः।

ननु एवं सति पञ्चानां युगपत्प्रयोगे प्रस्तावना प्रयुक्ता स्यात्, न चैतन्मुनेरभिमतम्। तथा हि वक्ष्यति—

एषामन्यतमं श्लिष्टं योजयित्वार्थयुक्तिभिः।
पात्रग्रन्थैरसम्बाधं प्रकुर्यादामुखं ततः ॥ (२०-३७)

इत्युद्देशे। यद्यपि पश्चादवलगितमुक्तं तथा तयोस्तुल्यं, लक्षणस्य पूर्वोक्तत्वमित्याशयेनाह—**उद्घात्यकावलगितयोर्लक्षणं कथितम्**इति वीथ्यङ्गव्याख्याने,

---

1. KSS., NS. do not read here two lines.

2. KSS., NS. आमुखाङ्गानि पञ्च वै।

* "सत्त्वविशुद्धाः कार्या यथास्वरूपा भवन्ति" (७-१४७) इति भागस्य व्याख्यानावसरे। तद्व्याख्याभागो नष्टः।

उद्घात्यकावलगित[1]लक्षणं कथितं मया ।
शेषाणां लक्षणं विप्रा व्याख्यास्याम्यनुपूर्वशः ।।३४।।

सूत्रधारस्य वाक्यं वा यत्र वाक्यार्थमेव वा ।
गृहीत्वा प्रविशेत्पात्रं कथोद्घातः स कीर्तितः[2] ।।३५।।

प्रयोगे तु प्रयोगं तु सूत्रधारः प्रयोजयेत् ।
ततश्च प्रविशेत्पात्रं प्रयोगातिशयो हि सः ।।३६।।

[3]कालप्रवृत्तिमाश्रित्य वर्णना या प्रयुज्यते ।
तदाश्रयाच्च पात्रस्य प्रवेशस्तत्प्रवृत्तकम् ।।३७।।

एषामन्यतमं श्लिष्टं योजयित्वार्थयुक्तिभिः[4] ।
[5][तस्मादङ्गद्वयस्यापि सम्भवो न निवार्यते ।।]३८।।

यद्यपि च प्रस्तावनायामन्यान्यपि वीथ्यङ्गानि भवन्ति, आमुखसामान्यलक्षणेऽप्युक्तं वीथ्यङ्गैरिति, तथाप्युद्घात्यकमवलगितं च भाविकाव्यार्थप्रस्तावनेति बालरङ्ग(प्रस्तावने प्रबलमङ्गं?), तथा तयोर्लक्षणम्—

पदानि त्वगतार्थानि ये नराः पुनरादरात् ।
योजयन्ति पदैरन्यैस्तदुद्घात्यकमुच्यते ।।
यत्रान्यस्मिन् समावेश्य कार्यमन्यत्प्रसाध्यते ।
तच्चावलगितं ।।इति (१८-११६) ।

वाक्यमिति, यथा—(रत्नावल्यां) "द्वीपादन्यस्मात्" इति । वाक्यार्थे यथा प्रतिमानिरुद्धे—"पीताम्बरगुरुशक्त्या हरत्युषां" इति । केवलमत्र

---

1. KSS. NS. अवगलितयोर्लक्षणं ।
2. NS. प्रयोगातिशयो हि सः ।
3. KSS., NS. प्रवृत्ति कार्यं ।
4. KSS., NS. योजयित्वा तु युक्तिभिः ।
5. KSS., NS. do not raad this line.

पात्रग्रन्थैरसंबाधं प्रकुर्यादामुखं ततः[1] ।

एवमेतद्‌बुधैर्ज्ञेयमामुखं विविधा[2]श्रयम् ॥३९॥

लक्षणं पूर्वमुक्तं तु वीथ्याः प्रहसनस्य च ॥

[इत्यष्टार्धविकल्पा वृत्तिरियं भारती मयाभिहिता[3] ॥

सात्त्वत्यास्तु विधानं लक्षणयुक्त्या प्रवक्ष्यामि ॥]४०॥

या सात्त्वतेनेह गुणेन युक्ता

न्यायेन वृत्तेन समन्विता च ।

हर्षोत्कटा संहृतशोकभावा

सा सात्त्वती नाम भवेत्तु वृत्तिः ॥४१॥

वीथ्यङ्गनिबद्धम् । कथा काव्यर्थरूपा, ऊर्ध्वमेव हन्यते तत्रेति गम्यते कथोद्घातः ।

प्रयोग इति प्रस्तावनात्मके, प्रयोगमिति नाट्यात्मकं भावितम् । एकस्तु-शब्दो भेदान्तरेभ्यो व्यतिरेकमाह, द्वितीयोऽवधारणे । सूत्रधार एव यत्र प्रयोगे प्रयोगं समुद्गककवाटयुगलवद्योजयति स प्रयोगद्वयश्लेषणात्प्रयोगातिशयः । यथा विक्रमोर्वश्याम्—अथ कुररीणामिवाकाशे शब्दः श्रूयते । आः ज्ञातम्—

ऊरूद्भवा नरसखस्य मुनेः सुरस्त्री

कैलासनाथमुपनृत्य निवर्तमाना ।

बन्दीकृता विबुधवैरिभिरर्धमार्गे

क्रन्दत्यतः करुणमप्सरसां गणोऽयम् ॥ इति ।

यदा कालप्रवृत्तिं कांचिदवलम्ब्य यथा सूत्रधारेण किञ्चिद्वस्तु वर्ण्यते तदा-

---

1. KSS., NS. बुधः

2. KSS., NS. विबुधाश्रयम् ।

3. KSS., NS. प्रोक्ता ।

वागङ्गाभिनयवती सत्त्वोत्थान[1]वचनप्रकरणेषु ।

सत्त्वाधिकारयुक्ता विज्ञेया सात्वती वृत्तिः ॥४२॥

वीराद्भुतरौद्ररसा निरस्तशृङ्गारकरुणनिर्वेदा[2] ।

उद्धतपुरुषप्राया परस्पराधर्षणकृता च ॥४३॥

उत्थापकश्च परिवर्तकश्च सल्लापकश्च संघात्यः[3] ।

[प्र]श्रयेण च पात्रस्य प्रवेशः तत्कालप्रवृत्त्या स्वार्थोक्तत्वात् प्रवृत्तकम्, यथा "अस्यां शरदि—

सत्पक्षा मधुरगिरः प्रसाधिताशा मदोद्धतारम्भाः ।" (वेणी १) इत्यादि **पात्रग्रन्थैरसम्बाध**मिति यत्र न भूयांसि पात्राणि अल्पपात्रेऽपि ग्रन्थबहुलत्वं तथारूपमामुखं कुर्यात् । **विविधाश्रय**मिति बहुभेदमित्यर्थः । **पूर्वमुक्त**मिति दशरूपकाध्याये ।

यद्यपि अभेदव्यतिरेकेणापि भारती (तो?) (न्यायो) न दृश्यते तथाप **न्यायेनेति** तत्प्रकारचतुष्कं निरूपितम् (१०-७२) **सात्वतो गुणः** मानसो व्यापारः । सत्सत्त्वं प्रकाशः तद्विद्यते यत्र तत्सत्त्वं मनः, तस्मिन् भवः । **सत्त्वोत्थानस्य** सत्त्वाधारस्य, **वचनं** येषु **प्रकरणेषु** काव्यखण्डेषु, तेषु वागङ्गाभिनययुक्ता सती, सत्त्वस्य सात्त्विकाभिनय**स्याधिकारे** आधिक्यक्रियया सात्वतीवृत्तिर्युक्ता भवतीति सम्बन्धः ।

शृङ्गारे विषयनिमग्नं मनः, करुणे कान्दिशीकं, निर्वेदे मूढमिति तद्व्यापारो भवन्नपि क्रोधविस्मयोत्साहेष्विव न सातिशयं परिस्फुरतीति दर्शयति **वीराद्भुतरौद्ररसेति** । आधर्षणं वाचा न्यक्कारः । उत्थापयति यो मानसः परिस्पन्दः स तावदुत्थापकः तत्सूचको व्यापारक्रम उपचारः, तथोक्तः । तथा वेणीसंहारे भीमः—भो भोः शृण्वन्तु भवन्तः—

---

1. KS. सत्त्वोथान ।
2. KSS., NS. विज्ञेया ह्यल्पकरुणशृंगारा ।
3. KSS., NS. ससंघातः ।

चत्वारोऽस्या भेदा विज्ञेया नाट्यतत्त्वज्ञैः ॥४४॥

अहमप्युत्थास्यामि त्वं तावद्दर्शयात्मनः शक्तिम् ।

इति [1]संघर्षसमुत्थस्तज्ज्ञैरुत्थापको ज्ञेयः ॥४५॥

उत्थानसमारब्धानर्थानुत्सृज्य योऽर्थयोगवशात् ।

अन्यानर्थान् भजते स चापि परिवर्तको ज्ञेयः ॥४६॥

[[2]निर्दिष्टवस्तुविषयः प्रपञ्चबद्धस्त्रिहास्यसंयुक्तः ।

संघर्षविशेषकृतस्त्रिविधः परिवर्तको ज्ञेयः]॥४७॥

साधर्षजो निराधर्षजोऽपि वा [3]रागवचनसंयुक्तः ।

साधिक्षेपालापो ज्ञेयः सल्लापकः सोऽपि ॥४८॥

स्पृष्टा येन शिरोरुहेषु पशुना पाञ्चालराजात्मजा

येनास्याः परिधानमप्यपहृतं राज्ञां कुरूणां पुरः ।

यस्योरः स्थलशोणितासवमहं पातुं प्रतिज्ञातवान्

सोऽयं मद्भुजपञ्जरे निपतितः संरक्ष्यतां कौरवाः ॥ इति

परिवर्तको यथा तत्रैव भीमः—सहदेव गच्छ त्वं गुरुमनुवर्तस्व । अहमप्यस्त्रागारं प्रविश्यायुधसहायो भवामि ।

सहदेवः—आर्य, नेदमायुधागारम्, पाञ्चाल्याश्चतुश्शालमिदम् ।

भीमः—किं नामेदं (इत्यादि यावत्) अथवा सम्भावयितव्यैव मया पाञ्चाली । इति

अस्त्रागारप्रवेशपरित्यागेन पाञ्चालीदर्शनात्मककार्यान्तरसमारादको मानसो व्यापारः परिवर्तयति कार्यमिति, परिवर्तकवचनं तूपचारारूढम् । एवमुत्तरत्रापि ।

---

1. KSS., NS. संघर्षसमाश्रयमुत्थितं ।
2. KSS., NS. do not read it.
3. KSS., NS. वापि विविधवचनसंयुक्तः ।

(¹धर्माधर्मसमुत्थं यत्र भवेद्रागदोषसंयुक्तम् ।
साधिक्षेपं च वचो ज्ञेयः संलापको नाम) ॥४९॥
²मन्त्रार्थवाक्यशक्त्या दैववशादात्मदोषयोगाद्वा ।
संघातभेदजननस्तज्ज्ञैः संघात्यको³ ज्ञेयः ॥५०॥
(⁴बहुकपटसंश्रयाणां परोपघाताशयप्रयुक्तानाम् ।
कूटानां संघातो विज्ञेयः कूटसंघात्यः) ॥५१॥
इत्यष्टार्धविकल्पा वृत्तिरियं सात्त्वती मयाभिहिता ।
कैशिक्यास्त्वथ⁵ लक्षणमतः परं सम्प्रवक्ष्यामि ॥५२॥

सह (आ) धर्षणेन यद्वाक्यं (साधर्षं) तद्विरहितं निराधर्षं, तेन खलीकारका-द्वचनादन्यतोऽपि वा सत्, अनन्तरमधिक्षेपं वचनमभिभावकं मानसं कर्म तत्सल्लापकशब्दवाच्यम् । यथा—

अश्वत्थामा हत इति पृथासूनुना स्पष्टमुक्त्वा
स्वैरं शेषे गज इति किल व्याहृतं सत्यवाचा । (वेणी० ३-११)

इत्यत्र सत्यवाचेति ।

(**सङ्घातभेदजनन** इति) सङ्घातस्य भेदं जनयति यो युधि स सङ्घा-त्यकः, सम्यक्घात्यः शत्रुवर्गो येन, सङ्घातकविषयाद्वा सङ्घात्यकः, सङ्घात-भेदश्च परेण सामाद्युपायबलेन वा क्रियते । यथा भीमो युधिष्ठिरेण साम्ना भेदितः, अतः शिखण्डिनं पुरस्कृत्य योद्धव्यश्च । दैवात्संपद्यते, यथा द्रोणेनोक्तं सुते हते शस्त्रं त्यक्ष्यामीति । आत्मदोषे वा स्वकटकलक्षणेन, यथा कर्णेन सह

1. KSS., NS. do not read this verse.
2. KSS., NS. मिथ्यार्थवाक्ययुक्त्या ।
3. KSS., NS. संघातको ।
4. KSS., NS. Omit this verse.
5. KSS., NS. इह ।

या श्लक्षणनैपथ्यविशेषचित्रा
स्त्रीसंयुता या बहुनृत्तगीता ।
कामोपभोगप्रभवोपचारा
तां कैशिकीं वृत्तिमुदाहरन्ति ॥५३॥

[[1]बहुवाद्यनृत्तगीता शृङ्गाराभिनयचित्रनैपथ्या ।
माल्यालङ्कारयुता प्रशस्तवेषा च कान्ता च ॥५४॥

चित्रपदवाक्यबन्धैरलङ्कृता हसितरुदितरोषाद्यैः ।
स्त्रीपुरुषकामयुक्ता विज्ञेया कैशिकीवृत्तिः] ॥५५॥

नर्म च नर्मस्फुञ्जो[2] नर्मस्फोटोऽथ नर्मगर्भश्च ।
कैशिक्याश्चत्वारो भेदा ह्येते समाख्याताः ॥५६॥

आस्थापितशृङ्गारं विशुद्धकरणं निवृत्तवीररसम् ।

कलहायमानोऽश्वत्थामा शस्त्रत्यागं करोतीति । अत्र च सत्त्वाधिक्यमपराध्यति "कथं नामाहमेवंभूत" इति (वेण्यां तृतीयेऽङ्केऽन्ते) ।

अथेत्यनन्तरम् । **अतःपरमित्येतेभ्यो** लक्षणेभ्यः पृथग्भूतमित्यर्थः । श्लक्ष्णः सुकुमारः श्लिष्यति हृदय इति कृत्वा । नैपथ्यविशेषो वस्त्रमाल्यादिः तेन चित्रा, बहु विपुलं गीतं नृत्तं च यस्याम्, कामोपभोगो रतिः ततः प्रभवो यः स शृङ्गारस्तद्बहुल उपचारो व्यवहारो यस्यां, सा तथोक्ता । (कैशिक्याश्चत्वार्यङ्गानि नर्माख्यं नर्मोपपदानि च तत्र नर्मणः शृङ्गारस्थापकत्वं) हासप्रधानता च तदेति सामान्यलक्षणम् । तत्र हास ईर्ष्यां वा सूचयितुं परं वोपालब्धुं परहृदयं वाक्षेप्तुमिति त्रिधा (आत्मेति) आत्मनः परकीयस्य चित्तस्योपक्षेप आत्मसमीपकरणम् । उदाहरणम्—वासवदत्ता (फलकमुद्दिश्य सहासं)

---

1. KSS., NS. do not read these verses.
2. KSS., NS. स्फुर्जो ।

हास्यप्रवचनबहुलं नर्म त्रिविधं विजानीयात् ॥५७॥
[1]ईर्य्याक्रोधप्रायं सोपालम्भकरणानुविद्धं च ।
आत्मोपक्षेपकृतं सविप्रलम्भं स्मृतं नर्म ॥५८॥
नवसङ्गमसम्भोगो रति[2] समुदयवेषवाक्यसंयुक्तः ।
ज्ञेयो नर्मस्फुञ्जो[3] ह्यवसानभयात्मकश्चैव[4] ॥५९॥

एसा वि अवरा तस्स समीवे जाआ लिहिदा। एदं वि अय्यवसन्तअस्स विण्णाणम् (एषाऽप्यपरा तस्य समीपे जाया लिखिता एतदप्यार्यवसन्तस्य विज्ञानम्) ।

द्वितीयस्योदाहरणं—"शीतांशुर्मुख" मित्यादि श्रुतवती वासवदत्ता यदा राज्ञोच्यते, "प्रिये वासवदत्ते" इति तद्वचसोपालम्भं सा सहासमाह—"अय्यउत्त मा एव्वं भण" इत्यादि ।

तृतीयस्य सुसङ्गता (विहस्य) "जादिसो तुए कामदेवो आलिहिदो मए वि तारिसी रई आलिहिदा । ता असंभाविणी, कहेहि दाव वुत्तंतं ।"

एवं त्रिभेदं नर्माख्यमाख्याय नर्मस्फुञ्जं प्रकाशयितुमाह **नवसङ्गमेति** नवसङ्गममात्र एव सम्भोगो यत्र। कथं तस्य सङ्गमस्य सम्भोगत्वमित्याह **रतिसमुदयेति** । रतेरन्योन्यास्थाबन्धरूपायाः समुदयः स्फुटत्वं, यस्तादृशेन वेषेण वाक्येन वा योगो यत्र । अवसाने च भयं पूर्वनायिकाकृतम् । यथा रत्नावल्यामुदयनस्य सागरिकायाश्च नर्मणः स्फुञ्जो विघ्न इत्यर्थः ।

विविधा भावाः भयहासहर्षत्रासरोषाद्याः लवैर्लवैरित्यत एव भयादीनामंशेन भावात् स्थायित्वानुपगमात् भयानकहास्यरौद्रादिरसतापत्तिर्न सम्भवति । शृङ्गारस्तु पूर्व एव "जस्स किदे तुमं एत्थ आअदा से एत्थ एव्व चिट्ठदि" इति सुसङ्गतोक्तौ* हासलवः, न हास्यो रसः ।

---

1. KSS., NS. ईर्ष्याक्रोधप्रयासोपालम्भवचनानुविद्धं च ।
2. KSS., NS. समुदयवाक्यवेश ।
3. KSS., NS. नर्मस्फुर्जो ।
4. KSS., NS. भयानकश्चैव ।

विविधानां भावानां लवैर्लवैर्भूषितो बहुविशेषैः[1] ।
असमग्राक्षिप्तरसो नर्मस्फोटस्तु विज्ञेयः ॥६०॥
विज्ञानरूप[2]शोभाधनादिभिर्नायको गुणैर्यत्र ।
प्रच्छन्नं व्यवहरते कार्यवशान्नर्मगर्भोऽसौ ॥६१॥
[3]पूर्वस्थितौ विपद्येत नायको यत्र चापरस्तिष्ठेत् ।
तमपीह नर्मगर्भं विद्यात् नाट्यप्रयोगेषु ॥६२॥
इत्यष्टार्धविकल्पा वृत्तिरियं कैशिकी मयाभिहिता ।
अत ऊर्ध्वमुद्धतरसामारभटीं संप्रवक्ष्यामि ॥६३॥

"सहि कस्सकिदे अहं एत्थ आअदा" इत्यत्र सागरिकोक्तौ (रौद्र) लवो न तु रौद्रः । एवमन्यत्र । नर्मण इति तदुपलक्षितस्य शृङ्गारस्य स्फोटो वैचित्र्यं चमत्कारोल्लासकृतस्फुटत्वं यत्रेति ।

शृङ्गारोपयोगिभिर्विज्ञानाद्यैः **प्रच्छन्नं** यत्र नायक आस्ते नवसमागमसिद्धये स **नर्मगर्भः** । नर्मोपयोगिनो विज्ञानाद्या गर्भीकृता इव प्रच्छन्नतया यत्रेति, यथा प्रच्छन्नरूपो नायकः सङ्केतस्थानं गच्छति ।

(उद्धतेति) दीप्तरसा रौद्रादयः उद्धताः **(आरभटेति)** आरभटानां ये गुणाः क्रोधोवेगाद्यास्ते **(प्रायेण)** बाहुल्येन यत्र, बहुभिः कपटैः यद्वञ्चनं तेनोपेता। कपटत्रयं च समवकारलक्षणे (१८-७१) व्याख्यातम् । यत एवास्यां कपटयोगोऽत एव दम्भप्राधान्यमसत्यवचनसम्भवश्च । **(संक्षिप्तकेति)** संज्ञया

---

1. KSS. विशेषः ।

2. KSS., NS. सम्भावनादिभिः ।

3. KSS., NS. पूर्वस्थितानिपद्येत यत्र चान्यतमनायकस्तिष्ठेत् । **तमपीह** नर्मगर्भं वदन्ति नाट्यप्रयोगेऽस्मिन् ॥

आरभटप्रायगुणा तथैव बहुकपटवञ्चनोपेता[1] ।
दम्भानृतवचनवती त्वारभटी नाम विज्ञेया ॥६४॥

पुस्तावपात[2] प्लुतलङ्घितानि
च्छेद्यानि[3] मायाकृतमिन्द्रजालम् ।
चित्राणि युद्धानि[4] च यत्र नित्यं
तां तादृशीमारभटीं वदन्ति ॥६५॥

[5]षाड्गुण्यसमारब्धा हठातिसन्धानविद्रवोपेता ।
लाभालाभार्थकृता विज्ञेया वृत्तिरारभटी ॥६६॥

संक्षिप्तकावपातौ[6] वस्तूत्थापनमथापि संफेटः ।
एते ह्यस्या भेदा लक्षणमेषां प्रवक्ष्यामि ॥६७॥

अन्वर्थशिल्पयुक्तो बहुपुस्तोत्थानचित्रनेपथ्यः ।

क्षिप्तानि वस्तूनि विषयोऽस्येति संक्षिप्तकः । तानि वस्तूनि दर्शयति (**अन्वर्थेति**) । अर्थेन प्रयोजनेनानुगनः शिल्पयुक्ताः कुशलशिल्पिविरचिताः, अर्था यत्रेति । अत्रैव दिशं दर्शयति (**बहुहस्तेति**) । बहु विपुलं, पुस्तस्योत्थानं प्रकटत्वं विचित्रं च नेपथ्यं खड्गचर्मवर्मादि यत्र पुस्तयोगे। यथा मायाशिरोनिक्षेपे रामाभ्युदये चित्रं नेपथ्यम्, यथा (वा) श्वत्थाम्नः (वेण्याम्) ।

भयातिशयेन हर्षातिशयेन च क्षिप्रमेव प्रवेशनिर्गमौ यत्र पात्राणं, तथा, विद्रवो वाक्यादिकृतो विनिपातोऽवस्कन्दः ताभ्यां कृतं सम्भ्रमाचरणं आवेग-प्रधाना चेष्टा यत्र, सोऽवपातः, अवपतन्त्यस्मिन् पात्राणीति । यथा कृत्या-

1. KSS. बहुवचनकपटा च ।
2. KSS., NS. प्रस्तावपात ।
3. KSS., NS. चान्यानि ।
4. KSS., NS. युक्तानि ।
5. KSS. या षडगुणसंरब्धा परातिसंधान । NS. does not read.
6. KSS. धातौ ।

संक्षिप्तवस्तुविषयो ज्ञेयः संक्षिप्तको नाम ॥६८॥
भयहर्षसमुत्थानं [1]विद्रवविनिपातसंभ्रमाचरणम् ।
क्षिप्रप्रवेशनिर्गममवपातमिमं विजानीयात्[2] ॥६९॥
सर्वरससमासकृतं सविद्रवाविद्रवाश्रयं वापि ।
नाट्यं विभाव्यते यत्तद्वस्तूत्थापनं ज्ञेयम् ॥७०॥
संरम्भसंप्रयुक्तो[3] बहुयुद्धनियुद्धकपटनिर्भेदः ।
शस्त्रप्रहारबहुलः सम्फेटो नाम विज्ञेयः ॥७१॥
एवमेता बुधैर्ज्ञेया वृत्तयो नाट्यसंश्रयाः ।
रसप्रयोगमासां च कीर्त्यमानं निबोधत ॥७२॥

रावणे षष्ठेऽङ्के "प्रविश्य खड्गहस्तः सप्रहारः पुरुष" इत्यतः प्रभृति यावदसौ निष्क्रान्तः ।

(**वस्तूत्थापनमिति**) वस्तूनां बहूना (मर्थाना) मुत्थापनं प्रसङ्गगतनिबन्धनं यत्र **कार्यं** तत्तथोक्तम् । कानि वस्तूनीत्याह **सर्वरसेति** । रस शब्देन स्थायिनो व्याभिचारिणश्च तेषां संक्षेपेण कृतं करणं यत्र, विद्रवैरगनचाद्युपल्वैः सह, तैर्विहीनम् (च) यथा, तत्रैव (कृत्यारावणे) अङ्गदादभिद्रूयमाणाया मन्दोदर्या भयं, अङ्गदस्योत्साहः, रावणं दृष्ट्वा तस्यैव हि "एतेनापि सुरा जिता" इत्यादि वदतो हासः, रावणस्यातिक्रोधः, "यस्तातेन निगृह्य बालक इव प्रक्षिप्य कक्षान्तरे" इति बदतोऽङ्गदस्य जुगुप्साहासविस्मयरसा, विध्वंसनं नाट्यतीत्यत्र रावणस्य शोकः—इत्येवं विद्रवाश्रयं वस्तूत्थापनम् । तद्विपरीतं तु तत्रैव (कृत्यारावणे) द्वितीयेऽङ्के "नेपथ्ये कलकलः" इत्यतः प्रभृति यावत्सीतां प्रति रावणस्योक्तिः—"आ लोकपालानाक्रन्दसि" इत्यादि । भाविनो वस्तुनः समुत्थापनादरीदं तथोक्तं । तथा च तत्रैव (कृत्यारावणे द्वितीयेऽङ्के) ऋषीणामुक्तिः—

---

1. KSS., NS. विद्रुतसंभ्रान्तविविधवचनं च ।
2. KSS., NS. विजानन्ति ।
3. KSS , NS. समायुक्तो ।

[1]हास्यश्रृङ्गारबहुला कैशिकी परिचक्षिता ।

[2]सात्वती चापि विज्ञेया वीराद्भुतशमाश्रया ॥७३॥

[3]रौद्रे भयानके चैव विज्ञेयारभटी बुधैः ।

[4]बीभत्से करुणे चैव भारती संप्रकीर्तिता ॥७४॥

(न ह्येकरसजं काव्यं किंचिदस्ति प्रयोगतः ।

[5]भावो वापि रसो वापि प्रवृत्तिर्वृत्तिरेव वा ॥७५॥

सर्वेषां समवेतानां यस्य रूपं[6] भवेद्बहु ।

स मन्तव्यो रसः स्थायी शेषाः सञ्चारिणः[7] स्मृताः) ॥

वृत्यन्त एषोऽभिनयो मयोक्तो

वागङ्गसत्त्वप्रभवो यथावत् ।

दुरात्मन्, नेयं सीता स्वनाशाय कृत्येयं ह्रियते त्वया। इति सम्फेटस्योदाहरणं जटायुयुद्धादि सर्वम् (कृत्यारावणे)।

अथासां वृत्तीनां संक्षिप्य स्वरूपमाह—**हास्यश्रृङ्गारबहुला कैशिकीति सात्वती चापि विज्ञेया वीराद्भुतशमाश्रया** ! इति। अत्र शमशब्दः शान्तरस-परिग्रह इति तद्वादिनो मन्यन्ते । **समाश्रयेत्यन्ये** पठन्ति ।

---

1. KSS., NS. शृङ्गारे चैव हास्ये च वृत्ति स्यात् कौशिकीति सा ।
2. KSS., NS. सात्त्वती नाम सा ज्ञेया वीररौद्राद्‌भुताश्रया, ।
3. KSS., NS. भयानके च बीभत्से रौद्रे चारभटी भवेत् ।
4. KSS., NS. भारती चापि विज्ञेया करुणाद्‌भुतसंश्रया
5. KSS. भावोऽपि रसो वापि प्रवृत्तिरेव वा ।
6. KSS. रूपं यस्य ।
7. KSS. सञ्चारिणो मता ।

आहार्यमेवाभिनयं प्रयोगे
वक्ष्यामि नेपथ्यकृतं तु भूयः[1] ॥७७॥

इति भरतीये नाट्यशास्त्रे वृत्तिविकल्पनं नामाध्यायो विंशः[2] ।

अस्याध्यायस्याभिनयशेषभूततां ख्यापयन्नध्यायार्थमुपसंहरति भाविनश्चार्थमासूत्रयति वृत्त्यन्त एष इति । वृत्तिरभिनयस्य दशरूपकात्मा विषयोऽपि अन्त इत्यभिनयस्य वृत्तयोऽन्तरमेकदेश आहार्यं इति शरीरव्यतिरिक्तं बाह्यमित्यर्यः नटस्य हि सत्त्वात्मा वागभिनयो व्याहरणीय एव साक्षात्प्रयत्नकृतत्वात् । अत एव तुशब्देन ततो व्यतिरेकमाहार्यमेव विशिनष्टि । नेपथ्यकृतं त्वाहार्यं वक्ष्यामीति भूयः कृतं विस्तार्येति शिवम् ।

नृसिंहगुप्तायतिनेत्थमत्र वृत्तिस्वरूपं प्रकटं व्यधायि ।
यस्य त्रिणेत्रेण हृदन्तरात्मवृत्तिस्वरूपं प्रकटं व्यधायि ॥

इति श्रीमहामाहेश्वराचार्याभिनवगुप्ताचार्यविरचितायां
भरतीयनाट्यवेदवृत्तावभिनवभारत्यां विंशो
वृत्त्यध्यायः समाप्तिमगमत्

---

1. KSS., NS. पुनश्च ।
2. KSS. reads here द्वाविंशोऽध्यायः

श्रीः

नाट्यशास्त्रम्

एकविंशोऽध्यायः[1]

— ० —

आहार्याभिनयं विप्रा [2]व्याख्यास्याम्यनुपूर्वशः ।
[3]यस्मात् प्रयोगः सर्वोऽयमाहार्याभिनये स्थितः ॥१॥

नानावस्थाः प्रकृतयः [4]पूर्वं नैपथ्यसाधिताः ।
अङ्गादिभिरभिव्यक्तिमुपगच्छन्त्ययत्नतः ॥२॥

अभिनवभारती—एकविंशोऽध्यायः

आहार्याभिनयः

यस्य सङ्कल्पमात्रेण विश्वमाहार्यमद्भुतम् ।
तं मानसमहामूर्तिं वन्दे गिरिसुतामपि ॥

आहार्यस्य सर्वपश्चादभिधानं वागाद्यभिनयेभ्योऽस्य बहिरङ्गत्वादित्यानुपूर्व्यमिति केचित् । तच्चासत्, आवेदितपूर्वमाहार्यस्य प्राधान्यादेव त्वद्य सर्वानुग्राहकत्वं सर्वोपजीव्यताख्यापनाय पश्चादभिधानम् । तदेवानुपूर्वश इत्यनेनोक्तम् । तथा चाह—**यस्मात् प्रयोगः सर्वोऽयमिति** वागङ्गसत्त्वात्मक इति ।

अत्रैवोपपत्तिमाह—**नानावस्था** इत्यादि । नानाभूता या अवस्था रति-

1. KSS. reads here त्रयोविंशोऽध्यायः ।
2. KSS., NS. प्रवक्ष्यामि ।
3. KSS., NS. एवमेव प्रयोगोऽयं यतस्तस्मिन् प्रतिष्ठितः ।
4. KSS., NS. पूर्वंनैपथ्यसूचिकाः ।

आहार्याभिनयो नाम ज्ञेयो नेपथ्यजो विधिः ।
तत्र कार्यः प्रयत्नस्तु नाट्यस्य शुभमिच्छता ॥३॥
[तस्मिन्यत्नस्तु कर्तव्यो नैपथ्ये [1]सिद्धिमिच्छता ।
नाट्यस्येह त्वलङ्कारो नैपथ्यं [2]यत्प्रकीर्तितम् ॥]४॥
चतुर्विधं तु नेपथ्यं पुस्तोऽलङ्कार एव च ।
तथाङ्गरचना चैव ज्ञेयं सज्जीवमेव च ॥५॥
पुस्तस्तु त्रिविधो ज्ञेयो नानारूपप्रमाणतः ।
सन्धिमो व्याजिमश्चैव वेष्टिमश्च[3] प्रकीर्तितः ॥६॥

शोकाद्या नानाश्रयभूताश्च याः प्रकृतयो धीरोदात्तादय उत्तमाधमप्रभृतयश्च ताः पूर्वं यत्नतो नैपथ्येन साधिताः प्रकाशिताः पश्चादङ्गादिभिर्विभागं अनुभावविषयविभागं नामोपपत्तिं देशकालादिविभागं चार्पयद्भिः स्फुटतमनामानीयन्ते । तेन समस्ताभिनयप्रयोगचित्रस्य भित्तिस्थानीयमाहार्यम् । तथा च समस्ताभिनयव्युपरमेऽपि नैपथ्यविशेषदर्शनाद्विशेषोऽवसीयत एव ।

यस्त्ववस्थान्तरयोगेऽभिनयान्तरवदाहार्यं न परिवर्तते तेन(केन?)प्रत्युत तथाभूतस्येयमवस्था प्राप्तेति स्थायिसूत्रानुस्मृतिसंपादनप्रावण्याद्रसं प्रत्यन्तरङ्गत्वमाहार्यस्यावेद्यते, तथा चाश्वत्थाम्नो युद्धवीररससम्पदोपेतस्यायं शोक आयात इति तथा येन [यदि] युद्धोचितोज्ज्वलधर्मपरिग्रहाद्यपासनं क्रियेतेत्यलं बहुना ।

ज्ञेयो लोके । नैपथ्यस्य (त्रिधिः अलङ्कारः) म इहाहार्याभिनयः, नाट्यस्य तु शुभमिति सिद्धिम् । (सन्धिमः) सन्धानं सन्धा तया निर्वृत्तिः, सदलादिरूपं क्रियते (इति) सन्धिमः । व्याज सूत्रस्याकर्षादिरूपः क्षेपस्तेन निर्वृत्तो व्याजिमः

1. KSS., NS. शुभ ।
2. KSS., NS. सम्प्रकीर्तितम् ।
3. NS. चेष्टिमश्च

[1]किलिञ्जचर्मवस्त्राद्यैर्यद्रूपं क्रियते बुधैः ।
सन्धिमो नाम विज्ञेयः पुस्तो नाटकसंश्रयः ॥७॥
व्याजिमो नाम विज्ञेयो यन्त्रेण क्रियते तु यः ।
[2]वेष्ट्यते चैव यद्रूपं वेष्टिमः[3] स तु संज्ञितः ॥८॥
शैलयानविमानानि चर्मवर्मध्वजा नगाः ।
[4]ये क्रियन्ते हि नाट्ये तु स पुस्त इति संज्ञितः ॥९॥
अलङ्कारस्तु विज्ञेयो [5]माल्याभरणवाससाम् ।
नानाविधः समायोगोप्यङ्गोपाङ्गविधिः स्मृतः ॥१०॥
[6]वेष्टिमं विततं चैव संघात्यं ग्रन्थिमं तथा ।
प्रालम्बितं तथा चैव माल्यं पञ्चविधं स्मृतम् ॥११॥

उपरि जतुसिक्थकादिना वेष्टस्तेन निर्वृत्तो वेष्टिमः । भावप्रत्ययान्तन्निर्वृत्तार्थे इमपं स्मरन्ति (४-४-१० का) । **किलिञ्जं** भूर्जवेणुदलादि । **रूपं क्रियत** इति रूपतां नीयत इति यावत् । **यन्त्रेणेति** सूत्रादिप्रयोगेण सन्धिमादयः प्रकाराः । क्वोपयुज्यन्त इत्याह—**शैलेत्यादि** ।

समायोग इति योजना; स चाङ्गेषु शिरोहस्तादिषु उपाङ्गेषु च ललाटाङ्गुल्यादिषु निर्मितः। **वेष्टिमं** तृणवेष्टनया निर्मितं बहुमालावेष्टनकृतं वा । **वितत**मित्यावेष्टितान्योन्यश्लिष्टमालासमूहात्मकं वस्त्रधारणभयेनोम्भितं वा । **सङ्घात्यं** वृत्तं वा आस्यच्छिद्रान्तःप्रक्षिप्तसूत्रं बहुपुष्पगुच्छोम्भितं वा । **ग्रन्थिमं** ग्रन्थिभिरुम्भितं वा । **प्रालम्बित**मिति जालादिपर्यन्तव्याप्तिकम् । आवे-

---

1. KSS., NS. किलिञ्चवस्त्रचर्माद्यैः ।
2. KSS,. NS. चेष्ट्यते ।
3. KSS., NS. चेष्टिमः ।
4. KSS., NS. यानि ।
5. KSS., NS. माला ।
6. KSS., NS. चेष्टिमम्

चतुर्विधं तु विज्ञेयं [1]नाट्ये ह्याभरणं बुधैः ।
आवेध्यं बन्धनीयं च [2]क्षेप्यमारोप्यमेव च ।।१२।।
आवेध्यं कुण्डलादीह यत्स्याच्छ्रवणभूषणम् ।
आरोप्यं हेमसूत्रादि हाराश्च विविधाश्रयाः ।।१३।।
श्रोणीसूत्राङ्गदे[3] मुक्ताबन्धनीयानि सर्वदा[4] ।
प्रक्षेप्यं नूपुरं विद्याद्वस्त्राभरणमेव च ।।१४।।
भूषणानां विकल्पं हि[5] पुरुषस्त्रीसमाश्रयम् ।
नानाविधं प्रवक्ष्यामि देशजातिसमुद्भवम् ।।१५।।
चूडामणिः [6]समकुटः शिरसो भूषणं स्मृतम् ।
कुण्डलं मोचकं [7]कीलः कर्णाभरणमिष्यते ।।१६।।
मुक्तावली हर्षकं च [8]सूत्रकं कण्ठभूषणम् ।
[9]वेतिकाङ्गुलिमुद्रा च स्यादङ्गुलिविभूषणम् ।।१७।।

ख्यानीनि स्वयमेव व्याचष्टे **आवेध्यं कुण्डलादी**त्यादिना । विविधाश्रया इति लतासंख्यादिभेदेन बहुभेदा इत्यर्थः। चूडामणिः शिरोमध्ये। मकुटो ललाटोर्ध्वे। कुण्डलमधरपाल्याम्। **मोचकं** कर्णशष्कुल्या मध्यच्छिद्रे कृतम्, **कीला** ऊर्ध्वच्छिद्रे उत्तरकर्णिकेति प्रसिद्धा। **हर्षकमिति** समुद्गकं सर्पादिरूपतया प्रसिद्धम् । **सूत्रकमिति** गुच्छग्रीवासूत्रादितया प्रसिद्धम् । **वेतिकेति** सूक्ष्मकटकरूपा अङ्गुलिमुद्रा पक्षिपद्माद्याकारेणोपेता ।

---

1. KSS., NS. देहस्य ।
2. KSS., NS. प्रक्षेप्यारोप्यके तथा ।
3. KSS , NS. श्रोणीसूत्राङ्गदैः ।
4. KSS., NS. निर्दिशेत् ।
5. KSS., NS. च ।
6. KSS., NS. समुकुटः ।
7. GOS. कीला ।
8. NS. ससूत्रं KSS. सत्सूत्रं ।
9. KSS., NS. केटकोऽङ्गुलि ।

[1]हस्तली वलयं चैव बाहुनालीविभूषणम् ।
[2]रुचकश्चूलिका कार्या मणिबन्धविभूषणम् ॥१८॥
[3]केयूरे अङ्गदे चैव कूर्परोपरि भूषणम्[4] ।
[5]त्रिसरश्चैव हारश्च [6]तथा वक्षोविभूषणम् ॥१९॥
[7]व्यालम्बमौक्तिको हारो माला चैवाङ्गभूषणम् ।
[8]तलकं सूत्रकं चैव भवेत्कटिविभूषणम् ॥२०॥
अयं पुरुषनिर्योगः कार्यस्त्वाभरणाश्रयः ।
देवानां पार्थिवानां च पुनर्वक्ष्यामि योषिताम् ॥२१॥

रुचक इति करगोलके विततः तत ऊर्ध्वे **चूलिकेति** प्रसिद्धो निकुञ्चकोऽग्रबाहुस्थाने—एतन्मणिबन्धविभूषणम्, **केयुरः** कूर्परस्योर्ध्वतः, तयोरूर्ध्वे त्वङ्गदे । **त्रिसरः** मुक्तालतात्रयेण । **तलकं** नाभेरधः तस्याप्यधः **सूत्रकम्** । **पुरुषनिर्योगः** औचित्यमस्य । आभरणाश्रयः आभरणविधिरित्यर्थः ।

ननु सर्वः पुरुषोऽनेन भूष्यत इत्याशङ्क्याह **देवानां पार्थिवानां चेति** । शिखाव्यालः नागः ग्रन्थिभिरुपनिबद्धो मध्ये कर्णिकास्थानीयः, तस्यैव दलसन्धानतया चित्ररचनानि वर्तुलानि पत्राणि पिण्डीपत्राणि । चूडामणिः शिरोमध्ये, ततो मकरपत्रं (मकरिका), ततो ललाटान्तमुक्ताजालिका तोरणं जालिकादिरूपेण प्रसिद्धा । सर्पस्यैव वा शिरस एकमेव सुवर्णमुक्तामणि-

1. KSS., NS. हस्तत्री ।
2. KSS., NS. रुचकोच्चितकैश्चैव ।
3. KSS., NS. केयूरमङ्गदं, ।
4. GOS. भूषणे ।
5. KSS. त्रिरसं ।
6. KSS., NS. भवेत् ।
7. KSS., NS. व्यालम्बिमौक्तिका हारा माल्याद्या देहभूषणम् ।
8. KSS., NS. तरलं ।

शिखापाशं शिखाव्यालः[1] पिण्डीपत्रं[2] तथैव च ।
चूडामणिर्मकरिका मुक्ताजालगवाक्षिकम्[3] ॥२२॥
शिरसो भूषणं चैव विचित्रं शीर्षजोलकम्[4] ।
[5]कण्डकं शिखिपत्रं च वेणीपुच्छ[6]: सदोरकः ॥२३॥
ललाटतिलकं[7] चैव नाना शिल्पप्रयोजितम्[8] ।
[9]भ्रूगुच्छोपरिगुच्छश्च कुसुमानुकृतिस्तथा[10] ॥२४॥
कर्णिका कर्णवलयं तथा स्यात्पत्रकर्णिका ।
[11]कुण्डलं कर्णमुद्रा च [12]कर्णोत्कीलकमेव च ॥२५॥
[13]नानारत्नविचित्राणि [14]दन्तपत्राणि चैव हि ।
कर्णयोर्भूषणं [15]ह्यं तत्कर्णपूरस्तथैव च ॥२६॥

चित्रितम् । खेला (डोला?) प्रायं शीर्षतः जोलकं भूषणं शिखिपत्रं मयूरपिञ्छाकारो विचित्रवर्णमणिरचितः कर्णावतंसकः । कर्णिकेत्यादिना विकल्पतः कर्णाभरणान्यपि तु स्थानान्तरभेदात्समुच्चयेनेत्याहुः ।

1. KSS., NS. जालं ।
2. KSS., NS. पिण्डपात्रं ।
3. KSS., NS. मुक्ताजालं गवाक्षकम् ।
4. KSS., NS. जालकम् ।
5. NS· कुण्डलं शिखिपात्रं ।
6. NS. गुच्छः, KSS. वेणीकञ्ज-सरोचकम् ।
7. KSS. तिलकश्चैक NS. तिलकश्च ।
8. KSS. प्रयोजितः NS. प्रयोजिताः ।
9. KSS., NS. भ्रूकक्षोपरि, भ्रुवोश्चोपरि ।
10. KSS., NS. भवेत् ।
11. KSS., NS. आनेष्टितः कर्णमुद्रा ।
12. KSS. कर्णोत्कीलक एव च, NS. कर्णोत्पलकमेव ।
13. KSS. नानाचित्र ।
14. KSS. रत्नपात्राणि ।
15. KSS. NS. कार्यम् ।

[1]तिलकाः पत्रलेखाश्च भवेद्गण्डविभूषणम् ।
त्रिवणी चैव विज्ञेयं भवेद्वक्षोविभूषणम् ॥२७॥
नेत्रयोरञ्जनं [2]ज्ञेयमधरस्य च रञ्जनम् ।
दन्तानां [3]विविधो रागश्चतुर्णां शुक्लतापि वा[4] ॥२८॥
रागान्तरविकल्पोऽथ[5] शोभनेनाधिकोज्ज्वलः ।
मुग्धानां सुन्दरीणां च मुक्ताभासितशोभनाः[6] ॥२९॥
सुरक्ता वापि दन्ताः स्युः पद्मपल्लवरञ्जनाः ।
अश्मरागोद्द्योतितः स्यादधरः पल्लवप्रभः ॥३०॥
विलासश्च भवेत्तासां सविभ्रान्तनिरीक्षितम् ।
मुक्तावली व्यालपङ्क्तिर्मञ्जरी रत्नमालिका ॥३१॥
रत्नावली सूत्रकं च ज्ञेयं कण्ठविभूषणम् ।
[7]द्विसरस्त्रिसरश्चैव चतुस्सरकमेव च ॥३२॥
तथा श्रृङ्खलिका चैव भवेत्कण्ठविभूषणम् ।
[8]अङ्गदं वलयं चैव बाहुमूलविभूषणम् ॥३३॥
नाना [9]शिल्पकृताश्चैव हारा वक्षोविभूषणम् ।

विलासः । तेनायमर्थः—एवं भूतेन दन्ताधररागवैचित्र्ये सति, सविभ्रान्त-

---

1. KSS., NS. तिलकः पत्रलेखा च ।
2. KSS., NS. कार्यं ।
3. KSS., NS. विविधारागाः ।
4. KSS., NS. तथा ।
5. NS. अर्थ ।
6. KSS., NS. मुक्ताभाः सितशोभनाः ।
7. KSS. द्विरसस्त्रिरसश्चैव चतूरसकमेव च ।
8. NS. KSS., read this line after मणिजाला etc.
9. NS. रत्न ।

मणिजालावनद्धं च भवेत् स्तनविभूषणम् ॥३४॥
खर्जूरकं सोच्छितिकं[1] बाहुनालीविभूषणम् ।
[2]कलापी कटकं शङ्खो हस्तपत्रं सपूरकम् ॥३५॥
मुद्राङ्गुलीयकं चैव[3] ह्यङ्गुलीनां विभूषणम् ।
[4]मुक्ताजालाढ्यतलकं मेखला काञ्चिकापि दा ॥३६॥
रशना च कलापश्च भवेच्छ्रोणीविभूषणम् ।
एकयष्टिर्भवेत्काञ्ची मेखला त्वष्टयष्टिका ॥३७॥
[5]द्विरष्टयष्टी रशना कलापः पञ्चविंशकः ।
द्वात्रिंशच्च चतुःषष्टिः शतमष्टोत्तरं तथा ॥३८॥
मुक्ताहारा भवन्त्येते देवपार्थिवप्रोषिताम् ।
[6]नूपुरः किङ्किणीकाश्च घण्टिका रत्नजालकम् ॥३९॥

निरीक्षितं यत् स्मितं तद्भवेदतीवहृद्यं (विलासः) संपाद्यत इति तावत् । **तलक**मिति कवाटद्वययोजितम् ।

यष्टिरिति लता। नूपुरो जान्वधः। किङ्कणीका घण्टिकालग्ने (ग्रा?)। **रत्नजालकं** (प्रपदा)च्छादकम्। **सघोषे सशब्दे कटके**। (अङ्गुष्ठ) **तिलका** इति विचित्ररचनाकृताः। **आकेशादि**ति शिखापाशः शिखाव्याल इत्यतःप्रभृतीत्यर्थः। आनखादिति अलक्तकरागपर्यन्तमिति यावत्। **आगम** इत्युपादानकारणमिति यावत्। प्रमाणमिति अङ्गुल्यादिपरिमाण (संमितत्वम्। रूपनिर्वं-

---

1. KSS., NS. वर्जूरं स्वेच्छितीकश्च ।
2. KSS., NS. कटकं कल शाखा च ।
3. KSS., NS. च स्यात् ।
4. KSS., NS. काञ्ची मौक्तिकजालाढ्या कुलकं मेखलं तथा ।
5. KSS, NS. रशना षोडश ज्ञेया कलापः पञ्चविंशतिः ।
6. KSS., NS. नूपुरः किङ्किणीकं च रत्नजालकमेव च ।

[1]सघोषे कटके चैव गुल्फोपरिविभूषणम् ।
[2]जङ्घयोः पादपत्रं स्यादङ्गुलीष्वङ्गुलीयकम् ॥४०॥
[3]अङ्गुष्ठतिलकाश्चैव पादयोश्च विभूषणम् ।
[4]तथालक्तकरागश्च नानाभक्तिनिवेशितः ॥४१॥
अशोकपल्लवच्छायः स्यात् स्वाभाविक एव च ।
एतद्विभूषणं नार्या आकेशादानखादपि ॥४२॥
यथाभावरसावस्थं विज्ञेयं द्विजसत्तमाः[5] ।
आगमश्च प्रमाणं च रूपनिर्वर्णनं तथा ॥४३॥
[6]विश्वकर्म मतात्कार्यं सुबुद्धयापि प्रयोक्तृभिः ।
न हि शक्यं सुवर्णेन मुक्ताभिर्मणिभिस्तथा ॥४४॥
[7]स्वाधीनमिति रुच्यैव कर्तुमङ्गस्य भूषणम् ।
[8]विभागतोऽभिप्रयुक्तमङ्गशोभाकरं भवेत् ॥४५॥
यथा स्थानान्तरगतं भूषणं रत्नसंयुतम् ।

र्णन) मिति गुल्कादि विवर्तनं (यथास्वभावम्) । विश्वकर्मणा प्रोच्यते यादृङ्निर्दिष्टं तादृक्कार्यमित्यर्थः । सुबुद्धये ति लोकप्रसिद्धापीत्यर्थः ।

1. KSS., NS. संघोषकटकं ।
2. NS. पदयोः ।
3. KSS., NS अङ्गुष्ठे तिलकं ।
4. KSS., NS. तथैवालक्त ।
5. KSS., NS. विज्ञायैवं प्रयोजयेत् ।
6. KSS., NS. विश्वकर्मोद्भवं कार्यं बुध्वा चापि प्रयोजयेत् ।
7. KSS., NS. स्वाधीनं चेप्सया चैव ।
8. KSS., NS. विभावतो ।

न तु नाट्यप्रयोगे तु[1] कर्तव्यं भूषणं बहु[2] ॥४६॥
खेदं जनयते तद्धि सव्यायतविचेष्टनात् ।
गुरुभावावसन्नस्य स्वेदो मूर्छा च जायते ॥४७॥
गुर्वाभरणसन्नो हि चेष्टां न कुरुते पुनः ।
[3]तस्मात्तनुत्वचकृतं सौवर्णं भूषणं भवेत् ॥४८॥
[4]रत्नवज्जतुबद्धं वा न खेदजननं भवेत् ।
स्वेच्छया भूषणविधिर्दिव्यानामुपदिश्यते[5] ॥४९॥
यत्नभावविनिष्पन्नं मानुषाणां विभूषणम् ।
[6][वेष्टितं विततं चैव सङ्घात्य ग्रन्थिमं तथा ॥५०॥
लम्बशोभि तथा चैव माल्यं पञ्चविधं स्मृतम् ।
आच्छादनं बहुविधं नानापत्तनसंभवम् ॥५१॥
तज्ज्ञेयं त्रिप्रकारं तु शुद्धं रक्तं विचित्रितम् ।
दिव्यानां भूषणविधिर्य एष परिकीर्तितः ॥५२॥
मानुषाणां च कर्तव्यो नानादेशसमाश्रयः] ।
[7]भूषणैश्चापि वेषैश्च नानावस्थासमाश्रयैः[8] ॥५३॥

पत्तनं देशः । शुद्धमिति शुक्लवर्णकम् । रक्तमिति कुसुम्भनीलयाद्यन्यतमोपरक्तम् । विचित्रमिति बहुवर्णम् । विभक्तिः विभागः ।

---

1. KSS., NS. प्रयोगेषु ।
2. GOS. गुरु ।
3. KSS., NS. तस्मान्न सम्यक् च ।
4. KSS , NS. जतुपूर्णाल्परत्नं तु ।
5. KSS., NS. यदभावाद्विनिष्पन्ना ।
6. KSS., NS. do not read वेष्टितं···नानादेशसमाश्रयः ।
7. KSS. भूषणं चापि वेषस्तु ।
8. KSS. समाश्रयम् ।

दिव्याङ्गनानां कर्तव्या विभक्तिः स्वस्वभूमिजा ।
विद्याधरीणां यक्षीणामप्सरोनागयोषिताम् ॥५४॥
ऋषिदैवतकन्यानां वेषैर्नानात्वमिष्यते ।
तथा च सिद्धगन्धर्वराक्षसासुरयोषिताम् ॥५५॥
दिव्यानां नरनारीणां तथैव च शिखण्डकम् ।
शिखापुटशिखण्डं[1] तु मुक्ताभूयिष्ठभूषणम् ॥५६॥
विद्याधरीणां कर्तव्यः शुद्धो वेषपरिच्छदः ।
[2]यक्षिण्योऽप्सरसश्चैव कार्या रत्नाविभूषणाः ॥५७॥
[3]समस्तासां भवेद्वेषो यक्षीणां केवलं शिखा ।
[4]दिव्यानामिव कर्तव्यं नागस्त्रीणां विभूषणम् ॥५८॥
मुक्तामणिलताप्रायाः[5] फणास्तासां तु केवलाः ।
कार्यं तु मुनिकन्यानामेकवेणीधरं शिरः ॥५९॥
न चापि [6]भूषणविधिस्तासां वेषो वनोचितः ।
मुक्तामरकतप्रायं मण्डनं सिद्धयोषिताम् ॥६०॥
तासां चैव तु कर्तव्यं पीतवस्त्रापरिच्छदम् ।
पद्मरागमणिप्रायं गन्धर्वाणां विभूषणम् ॥६१॥

तासामिति (श्लो-५९) नागयोषिताम् ।

---

1. KSS., NS. शिखण्डा ।
2. KSS., NS. यक्षिण्यप्सरसां चैव कार्यं रत्नैर्विभूषणम् ।
3. KSS., NS. यस्त्वासां ।
4. KSS., NS. दिव्यवत्संप्रकर्तव्यं नागीनां तु विभूषणम् ।
5. KSS., NS. प्रायं फलं तासां तु केवलम् ।
6. KSS., NS. भूषणं कार्यं तासामत्यर्थतो भवेत् ।

[1]वीणाहस्तश्च कर्तव्यः कौसुम्भवसनस्तथा ।
इन्द्रनीलैस्तु कर्तव्यं राक्षसीनां विभूषणम् ।।६२।।
[2]सितदंष्ट्रा च कर्तव्या कृष्णवस्त्रपरिच्छदम्[3] ।
वैडूर्यमुक्ताभरणाः कर्तव्या सुरयोषिताम्[4] ।।६३।।
शुकपिञ्छनिभैर्वस्त्रैः कार्यस्तासां परिच्छदः ।
[5]पुष्परागैश्च मणिभिः क्वचिद्वैडूर्यभूषितम्[6] ।।६४।।
दिव्यवानरनारीणां कार्यो[7]नीलपरिच्छदः ।
एवं शृङ्गारिणः[8] कार्या वेषा दिव्याङ्गनाश्रयाः ।।६५।।
अवस्थान्तरमासाद्य शुद्धाः कार्याः पुनस्तथा ।
मानुषीणां तु कर्तव्या नानादेशसमुद्भवाः ।।६६।।
[9]वेषाभरणसंयोगान् गदतस्तान्निबोधत ।
[10]आवन्त्ययुवतीनां तु शिरस्सालककुन्तलम् ।।६७।।
गौडीनामलकप्रायं सशिखापाशवेणिकम् ।
आभीरयुवतीनां तु द्विवेणीधर [11]एव तु ।।६८।।

---

1. KSS., NS. वीणाहस्ताश्च कर्तव्याः कौसुम्भवसनास्तथा ।
2. KSS., NS. सिता दंष्ट्रा ।
3. KSS., NS. परिच्छदः ।
4. KSS., NS. योषितः ।
5. GOS. पुण्यरागैस्तु ।
6. GOS. भूषितैः ।
7. KSS., NS. कार्यो ।
8. KSS., NS. कार्यो वेषो ।
9. KSS., NS. वेषास्त्वाभरणोपेतास्तांश्च ।
10. KSS., NS. अवन्ति ।
11. KSS., NS. धरमेव च ।

शिरःपरिगमः[1] कार्यो[2] नीलप्रायमथाम्बरम् ।
तथा पूर्वोत्तरस्त्रीणां [3]समुन्नद्धशिखण्डकम् ॥६९॥
[4]आकेशाच्छादनं तासां [5]देशकर्मणि कीर्तितम् ।
[6]तथैव दक्षिणस्त्रीणां कार्यमुल्लेख्यसंश्रयम्[7] ॥७०॥
कुम्भी[8] बन्धकसंयुक्तं तथावर्तललाटिकम् ।
[गणिकानां तु कर्तव्यमिच्छाविच्छित्ति मण्डनम् ॥]७१
देशजातिविधानेन[9] शेषाणामपि कारयेत् ।
वेषं तथा चाभरणं क्षुरकर्म परिच्छदम् ॥७२॥
[10][आगमं चापि नैपथ्ये नाट्यस्यैवं प्रयोजयेत ।]
[11]अदेशयुक्तो वेषो हि न शोभां जनयिष्यति ॥७३॥

(**सालककुन्तलमिति**) अलकाः स्थाने कुन्तलाः कुञ्चिताः केशा यत्र तत्तथोक्तम् । **नीलप्रायं** वस्त्रमित्याभीरीणामेव ।

हृदयं व्याप्नोति हृद्यत एवेति **वेषः** केशरचनादिः । आ समन्तात् भ्रियते पोष्यते कान्तिर्येन तदाभरणं शिखाव्यालादि । **क्षुरकर्म** अलकादियोजना । **परिच्छदः** विचित्रवस्त्रयोगः । एतद्वेपादि प्रलम्भेन ।

---

1. NS. परिगतं ।
2. KSS., प्रायो NS. कार्यं ।
3. KSS., NS. समुद्धत शिखण्डिकम् ।
4. KSS., NS. आकेशं छादनं ।
5. KSS., NS. वेष ।
6. KSS., NS. तथा च ।
7. KSS., NS. संज्ञितम् ।
8. KSS., NS. पदक ।
9. KSS., NS. विशेषेण देशामामपि ।
10. KSS., NS. do not read.
11. KSS., NS. अदेशजो हि वेषस्तु ।

मेखलोरसि [1]बद्धा तु हास्यं समुपपादयेत् ।
तथा प्रोषित[2] कान्तासु व्यसनाभिहतासु च ॥७४॥
[3]वेषो वै मलिनः कार्य एकवेणीधरं शिरः ।
विप्रलम्भे तु नार्यास्तु शुद्धो वेषो भवेदिह ॥७५॥
[4]नात्याभरणसंयुक्तो न चापि मृजयान्वितः ।
एवं स्त्रीणां [5]भवेद्वेषो देशावस्थासमुद्भवः ॥७६॥
पुरुषाणां पुनश्चैव वेषान्वक्ष्यामि तत्त्वतः ।
तत्राङ्गरचना पूर्वं कर्तव्या नाट्योक्तृभिः ॥७७॥
[6]ततःपरं प्रयोक्तव्या वेषा देशसमुद्भवाः ।
सितो नीलश्च पीतश्च चतुर्थो रक्त एव च ॥७८॥
एते स्वभावजा वर्णा यैः कार्यं त्वङ्गवर्तनम् ।
संयोगजाः पुनश्चान्ये उपवर्णा भवन्ति हि ॥७९॥
तानहं संप्रवक्ष्यामि यथाकार्यं प्रयोक्तृभिः ।
सितनीलसमायोगे कारण्डव इति स्मृतः ॥८०॥

देशोऽवन्त्यादि, **अवस्था** रतिशोकाद्याः । **तत्रेति** पुरुषेष्वेव । अङ्गनानां रूपपरिवर्तनसंपादनात्मकवर्णवर्तना कर्तव्या न स्त्रीपात्रेष्विति यावत् । **संयोगजा** इति वर्णद्वयश्लेषेणोत्थापिताः, उपवर्णास्तु बहुवर्णमिश्रणेनेत्यर्थः ।

---

1. KSS., NS. बन्धे च (तु) हास्यायैवोपजायते ।
2. NS. कान्तार्या व्यसनाभिहताश्च याः ।
3. KSS., NS. स्यान्मलिनस्तासां ।
4. KSS., NS. नाना ।
5. KSS., NS. प्रयुक्तव्या ।
6. KSS., NS. do not read three verses here. ततः परं······ कारण्डव इति स्मृतः ।

सितपीत[1]समायोगात्पाण्डुवर्णः प्रकीर्तितः ।
सितरक्तसमायोगे[2] पद्मवर्णः प्रकीर्तितः[3] ॥८१॥
पीतनीलसमायोगाद्धरितो नाम जायते ।
नीलरक्तसमायोगात्कषायो नाम जायते ॥८२॥
रक्तपीतसमायोगाद्गौरवर्ण इति स्मृतः[4] ।
एते संयोगजा वर्णा ह्युपवर्णास्तथापरे ॥८३॥
त्रिचतुर्वर्णसंयुक्ता बहवः [5]संप्रकीर्तिताः ।
बलस्थो यो भवेद्वर्णस्तस्य भागो भवेत्ततः ॥८४॥
दुर्बलस्य च भागौ द्वौ नीलं मुक्त्वा प्रदापयेत्[6] ।
नीलस्यैको भवेद्भागश्चत्वारोऽन्ये तु वर्णके ॥८५॥
बलवान्सर्ववर्णानां नील एव प्रकीर्तितः ।
एवं वर्णविधिं ज्ञात्वा नानासंयोगसंश्रयम्[7] ॥८६॥

बलस्थ इत्यभिभवनकारी, ततोऽन्यो वर्णो द्विगुण इति, अस्यापवादमाह **नीलवर्णादृते** इति । तत्र तु यो भागविधिस्तं दर्शयति **नीलस्यैक** इति । **वर्णके** नीलस्य भाग इत्यर्थः । वर्तनाशब्दं पर्यायैर्व्याचष्टे **वर्तनाच्छादनमिति** । **प्रकृतिस्थित**मिति देवमानुषादिस्वभावविभागेनावस्थितमित्यर्थः । वर्तनस्य प्रयोजनमाह यथा जन्तुः स्वभावं स्वमिति । जन्तुरिति जीवात्मेत्यर्थः स च

1. KSS., NS. नील ।
2. KSS., NS. योगात् ।
3. KSS., NS. इति स्मृतः ।
4. KSS., NS. गौर इत्यभिधीयते ।
5. KSS., NS. परिकीर्तिताः ।
6. KSS., NS. नीलमुक्तं प्रपादयेत् ।
7. KSS., NS. सम्भवम् ।

ततः [1]कुर्याद्यथायोगमङ्गानां वर्तनं बुधः ।
वर्तनाच्छादितं[2] रूपं स्ववेषपरिवर्जितम्[3] ।।८७।।

नाट्यधर्मप्रवृत्तं तु[4] ज्ञेयं तत्प्रकृतिस्थितम् ।
स्ववर्णमात्मनश्छाद्यं[5] वर्णकैर्वेषसंश्रयैः ।।८८।।

[6]आकृतिस्तस्य कर्त्तव्या यस्य प्रकृतिरास्थिता ।
यथा[7] जन्तुः स्वभावं स्वं परित्यज्यान्यदैहिकम् ।।८९।।

[8]तत्स्वभावं हि भजते देहान्तरमुपाश्रितः
[9]वेषेण वर्णकैश्चैवच्छादितः पुरुषस्तथा ।।९०।।

[10]परभावं प्रकुरुते यस्य वेषं समाश्रितः[11] ।
देवदानवगन्धर्वयक्षराक्षसपन्नगाः ।।९१।।

शुद्धनिर्मलानन्तचिदानन्दप्रकाशः स्वानन्त्यरूपं स्वमनपायिनमपि स्वभावं परित्यज्यान्यद् व्यतिरिक्तमपि दैहिकं देहभवः शरीरकरणोचितं तत्स्वभावं भजते, यतो देहान्तरं तद्देहविशेष उपसमीपे आ समन्तात् श्रितः अतिनैकट्येन तदात्मवृत्त्या प्रतिपन्न इत्यर्थः ।

---

1. KSS., NS. तु वर्तना कार्या नानारूपसमाश्रया ।
2. GOS. वर्तनाच्छादनं ।
3. KSS., NS. वर्तितम् ।
4. KSS., NS. धर्मप्रवृत्तेन ।
5. KSS. चान्यं ।
6. KSS., NS. प्रकृतिर्यास्य कर्त्तव्या तस्य प्रकृतिमास्थिताः ।
7. KSS., NS. नरः ।
8. KSS., NS. पराभवं प्रकुरुते देहभावसमाश्रयम् ।
9. KSS. वर्णकैश्चैव वेशैश्च । NS. वर्णकैश्चापि वेशैश्च ।
10. KSS., NS. परप्रभावं कुरुते ।
11. वेषसमाश्रयः ।

[1]प्राणिसंज्ञाः स्मृता ह्येते जीवबन्धाश्च येऽपरे।
[स्त्रीभावाः पर्वताः नद्यः[2] समुद्रा वाहनानि च ।।६२।।
नानाशस्त्राण्यपि तथा विज्ञेयाः प्राणिसंज्ञया] ।
शैलप्रासादयन्त्राणि चर्मवर्मध्वजास्तथा ।।६४।।
नानाप्रहरणाद्याश्च तेऽप्राणिन इति स्मृताः ।
अथवा कारणोपेता भवन्त्येते शरीरिणः ।।६४।।
वेषभाषाश्रयोपेता नाट्यधर्ममवेक्ष्य तु ।
वर्णानां तु विधिं ज्ञात्वा वयः प्रकृतिमेव च ।।६५।।
कुर्यादङ्गस्य रचनां देशजातिवयःश्रिताम् ।
देवा गौरास्तु विज्ञेया यक्षाश्चाप्सरसस्तथा ।।६६।।
[3]रुद्रार्कद्रुहिणस्कन्दास्तपनीयप्रभाः स्मृताः ।
सोमो बृहस्पतिः शुक्रो वरुणस्तारकागणाः ।।६७।।

एतदुक्तं भवति—यथा परमात्मा स्वचैतन्यप्रकाशमत्यजन्नपि देहकञ्चुकोचितचित्तवृत्तिरूपितमिव स्वरूपमादर्शयति, तथा नटोऽपि आत्मावष्टम्भमत्यजन्नेव स्थाने लयतालाद्यनुसरणाद्यायोगाद् देहस्थानीयेन वर्णनादिवेषपरिवर्तने(न) तदुचितस्वभावालिङ्गितमिव स्वात्मानं सामाजिकान् प्रति दर्शयति, प्रेक्षकपक्षे न नटाभिमानस्तत्र हि रामाभिमान इति दर्शयति । एतदाशयेनैवास्माभिस्तत्र तत्र प्रतीतिरेव व्याख्याता रसाध्यायादौ ।

सजीवमाहार्यभेदं व्याचष्टे देवदानवगन्धर्वेत्यादिना, शैलप्रमादादीनि निर्जीवत्वे प्रस्तुतत्वेन परिगणितान्यपि अवस्थाविशेषेषु नाट्यधर्मेण सजीवत्वेऽपीत्याह शैलेत्यादिना, अथवा कारणोपेता इत्यादिना च ।

अङ्गरचनानि विभजति **वर्णाना**मिति गौरादीनाम् ।

---

1. KSS., NS. ते प्राणिन इति प्रोक्ता जीवबन्धाश्च ये त्विह ।
2. KSS., पर्वनाभार्य । NS. does not read it.
3. KSS., NS. रुद्राः सद्रुहिणस्कन्दास्तपनीय समप्रभाः ।

[1]समुद्रहिमवद्गङ्गाः श्वेता हि स्युर्बलस्तथा ।
रक्तमङ्गारकं विद्यात् पीतौ बुधहुताशनौ ॥९८॥
नारायणो नरश्चैव श्यामो नागश्च[2] वासुकिः ।
दैत्याश्च दानवाश्चैव राक्षसा गुह्यका नगाः ॥९९॥
पिशाचा [3]जलमाकाशमसितानि तु वर्णतः ।
[4]भवन्ति षट्सु द्वीपेसु पुरुषाश्चैव वर्णतः ॥१००॥
कर्तव्या नाट्ययोगेन[5] निष्टप्तकनकप्रभाः ।
जम्बूद्वीपस्य वर्षे तु नानावर्णाश्रया नराः ॥१०१॥
उत्तरांस्तु कुरूंस्त्यक्त्वा ते चापि कनकप्रभाः ।
[6]भद्राश्वपुरुषाः श्वेताः कर्तव्या वर्णतस्तथा[7] ॥१०२॥

नगाः पर्वताः । जलमाकाशमिति तदधिष्ठात्री देवतेह विवक्षिता । **जम्बूद्वीपस्य वर्ष** इति भारते । **ते चापीति** उत्तरकुरवः ।

पितरस्तु समा नरा इति तुः स्वार्थे पितरो नराश्च तुल्या इत्यर्थः । **कुकर्मिण** इति कुत्सितं निन्दितं कर्म येषाम् । **आयस्तं** शरीरक्लेशबहुलं कर्म येषामित्यर्थः । कुजातयो धीवरडोम्बाद्याः । बदरप्रभावत्त्वेऽप्यपवादमाह तपः स्थिना असिता इति । अनेन तु ऋषीणामपि तपोनिरतानामसितत्व-मित्यपौनरुक्त्यम् ।

---

1. KSS., NS. समुद्रो हिमवान् गङ्गा श्वेता कार्यास्तु वर्णतः ।
2. KSS., NS. श्यामवर्णोऽथ ।
3. KSS., NS. यम आकाशं श्यामवर्णाः ।
4. KSS., NS. वमन्ति सप्तद्वीपेषु ये नरा वर्णनस्तु ते ।
5. KSS., NS. तत्त्वज्ञैः ।
6. KSS., NS. भद्राश्च वपुषा ।
7. NS. वर्णनो बुधैः ।

[1]केतुमाले नरा नीला गौराः शेषेषु कीर्तिताः ।
[2]नानावर्णाः स्मृता भूता गन्धर्वा यक्षपन्नगाः ॥१०३॥
[3]विद्याधरास्तथा चैव पितरस्तु समा नराः ।
पुनश्च भारते वर्षे तांस्तान्वर्णान्निबोधत ॥१०४॥
राजानः पद्मवर्णास्तु[4] गौराः श्यमास्तथैव च ।
ये चापि सुखिनो मर्त्या गौराः कार्यास्तु वै[5] बुधैः ॥१०५॥
कुकर्मिणो ग्रहग्रस्ताः व्याधितास्तपसि स्थिताः ।
आय[7]स्तकर्मिणश्चैव ह्यसिताश्च कुजातयः ॥१०६॥
ऋषयश्चैव कर्तव्या नित्यं तु बदरप्रभाः ।
तपःस्थिताश्च ऋषयो [8]नित्यमेवासिता बुधैः ॥१०७॥
कारणाव्यपदेशेन तथा चात्मेच्छया पुनः ।
[9]वर्णस्तत्र प्रकर्तव्यो देशजातिवशानुगः[10] ॥१०८॥

व्यापकं लक्षणमाह **कारणव्यपेदेशेनति** । कारणं यथा क्लेशबहुला क्रिया कृष्णत्वे । **आत्मेच्छयेति** कविबुद्धचनुसारेणेत्यर्थः ।

---

1. KSS., NS. केतुमालास्तथा श्वेता ।
2. KSS., NS. नानावर्णाः स्मृता भूता वामना विकृताननाः । वराहमेष-महिषमृगवक्त्रास्तथैव च ।
3. KSS., NS. विद्याधराः सपितरो वानराश्च तथैव हि ।
4. KSS., NS. स्यु श्यामो गौराः ।
5. KSS. ते ।
6. KSS. does not read कुकर्मिणो······बुधैः ।
7. NS. यज्ञकर्मिणि ।
8. NS. नित्यमेतावता ।
9. KSS. त्वन्यः प्रयोक्तव्यो NS. त्वन्योऽपि कर्तव्यो ।
10. NS. तपोऽनुगः (?)

देशं[1] कर्म च जातिं च पृथिव्युद्देशसंश्रयम्[2] ।
विज्ञाय वर्तना कार्या पुरुषाणां प्रयोगतः[3] ॥१०९॥
किरातबर्बरान्ध्राश्च [4]द्रविडाः काशिकोसलाः ।
पुलिन्दा दाक्षिणात्याश्च प्रयेण त्वसिताः स्मृताः ॥११०॥
शकाश्च यवनाश्चैव [5]पह्लवा बाह्लिकाश्च ये ।
प्रायेण गौराः कर्तव्या उत्तरा ये श्रिता दिशम् ॥१११॥
पाञ्चालाः [6]शौरसेनाश्च [7]माहिषाश्चौड्मागधाः ।
[8]अङ्गा वङ्गाः कलिङ्गाश्च श्यामाः कार्यास्तु वर्णतः ॥११२॥
ब्राह्मणाः क्षत्रियाश्चैव [9]गौराः कार्यास्तथैव हि ।
वैश्याः शूद्रास्तथा चैव श्यामाः कार्यास्तु वर्णतः ॥११३॥
एवं कृत्वा यथान्यायं मुखाङ्गोपाङ्गवर्तनाम्[10] ।
श्मश्रुकम प्रयुञ्जीत देश[11]कालवयोऽनुगम् ॥११४॥
[12]शुद्ध विचित्रं श्यामं च तथा रोमशमेव च ।

तत्रेति भारते । **शुद्ध**मिति क्षुरेण, सर्वथा चासितं, **श्यामं** पूर्वं क्षुरकर्म ोजितमपीदानीं निवारितं तद्योजनाङ्कम् । **विचित्र**मिति क्षुरकर्त्रिकाकर्मणो-

1. KSS., NS. कालं ।
2. KSS., NS. एव च ।
3. KSS. वर्तनां कुर्यात्पुरुषाणां प्रयोगवित् ।
4. KSS. द्रमिला ।
5. KSS. पल्लवा बह्लिकादयः NS. पाह्लवा बाह्लिकाश्रयाः ।
6. KSS. सूरसेनाश्च ।
7. KSS., तथाचैव NS. महिषा ।
8. KSS. अङ्गवङ्गकलिङ्गास्तु ।
9. KSS. रक्ताः कार्या सदैव हि ।
10. KSS., NS. वर्णनम् ।
11. KSS., NS. कर्मक्रिया ।
12. KSS., NS. शुक्लं श्यामं विचित्रं ।

भवेच्चतुर्विधं श्मश्रु नानावस्थान्तरात्मकम्[1] ।।११५।।
शुद्धं[2] तु लिङ्गिनां कार्यं तथामात्यपुरोधसाम्[3] ।
मध्यस्था ये च पुरुषा ये च दीक्षां समाश्रिताः ।।११६।।
दिव्या ये पुरुषाः केचित्सिद्धविद्याधरादयः ।
[4]पार्थिवाश्च कुमाराश्च ये च राजोपजीविनः ।।११७।।
शृङ्गारिणश्च ये मर्त्या यौवनोन्मादिनश्च ये ।
तेषां विचित्रं कर्तव्यं श्मश्रु नाट्यप्रयोक्तृभिः ।।११८।।
अनिस्तीर्णप्रतिज्ञानां दुखितानां तपस्विनाम् ।
व्यसनाभिहतानां च श्यामं श्मश्रु प्रयोजयेत् ।।११९।।
ऋषीणां तापसानां च ये च दीर्घव्रता नराः ।

त्पादनकर्मणा च रचितविचित्रसंनिवेशम् । **रोमशमिति** यथोत्पन्नम् । **लिङ्गि-नाभपि** ब्रह्मचारिवानप्रस्थ दीनाम् ।

"मध्यस्था ये च पुरुषा ये च दीक्षां समाश्रिताः"

इत्यर्ध—

"शुद्धं तु लिङ्गिनां कार्यं तथामात्यपुरोधसाम्"

इत्यर्धस्यानन्तरं योज्यम्, लेखकदोषात्तु स्थानान्तरे दृश्यते। **मध्यस्थ** इति नोत्तमानामधमानामित्यर्थः । **यौवनोन्मादिन** इति अमात्यपुरोधसोऽपीति भावः ।

---

1. KSS., NS. आश्रयम् ।
2. KSS. शुद्धस्तु लिङ्गिनः ।
3. नि. सा. संस्करणे "पुरोधसाम्" इत्यनन्तरं "अनिस्तीर्ण प्रतिज्ञानां" इति श्लोकः पठितः ।
4. KSS. नृपतीनां कुमाराणां ।

[1]तथा च चीरबद्धानां रोमशं श्मश्रु कीर्तितम् ॥१२०॥
एवं नानाप्रकारं तु श्मश्रु कार्यं प्रयोक्तृभिः[2] ।
अतः ऊर्ध्वं प्रवक्ष्यामि वेषन्नानाप्रयोगजान्[3] ॥१२१॥
शुद्धो विचित्रो मलिनस्त्रिविधो वेष उच्यते ।
तेषां[4] नियोगं वक्ष्यामि यथावदनुपूर्वशः ॥१२२॥
देवाभिगमने चैव [5]मङ्गले नियमस्थिते ।
तिथिनक्षत्रयोगे च विवाहकरणे तथा ॥१२३॥
धर्मप्रवृत्तं यत्कर्म स्त्रियो[6] वा पुरुषस्य वा ।
वेषस्तेषां[7] भवेच्छुद्धो ये च प्रायत्निका नराः ॥१२४॥
देवदानवयक्षाणां गन्धर्वोरगरक्षसाम् ।
नृपाणां कर्कशानां च चित्रो वेष उदाहृतः[8] ॥१२५॥
[9]वृद्धानां ब्राह्मणानां च श्रेष्ठ्यमात्यपुरोधसाम् ।
वणिजां काञ्चकीयानां तथा चैव तपस्विनाम् ॥१२६॥

शुद्ध इति शुक्लवस्त्रादिः प्रायः । प्रायत्निका इति प्रयत्ने भवा विनीता इत्यर्थः ।

---

1. KSS., NS. सिद्धविद्याधराणां च रोमशं तु विधीयते ।
2. *KSS., NS. कर्म प्रयोजयेत्* ।
3. काशीमुद्रितसंस्करणे—अतः परं माल्याच्छादनविधानश्लोकौ पठितौ ।
4. KSS., विभागं व्याख्यास्ये यथाकार्यं प्रयोक्तृभिः ।
5. KSS., NS. माङ्गल्ये ।
6. KSS.. NS. कार्ये स्त्रीणां ।
7. KSS., NS. तत्र ।
8. KSS., NS. वेषो भवेत्तदा ।
9. KSS., NS. न कञ्चुकिनाममात्यानां श्रेष्ठिनां सपुरोधसाम् । सिद्धविद्याधराणां च वणिक्छास्त्रविदामपि ।

विप्रक्षत्रियवैश्यानां स्थानीया ये च मानवाः ।
शुद्धो वस्त्रविधिस्तेषां कर्तव्यो नाटकाश्रयः ॥१२७॥
उन्मत्तानां प्रमत्तानामध्वगानां तथैव च[1] ।
[2]व्यसनोपहतानां च मलिनो वेष उच्यते[3] ॥१२८॥
शुद्धरक्तविचित्राणि वासांस्यूर्ध्वाम्बराणि[4] च ।
योजयेन्नाट्यतत्त्वज्ञो वेषयोः शुद्धचित्रयोः ॥१२९॥
कुर्याद्वेषे तु मलिने [5]मलिनं तु विचक्षणः ।
मुनिनिर्ग्रन्थशाक्येषु यतिपाशुपतेषु च[6] ॥१३०॥
[7]व्रतानुगस्तु कर्तव्यो वेषो लोकस्वभावतः ।
चीरवल्कलचर्माणि तापसानां तु योजयेत् ॥१३१॥
[8]परिव्राण्मुनिशाक्यानां वासः काषायमिष्यते ।
नानाचित्राणि वासांसि कुर्यात्पाशुपतेष्वथ ॥१३२॥
कुजातयश्च ये प्रोक्तास्तेषां चैव यथार्हतः ।
[9]अन्तःपुरप्रवेशे च विनियुक्ता हि ये नराः ॥१३३॥

चीरमिति श्रविनना स्थूला च वृक्षत्वक्, वल्कलं तु तद्विपरीतम्, यथा भूर्जपत्रत्वक्, मृगादेश्चर्म ।

1. KSS., NS. जनानामध्वगामिनाम् ।
2. KSS., NS. व्यसनोपगतानां ।
3. KSS., NS. इष्यते ।
4. NS. उच्चावचानि ।
5. KSS., NS. मलिनानि ।
6. KSS. त्रिदण्डिश्रोत्रियेषु च ।
7. KSS., NS. वृत्तानुगश्च ।
8. KSS. परिव्राण्मुनिमुख्येषु तापसेषु तथैव च । काषायवसनो वेषः कार्यस्त्वर्थवशेन वा । NS. does not read it.
9. KSS. अन्तःपुरस्य रक्षार्थे ।

काषायकञ्चुकपटाः कार्यास्तेऽपि[1] यथाविधि ।
[2]अवस्थान्तरतश्चैवं नृणां वेषो भवेदथ ॥१३४॥
वेषः सांग्रामिकश्चैव शूराणां संप्रकीर्तितः ।
विचित्रशस्त्रकवचो बद्धतूणो[3] धनुर्धरः ॥१३५॥
[4]चित्रो वेषस्तु कर्तव्यो नृपाणां नित्यमेव च[5] ।
केवलस्तु भवेच्छुद्धो नक्षत्रोत्पातमङ्गले ॥१३६॥
एवमेष भवेद्वेषो देशजातिवयोऽनुगः[6] ।
उत्तमाधममध्यानां स्त्रीणां नृणामथापि च ॥१३७॥
एवं वस्त्रविधिः कार्यः प्रयोगे नाटकाश्रये ।
नानावस्थां समासाद्य शुभाशुभ कृतस्तथा ॥१३८॥
तथा प्रतिशिरश्चापि कर्तव्यं नाटकाश्रयम् ।
[7]दिव्यानां मानुषाणां च देशजातिवयःश्रितम्[8] ॥ ३९॥
पार्श्वागता मस्तकिनस्तथा चैव किरीटिनः ।
[9]त्रिविधो मकुटो ज्ञेयो दिव्यपार्थिवसंश्रितः ॥१४०॥

(नक्षत्रेति) नक्षत्रोत्पातप्रशमनार्थं यन्मङ्गलं, एतच्च नैमित्तिकस्य श्राद्ध-

---

1. KSS. स्त्वेषां ।
2. KSS. अवस्थान्तरमासाद्य स्त्रीणां वेषो भवेदथ । NS. अवस्थान्त-रितश्चैव सम्यग्वेषो भवेत्तथा ।
3. NS. तूण, KSS. त्राणो ।
4. KSS. विचित्रवेषः ।
5. NS. हि ।
6. KSS. वयोजातिगुणान्वितः NS. एवं वेषो बुधैः कार्यो देशजाति गुणान्वितः ।
7. KSS. देवानां ।
8. KSS. श्रितः ।
9. KSS. does not read here two verses.

देवगन्धर्वयक्षाणां पन्नगानां सरक्षसाम् ।
कर्तव्या नैकविहिता मुकुटाः पार्श्वमौलयः ॥१४१॥
उत्तमा ये च दिव्यानां ते च कार्याः किरीटिनः ।
मध्यमा मौलिनश्चैव कनिष्ठाः [1]शीर्षमौलिनः ॥१४२॥
नराधिपानां कर्तव्या मस्तके मकुटा[2] बुधैः ।
विद्याधराणां सिद्धानां चारणानां तथैव च ॥१४३॥
[3]ग्रन्थिमत्केशमकुटाः कर्तव्यास्तु प्रयोक्तृभिः ।
रक्षोदानवदैत्यानां पिङ्गकेशेक्षणानि हि[4] ॥१४४॥
हरिच्छमश्रूणि च तथा [5]मकुटास्यानि कारयेत् ।
[6]उत्तमाश्चापि ये तत्र ते कार्याः पार्श्वमौलिनः ॥१४५॥
[7]कस्मात्तु मुकुटौः सृष्टाः प्रयोगे दिव्यपार्थिवे ।
केशानां छेदनं दृष्टं वेदवादे[8] यथाश्रुति ॥१४६॥
भद्रीकृतस्य वा यज्ञे शिरसश्छादनेच्छया[9] ।
केशानामप्यदीर्घत्वात्स्मृतं मुकुटधारणम्[10] ॥१४७॥

देवार्चनादेरप्युपलक्षण् । प्रकृतिरूपं शिरः प्रतिशिरः

1. KSS. पार्श्व ।
2. KSS. नथा मस्तकिनो NS. मुकुटं ।
3. NS. ग्रन्थिनाः केशमकुटं ।
4. KSS.. NS. पिककेशकृतानि तु ।
5. KSS., NS. मुखशीर्षाणि ।
6. KSS., NS. उदात्ताः ।
7. KSS., NS. तस्मात्तु ।
8. KSS., NS. नेष्टं वेदवेदे ।
9. KSS., NS. छेदनेप्सया ।
10. KSS., NS. धारिणः ।

सेनापतेः पुनश्चापि युवराजस्य चैव हि ।
[1]योजयेदर्धमकुटं महामात्राश्च ये नराः ॥१४८॥

अमात्यानां कञ्चुकिनां तथा श्रेष्ठिपुरोधसाम् ।
[2]वेष्टनाबद्धपट्टानि प्रतिशीर्षाणि कारयेत् ॥१४९॥

पिशाचोन्मत्तभूतानां साधकानां तपस्विनाम् ।
अनिस्तीर्णप्रतिज्ञानां लम्बकेशं भवेच्छिरः[3] ॥१५०॥

शाक्यश्रोत्रियनिर्ग्रन्थपरिव्राड्दीक्षितेषु च ।
शिरोमुण्डं तु कर्तव्यं यज्ञदीक्षान्वितेषु च ॥१५१॥

तथा [4]व्रतानुगं चैव शेषाणां लिङ्गिनां शिरः ।
मुण्डं वा कुञ्चितं वापि लम्बकेशमथापि वा ॥१५२॥

[5]धूर्तानां चैव कर्तव्यं ये च रात्र्युपजीविनः ।
[6]शृङ्गारचित्ताः पुरुषास्तेषां कुञ्चितमूर्धजाः ॥१५३॥

बालानामपि कर्तव्यं [7]त्रिशिखण्डविभूषितम् ।
जटामकुटबद्धं[8] च मुनीनां तु भवेच्छिरः ॥१५४॥

चेटानामपि कर्तव्यं त्रिशिखं मुण्डमेव वा ।

(वेष्टनेति) वेष्टनार्थमाबद्धं पट्टमुष्णीषप्रायं येषु । त्रिखण्डाश्चूलिकाः (त्रिशिखण्डम्) ।

---

1. KSS., NS. मस्तकेष्वर्धमकुटं प्रयोगे संप्रयोजयेत् ।
2. KSS., NS. वेष्टनं बन्धपट्टादि ।
3. KSS., NS. केशं तु शीर्षकम् ।
4. KSS., NS. वृत्तानुषङ्गेण ।
5. KSS., NS. वधूनां चापि ।
6. KSS., NS. ये च शृङ्गारिणस्तेषां शिरः कुञ्चितमूर्धजम् ।
7. KSS., NS. न शिखण्डविभूषितम् ।
8. KSS., NS. लम्बं ।

[1]विदूषकस्य खलतिः स्यात्काकपदमेव वा ॥१५५॥

शेषाणामर्थयोगेन देशजातिसमाश्रयम्[2]।

शिरः प्रयोक्तृभिः कार्यं नानावस्थान्तराश्रयम्[3] ॥१५६॥

[4]भूषणैर्वर्णकैर्वस्त्रैर्माल्यैश्चैव यथाविधि।

एवं नानाप्रकारैस्तु बुद्ध्या वेषान्प्रकल्पयेत् ॥१५७॥

पूर्वं तु प्रकृतिं स्थाप्य प्रयोगगुणसंभवाम्।

स्त्रीणां वा पुरुषाणां वाप्यवस्थां[5] प्राप्य तादृशीम् ॥१५८॥

सर्वे भावाश्च दिव्यानां कार्या मानुषसंश्रयाः।

तेषां चानिमिषत्वादि नैव कार्यं प्रयोक्तृभिः ॥१५९॥

इह भावरसाश्चैव दृष्टिभिः संप्रतिष्ठिताः।

दृष्ट्यैव स्थापितो ह्यर्थः पश्चादङ्गैर्विभाव्यते ॥१६०॥

एवं ज्ञेयाङ्गरचना नानाप्रकृतिसंभवा।

[6]सजीव इति यः प्रोक्तस्तस्य वक्ष्यामि लक्षणम् ॥१६१॥

यः प्राणिनां प्रवेशो वै [7]सजीव इति संज्ञितः।

चतुष्पदोऽथ द्विपदस्तथा चैवापदः स्मृतः ॥१६२॥

(काकपदमिति) काकपक्षवद्यत्र केशविच्छेदः।

---

1. KSS., NS. विदूषकास्य कर्तव्यं खलि काकपदं तथा।
2. KSS., NS. वयःश्रितम्।
3. KSS., NS. प्रयोगस्य वशानुगम्।
4. KSS., NS. अतस्तैर्भूषणैश्चित्रैर्वस्त्रैर्माल्यैरथापि च। अवस्थाप्यकृतिः स्थाप्या प्रयोगरससंभवा॥
5. KSS., NS व्यवस्थां।
6. KSS, NS. संजीवः।
7. KSS., NS. स संजीव इति स्मृतः।

[1]उरगानपदान् विद्याद् द्विपदान्खगमानुषान् ।
[2]ग्राम्या ग्रारण्याः पशवो विज्ञेयाः स्युश्चतुष्पदाः ॥१६३॥
[3]ये ते तु युद्धसंफेटैरुपरोधैस्तथैव च ।
नानाप्रहरणोपेताः प्रयोज्या नाटके बुधैः ॥१६४॥
आयुधानि च कार्याणि पुरुषाणां प्रमाणतः ।
तान्यहं [4]वर्तयिष्यामि यथापुस्तप्रमाणतः[5] ॥१६५॥
भिण्डिर्द्वादशतालः स्याद्दश कुन्तो भवेदथ ।
अष्टौ शतघ्नी शूलं[6] च तोमरः शक्तिरेव वा ॥१६६॥
[7]अष्टौ ताला धनुर्ज्ञेय मायामोऽस्य द्विहस्तकः ।
शरो गदा च [8]वज्रा च चतुस्तालं विधीयते ॥१६७॥
अङ्गुलानि त्वसिः कार्यश्चत्वारिंशत्प्रमाणतः ।
द्वादशाङ्गुलकं चक्रं ततोऽर्धं प्रास इष्यते ॥१६८॥

प्रहरणोपेता इति युद्धोपयोगिन इत्यर्थः । तथा च नागास्त्रे दत्ते सर्पाकृतिः प्रदर्शनाया, एवं नृसिंहास्त्रे तदाकृतिरित्यादि । (आयुधानां प्रमाणं) दर्शयति (**भिण्डिरिति** । वज्रं······चतुस्तालम्) । चक्रमिति खड्गादियुद्धेऽपवारणम् ।

1. KSS., NS. उरगाद्यपदा ज्ञेया द्विपदाः खगमानुषाः ।
2. KSS., NS. ग्राम्यारण्याश्च ।
3. KSS. एते तु युद्धसम्भेदो त्ववरोधे तथैव च । NS, एतेऽपि ।
4. KSS., NS. सम्प्रवक्ष्यामि ।
5. KSS. यथायुक्तिप्रमाणतः । NS. यथावदनुपूर्वशः ।
6. KSS., NS. शूलश्च ।
7. KSS., NS. अष्टतालं धनुर्ज्ञेयमायामोस्तु द्विहस्ततः ।
8. NS. चक्रं, KSS. वज्रं ।

प्रासवत्पट्टसं [1]विद्या द्दण्डश्चैव तु विंशतिः ।
विंशतिः [2]कणयश्चैव ह्यङ्गुलानि प्रमाणतः ॥१६९॥
[3]षोडशाङ्गुलविस्तीर्णं [4]सबलं संप्रघण्टिकम् ।
त्रिंशदङ्गुलमानेन कर्तव्यं खेटकं बुधैः ॥१७०॥
जर्जरो दण्डकाष्ठं च तथैव प्रतिशीर्षकम् ।
छत्रं च चामरं चैव ध्वजो भृङ्गार[5] एव च ॥१७१॥
यत्किंचिन्मानुषे लोके द्रव्यं पुंसां प्रयोजकम्[6] ।
[7]यच्चोपकरणं सर्वं नाट्ये तत्संप्रकीर्तितम् ॥१७२॥
यद्यस्य विषयप्राप्तं तेनोह्यं तस्य लक्षणम् ।
जर्जरे दण्डकाष्ठे च संप्रवक्ष्यामि लक्षणम् ॥१७३॥
[8]माहेन्द्रा वै ध्वजाः प्रोक्ता लक्षणैर्विश्वकर्मणा ।
एषामन्यतमं कुर्याज्जर्जरं दारुकर्मतः ॥१७४॥

यद्यस्येति । यस्य शास्त्रस्य यद्विषयीभूतं पुरुषस्य वा तदनुसारेण तस्यवस्तुनो लक्षणमूह्यमिति । ऊह्यशब्दे भेदमाह, परिपूर्णलक्षणमुपजीव्यम्,

---

1. KSS., NS. पट्टिशं ।
2. KSS., NS. कम्पनं ।
3. KSS. reads an additional line—षोडशाङ्गुलिविस्तीर्णं चर्मकार्यं द्विहस्तकम् ।
4. KSS. सबाल्यं सप्रघण्टुकम् NS. सबलं संप्रकीर्तितम् ।
5. KSS., NS. भृंगार ।
6. KSS., NS. प्रयोगजम् ।
7. KSS., NS. तत्सर्वं तूपकरणं नाट्येऽस्मिन्संविधीयते ।
8. KSS. माहेन्द्रे वै ध्वजे कार्यं लक्षणं विश्वकर्मणा ।

अथवा [1]वृक्षयोनिः स्यात्प्ररोहो वापि जर्जरः ।
वेणुरेव भवेच्छ्रेष्ठस्तस्य वक्ष्यामि लक्षणम् ॥१७५॥
श्वेतभूम्यां तु यो जातः पुष्यनक्षत्रजस्तथा ।
[2]संग्राह्यो वै भवेद्वेणुर्जर्जरार्थे प्रयत्नतः ॥१७६॥
प्रमाणमङ्गुलानां तु शतमष्टोत्तरं भवेत् ।
पञ्चपर्वा चतुर्ग्रन्थिस्तालमात्रस्तथैव च ॥१७७॥
स्थूलग्रन्थिर्न कर्तव्यो न शाखी न च कीटवान् ।
न कृमिक्षतपर्वा च न हीनश्चान्यवेणुभिः ॥१७८॥
मधुर्सपिस्सर्षपाक्तं माल्यधूपपुरस्कृतम् ।
उपास्य विधिवद्वेणुं गृहणीयाज्जर्जरं प्रति ॥१७९॥
यो विधिर्यः क्रमश्चैव माहेन्द्रे तु ध्वजे स्मृतः ।
स जर्जरस्य कर्तव्यः पुष्यवेणुसमाश्रयः ॥१८०॥
भवेद्यो दीर्घपर्वा तु [3]तनुपत्रस्तथैव च ।
[4]पर्वाग्र तण्डुलश्चैव पुष्यवेणुः [5]स कीर्तितः ॥१८१॥

(यथा) खड्गलक्षणेऽप्युपजीव्यमाने लोहादिनिर्मितत्वमप्यूह्यते । तच्च तस्मान्नाट्योपयोगरूपमूहापोहाभ्यां कर्तव्यमिति । लक्षणानीति (लक्षणैरिति ?) विश्वकर्ममते बहुभेदं महेन्द्रध्वजस्य लक्षणमुक्तमित्यर्थः । न हीनश्चेति अन्यवेणुसंघर्षेऽपूर्णोऽवयवतः स नेष्यत इत्यर्थः ।

1. KSS. NS. वृक्षजातस्य ।
2. KSS. does not read this verse.
3. KSS. तनुपर्वा ।
4. KSS. पर्वानुमण्डलं ।
5. KSS. प्रकीर्तितः ।

विधिरेव[1] मया प्रोक्तो गर्भरस्य प्रमाणतः[2] ।
अत ऊर्ध्वं प्रवक्ष्यामि [3]दण्डकाष्ठस्य लक्षणम् ॥१८२॥

कपित्थबिल्ववंशेभ्यो दण्डकाष्ठं भवेदथ ।
[4]वक्रं चैवहि कर्तव्यं त्रिभागे लक्षणान्वितम् ॥१८३॥

कीटैर्नोपहतं यच्च व्याधिना न च पीडितम् ।
मन्दशालं भवेद्यच्च दण्डकाष्ठं तु तद्भवेत्[5] ॥१८४॥

यस्त्वेभिर्लक्षणैर्हीनं दण्डकाष्ठं सजर्जरम् ।
कारयेत्स त्वपचयं महान्तं प्राप्नुयाद्ध्रुवम् ॥१८५॥

[6]अथ शीर्षविभागार्थं घटी कार्या प्रयत्नतः ।
[7]स्वप्रमाणविनिर्दिष्टा द्वात्रिंशत्यङ्गुलानि वै ॥१८६॥

बिल्वमध्येन[8] कर्तव्या [9]घटी सिरसमाश्रया ।

पुष्यवेणुं व्याचष्टे भवेद्वेणुर्दीर्घपर्वेति लक्षणेन लेखा शीर्षविभागा इति यत्र द्विशिरास्त्रिशिरा इत्यादि दृश्यते, यत्र वा ।

---

1. NS. एवं ।
2. KSS., NS. तु लक्षणे ।
3. KSS. दण्डकाष्ठं भवेत्सदा NS. दण्डकाष्ठं भवेदथ ।
4. KSS. चक्रं चैव हि तत्कार्यं । NS. त्वैव हि तत्कार्यम् ।
5. NS. तदुच्यते ।
6. KSS. NS. तथा शीर्षविधानार्थं पटी कार्या तु मानतः ।
7. KSS., NS. सप्रमाण ।
8. KSS., NS. कल्केन ।
9. KSS., NS. पटी चीरसमाश्रया ।

स्विन्नेन बिल्वकल्केन द्रवेण च समन्विता[1] ॥१८७॥

भस्मना वा तुषैर्वापि कारयेत्प्रतिशीर्षकम्[2] ।

संछाद्य [3]तु ततो वस्त्रैर्बिल्वदिग्धैर्घटाश्रयैः[4] ॥१८८॥

बिल्वकल्केन चीरं तु[5] दिग्ध्वा संयोजयेद्धटीम् ।

न स्थूलां [6]नानतां तन्वीं दीर्घां चैव न कारयेत् ॥१८९॥

[7]तस्यामातपशुष्कायां सुशुष्कायामथापि वा ।

छेद्यं बुधाः[8] प्रकुर्वन्ति विधिदृष्टेन कर्मणा ॥१९०॥

सुतीक्ष्णेन तु शस्त्रेण अर्धार्धं प्रविभज्य च ।

स्वप्रमाणविनिर्दिष्टं[9] ललाटकृतकोणकम् ॥१९१॥

[10]अर्धाङ्गुलं ललाटं तु कार्यं छेद्यं षडङ्गुलम् ।

निजशिर एवाच्छाद्य शिरोऽन्तरं प्रदर्श्यते । प्रतिपादप्रतिहस्तादेष एव कल्पः । बिल्वस्य मध्यमज्जा सिरश्च वृक्षत्वगादिः । कथं सा कर्तव्येत्याह स्विन्नेनेति भस्मना तुषचूर्णेन वा सुसमाहिता छादितच्छिद्रेत्यर्थः । न स्थूलामिति गुरुत्वभयात् । नानतामिति पेलवात्, छेद्यमित्यवयवच्छिद्रोत्पादनार्थम् ।

---

1. KSS., NS. समागता ।
2. KSS. NS. प्रतिशीर्षाणि कारयेत् ।
3. KSS., NS. कृतको ।
4. KSS. घनाश्रयैः NS. वनाश्रयैः ।
5. KSS., NS. दिग्धाङ्गं योजयेत् पटीम् ।
6. NS,. KSS. न तनुं चैव न मृद्वी ।
7. KSS., NS. शुष्कायां ततस्तस्यामनिलातपयोगतः ।
8. KSS , NS. छेद्यं बुधासु कुर्वीत ।
9. KSS., NS. ललाटाकृति कोणजम् ।
10. KSS., NS. अर्धाङ्गुलललाष्टं तु छेद्यं ।

अर्धार्धमङ्गुलं छेद्यं कटयोर्द्व्यङ्गुलं[1] भवेत् ॥१९२॥
कटान्ते कर्णनालस्य छेद्यं [2]द्व्यधिकमङ्गुलम् ।
त्र्यङ्गुलं कर्णविवरं तथा स्याच्छेद्य मेव हि ॥१९३॥
[3]ततश्चैवावटुः कार्या [4]सुसमा द्वादशाङ्गुला ।
घट्यां ह्येतत्सदाच्छेद्ये विधानं विहितं मया ॥१९४॥
[6]तस्योपरिगताः कार्या मुकुटा बहुशिल्पजाः ।
नानारत्नप्रतिच्छन्ना बहुरूपोपशोभिताः ॥१९५॥
तथोपकरणानीह नाट्ययोगकृतानि वै[7] ।
बहुप्रकारयुक्तानि कुर्वीत प्रकृतिं प्रति ॥१९६॥
यत्किंचिदस्मिन् लोके तु[8] चराचरसमन्विते ।
विहितं कर्म शिल्पं वा तत्तूपकरणं स्मृतम् ॥१९७॥
यद्यस्य विषयं[9] प्राप्तं तत्तदेवाभिगच्छति ।
[10]नास्त्यन्तः पुरुषाणां हि नाट्योपकरणाश्रये ॥१९८॥

अवटुरिति कर्णशष्कुली ।

1. KSS., NS. त्र्यङ्गुलं ।
2. KSS., NS. त्वधिकं ।
3. KSS., NS. ततश्च वावटुः ।
4. KSS. ससमा ।
5. KSS., NS. पटीच्छेद्यकृतं ह्येतत् ।
6. KSS., NS. तस्योपरि ततः कार्या मुकुटा विविधाश्रयाः ।
7. KSS. युक्तिकृतानि च ।
8. KSS. सचराचरसंज्ञिते ।
9. KSS., NS. विषयं प्राप्यं स तस्मिंस्त्वधिगच्छति ।
10. KSS. नान्यतः···करणाश्रयम् ।

[1]यद्येनोत्पादितं कर्म शिल्पयोग[2] क्रियापि वा ।
[3]तस्य तेन कृता सृष्टिः प्रमाणं लक्षणं तथा ॥१९९॥
या[4] काष्ठयन्त्रभूयिष्ठा कृता सृष्टिर्महात्मना ।
[5]न सास्माकं नाट्ययोगे कस्मात्खेदावहा हि सा ॥२००॥
यद्द्रव्यं जीवलोके तु नानालक्षणलक्षितम् ।
तस्यानुकृतिसंस्थानं नाट्योपकरणं भवेत् ॥२०१॥
प्रासाद गृहयानानि [6]नानाप्रहरणानि च ।
[7]न शक्यं तानि वै कर्तुं यथोक्तानीह लक्षणैः ॥२०२॥
लोकधर्मी भवेत्त्वन्या नाट्यधर्मी तथापरा ।
स्वभावो लोकधर्मी तु विभागो नाट्यमेव हि ॥२०३॥
आयसं तु न कर्तव्यं न च सारमयं तथा ।
नाट्योपकरणं तज्ज्ञैर्गुरुखेदकरं भवेत्[8] ॥२०४॥
काष्ठचर्मसु वस्त्रेषु जतुवेणुदलेषु च ।
नाट्योपकरणानीह लघुकर्माणि कारयेत् ॥२०५॥

महात्मनेति विश्वकर्मणा । विभाव इति भावनामात्रमित्यर्थः ।

1. NS. नाट्येनोत्पादितं ।
2. NS. योगः ।
3. NS. तेन तस्य ।
4. KSS., NS. कार्णायसभूयिष्ठा कृता भूमिर्महत्तरा ।
5. KSS., NS. नास्माकं सम्मता नाट्ये गुरुत्वात् खेददा हि सा ।
6. KSS., NS. नाट्योपकरणानि च ।
7. KSS., NS. शक्यानि तथा ।
8. गुरुत्वात् खेदकृद्धि तत् KSS., NS. जतुकाष्ठचर्मवस्त्रप्रभावेणुदलैस्तथा ।

[1]चर्मवर्मध्वजाः शैलाः प्रासादा देवतागृहाः ।
हयवारणयानानि विमानानि गृहाणि च ॥२०६॥

पूर्वं वेणुदलैः कृत्वा कृतीर्भावसमाश्रयाः ।
ततः सुरङ्गैराच्छाद्य वस्त्रैः सारूप्यमानयेत् ॥२०७॥

अथवा यदि वस्त्राणामसान्निध्यं भवेदिह[2] ।
[3]तालीयैर्वा किलिञ्जैर्वा श्लक्ष्णै [4]र्वस्त्रक्रिया भवेत् ॥२०८॥

तथा प्रहरणानि स्युस्तृणवेणुदलादिभिः ।
जतुभाण्डक्रियाभिश्च नानारूपाणि नाटके[5] ॥२०९॥

[6]प्रतिपादं प्रतिशिरः [7]प्रतिहस्तं प्रतित्वचम् ।
[8]तृणैः किलिञ्जैर्भाण्डैर्वा [9]सारूप्याणि तु कारयेत् ॥२१०॥

यद्यस्य [10]सदृशं रूपं सारूप्यगुणसंभवम् ।

लघुकर्माणीति येषु क्रियमाणेषु लाघवेन क्रिया संपद्यते ।
तालीयैरिति तालपत्रैः । भाण्डैरिति अलाबुदलखङ्गादिभिः ।

---

1. ? S. वर्मचर्म । KSS. does not read two verses here.
2. KSS. तद्विधानमसंभवम् ।
3. KSS. तालीयजैः कीलजैर्वा ।
4. KSS. वस्त्रैः ।
5. KSS. कारयेत् ।
6. KSS., NS. प्रतिपादौ ।
7. KSS., NS. प्रतिहस्तौ ।
8. KSS., NS. तृणजैः कीलजैः ।
9. KSS., NS. सरूपाणीह ।
10. KSS., NS. यादृशं ।

मृण्मयं [1]तत्तु कृत्स्नं तु नानारूपं[2]तु कारयेत् ।।२११।।

भाण्डवस्त्रमधूच्छिष्टैर्लाक्षयाभ्रदलेन च ।

[3]नागास्ते विविधाः कार्या ह्यतसीशणबिल्वजैः ।।२१२।।

नानाकुसुमजातीश्च फलानि विविधानि च ।

भाण्डवस्त्रमधूच्छिष्टैर्लाक्षया वापि कारयेत् ।।२१३।।

भाण्डवस्त्रमधूच्छिष्टैस्ताम्रपर्णै[4]स्तथैव च ।

[5]सम्यक्च नीलीरागेणाप्यभ्रपत्रेण चैव हि ।।२१४।।

रञ्जितेनाभ्रपत्रेण [6]मणीश्चैव प्रकारयेत् ।

उपाभङ्गमथाप्येषां शुल्बवङ्गेन[7] कारयेत् ।।२१५।।

विविधा मकुटा दिव्या पूर्वं ये गदिता मया ।

तेऽभ्रपत्रोज्ज्वलाः कार्या [8]मणिव्यालोकशोभिताः ।।२१६।।

न शास्त्रप्रभवं कर्म तेषां हि समुदाहृतम् ।

मधूच्छिष्टं सिक्थकम् ।

---

1. KSS., NS. तत्र ।
2. KSS., NS. नानारूपान् ।
3. इतोऽग्रे सार्धैकपद्यं NS. पुस्तके नास्ति । KSS. reads.
   नगास्तु विविधा कार्याश्चर्मवर्मध्वजास्तथा ।
   नानाकुसुमजातानि फलानि कुसुमानि च ।
   विविधानि च भाण्डानि लाक्षया वेहकारयेत् ।।
4. KSS. वर्णैः ।
5. KSS., NS. तत्साम्यं ।
6. KSS. मर्षाः ।
7. KSS. शुल्वभ्रष्टैनं । NS. तुल्यं व(२)ङ्गेन ।
8. GOS. मणिव्यालोपशोभिताः ।

[1]आचार्यबुध्या कर्तव्यमूहापोहप्रयोजितम् ॥२१७॥

[2]एष मर्त्यक्रिया योगो [3]भविष्यत्कल्पितो मया ।

[4]कस्मादल्पबलत्वं हि [5]मनुष्येषु भविष्यति ॥२१८॥

[6]मर्त्यानामपि नो शक्या विभावाः सर्वकाञ्चनाः ।

नेष्टाः सुवर्णरत्नैस्तु मुकुटा भूषणानि वा ॥२१९॥

युद्धे नियुद्धे नृत्ते वा वृष्टिव्यापारकर्मणि ।

गुरुभारा[7]वसन्नस्य स्वेदो मूर्छाऽपि[8] जायते ॥२२०॥

[9]स्वेदमूर्छाक्लमार्तस्य प्रयोगस्तु विनश्यति ।

प्राणात्ययः कदाचिच्च भवेद्व्यायतचेष्टया ॥२२१॥

तस्मात्ताम्रमयैः पत्रैरभ्रकै रञ्जितैरपि ।

[10]भेण्डैरपि मधूच्छिष्टैः कार्याण्याभरणानि तु ॥२२२॥

एवं लोकोपचारेण स्वबुद्धिविभवेन च ।

नाट्योपकरणानीह बुधः सम्यक् प्रयोजयेत् ॥२२३॥

---

1. KSS., NS. विचार्य ।
2. KSS., NS. एवं ।
3. KSS., NS. भविष्यन् कथितो ।
4. KSS., NS. यस्मात् ।
5. KSS., NS. मानुषेषु ।
6. KSS., NS. मर्त्यानामपशक्तीनां न भवेद्राङ्गचेष्टितम् ।
7. GOS. भाव ।
8. GOS. च ।
9. KSS. स्वेदमूर्छाश्रमार्तस्य । NS. श्रमार्तस्य ।
10. KSS., NS भाण्डैरथ ।

[1]न भेद्यं नैव चच्छेद्यं[2] न प्रहर्तव्यमेव च ।
[3]रङ्गे प्रहरणैः कार्यं संज्ञामात्रं तु कारयेत् ॥२२४॥
[4]अथवा योगशिक्षाभिर्विद्यामायाकृतेन वा ।
शस्त्रमोक्षः[5] प्रकर्तव्यो रङ्गमध्ये प्रयोक्तृभिः ॥२२५॥
एवं नानाप्रकारैस्तु आयुधाभरणानि च ।
नोक्तानि यानि च मया लोकाद् ग्राह्याणि तान्यपि ॥२२६॥
आहार्याभिनयो ह्येष मया प्रोक्तः समासतः ।
अतः ऊर्ध्वं प्रवक्ष्यामि सामान्याभिनयं प्रति ॥२२७॥

इति भरतीये नाट्यशास्त्रे आहार्याभिनयो
नामैकविंशोऽध्यायः ।

— ० —

सुधामकोक्ता **विद्या** हस्तलाघवादि **माया** चक्षुर्बन्धादिका । एनमध्यायमुपसंहर (न्नभिनये वक्तव्यशेषमा)सूत्रयति **आहार्याभिनयो ह्येष** इति शिवम् ।

आहार्याभिनयाध्याये वृत्तिरेषा यथाक्रमम् ।
कृताभिनवगुप्तेन ग्रन्थिस्थानेषु तत्त्वतः ॥

इति श्रीमहामाहेश्वराभिनवगुप्ताचार्यविरचितायां
नाट्यवेदविवृतावभिनवभारत्यामाहार्या-
भिनयाध्याय एकविंशः ॥

— ० —

1. KSS. भोक्तव्यं नायुधं रङ्गे न छेद्यं न च ताडनम् । प्रादेशमात्रं गृह्णीयात्संज्ञार्थं शस्त्रमेव च ।
2. NS. स्थेयं ।
3. NS. रङ्गप्रहरणैः ।
4. KSS. शिक्षायोगेन नाट्येऽस्मिन् शिक्षामायाकृतेन वा ।
5. KSS. तु कर्त्तव्यो ।

श्रीः

नाट्यशास्त्रम्

द्वाविंशोऽध्यायः[1]

— ० —

सामान्याभिनयो नाम ज्ञेयो वागङ्गसत्त्वजः ।

अभिनवभारती द्वाविंशोऽध्यायः

भेदेनात्माभिमुखतां नयन्तं भेदकारणम् ।
सामान्याभिनयाकारगर्वंमूर्ति शिवं नुमः ॥

इहान्यदित्युपरञ्जकं च अभिनयं चान्याभिनयं समं च तदिति तत्र भवः सामान्याभिनय इति परमार्थः । कोहलमतानुसारिभिर्वृद्धैः सामान्याभिनयस्तु षोढा भण्यते । तथा हि कोहलः—

शिष्टं कामं मिश्रं वक्रं संभूतमेकयुक्तत्वम् ।
सामान्याभिनये यत् षोढा विदुरेतदेव बुधाः ॥ इति ।

तत्र सामान्यमिति साधारणमुच्यते तेन सर्वेष्वभिनयेषु यद्रूपमवशिष्टं पूर्वं नोक्तमवश्यं वक्तव्यं च कविनटशिक्षार्थं तद्येनाध्यायेनाभिधीयते स सामान्याभिनयः, सोऽभिनयेषु सामान्यभूतः साधारणभूतोऽभिनयविषयत्वात् स्ववाच्याभिमुख्यनयनाद्वाभिनय इति व्युत्पत्त्या । तथा हि सात्त्विकस्य हावभावहेलादिना विशेषः पूर्वमनुक्तोऽभिधीयते । विषयश्चैवं 'षडात्मकः शारीरः' (२२-४१) इत्यादिना 'आलापश्च प्रलापश्च' (२२-४९) इत्यादि-नाङ्गिकवाचिकयोः ।

ननु 'अङ्गाद्यभिनयस्यैव यो विशेषः' (२५-१) इत्यतः चित्राभिनयात् कोऽस्य विशेषः, उच्यते—तत्र वागङ्गसत्त्वव्यामिश्रत्वेन चित्रता । इह तु,

---

1. KSS, चतुर्विंशः ।

प्रत्येकनियतस्यानुक्तस्य विशेषान्तरस्याभिधानमिति। तथा हि तत्र चित्रशब्दं पठिष्यति 'अनुक्त उच्यते चित्र' इति (२५-२) तथा (चेह तु) सामान्याभिनयः कामोपचारः, स हि सकलप्राणिवर्गसाधारण आभिमुख्यं नयति च सर्वं जन्तुवर्गमिति वागङ्गसत्त्वलक्षणेन सकलेन सामान्यात्मना चाभिनयेन अभिनीयत इति। तत्कामोपचारः स्त्रीपुरुषस्वभावः तदवस्थाभेदेनेहाभिनीयत इति सामान्यभिनयोऽयमध्यायः। अत एवैतदध्यायशेषभूतकामोपचारप्रतिपादकमेवाध्यायं वैशिकोपचाराख्यं मन्तव्यम्। तथा सामान्यमिति समानानां कर्म सामान्यं च तदभिनयनं च। तत्तेनैकमेवाभिनयं गमयितुं यथासम्भवं बहूनामभिनयानां याभिनयक्रिया एकं तदेवाभिनयक्रियारूपं कर्म समानानां सताम्।

नन्वेवमेकत्राभिनये किं बहुभिरभिनयैः। तत्र केचिदाहुः—स्वोपस्थानेषु साध्येषूपस्कारांशो व्यापार इति। तच्चासत्, नहि नाटकादौ सूत्रेष्विवोपस्कारो युक्तः। स ह्यत्र प्रत्युत दोषाय, यथाह—"काव्यान्यपि यदीमानि व्याख्यागम्यानि शास्त्रवत्"* इत्यादिना। प्रविस्पष्टपराकरणं तत्र निमित्तं स्वष्टार्थेन वाक्यमात्रेण तत्सिद्धेः।

तत्रोक्तं श्रीशङ्कुकादिभिः—इह लोकानुसारिनाट्यात् लोके सुखदुःखाद्यावेशविवशो वक्ता, तत एव स्तम्भस्वेदादिभिर्बहितं अवधानबन्धोऽपि गुणक्रियादिस्वरूपसाहचर्याभ्याससंस्कृतः (तं?) शब्दप्रयोगः (गं?) तदुपचिताङ्गोपाङ्गविकारसंकीर्णमेव कुर्वाणो दृश्यते—इति।

(१) यत्र त्वसत्यतो वक्तव्य तदस्य निरुक्तमष्टमेऽध्याये—

विभावयति यस्माद्धि नानार्थार्थप्रयोगतः।

शाखाङ्गोपाङ्गसंयुक्तं तस्मादभिनयः स्मृतः॥

इत्येवमन्तं श्लोकं व्याचक्षाणैः। [न तथा] सामान्यस्य समानीकृतः सकलाङ्गोपाङ्गकर्मणा सतोऽभिनयनं येनालातचक्रप्रतिमता प्रयोगस्य जायते। यथोक्तं 'प्रयोगश्चास्य कीदृश' इति, यद्वक्ष्यते।

---

* भामहालङ्कारे, भट्टिकाव्ये च।

'शिरोहस्तकटीवक्षोजङ्घोरुकरणेषु तु ।

समः कर्मविभागो यः सामान्याभिनयस्तु सः ॥ (अ २२) इति

(२) सामान्य इत्यनेनाशेषाभिनयविशेषा आङ्गिकादिगता उपलक्षिताः तत्कृतोऽभिनयः । यद्वक्ष्यति—

कृत्वा साचीकृतां दृष्टिं शिरः पार्श्वे नतं तथा ।

तर्जनीं कर्णदेशे च बुधः शब्दं विनिर्दिशेत् ॥ इति (२२-७६)

(३) अत्र हि दृष्टिविशेषः शिरोविशेषो हस्तविशेषश्च संभूयैकमभिनयं प्रत्येकोऽभिनयः संपद्यते । (४) एकैकेन तु शब्दाभिनयस्य कापि मात्रा निष्पद्यते, एवमेव तृतीयपक्षादस्य विशेषः । तत्र हि एकैकस्याप्यभिनयनेऽस्य (संभूतत्वेन) सामर्थ्यम् । (५) तथा विघ्नसंभावना*विहीनसकलसाधारणस्पष्टभाव-साक्षात्कारकल्पाध्यवसायसंपत्तये सर्वेषां प्रयोग इत्युक्तम् । (६) तथाभिनय इति तद्विशेषो यत्न उच्यते, स च साधारणरूपः सामान्याभिनयः । तथा हि—प्रकटाक्षप्रेक्षणाद्यं यं यत्नं कुशलं प्रयोक्ता गृह्णाति तेनैव तदुचितशिरःकर्मान्त-मस्य संपाद्यम् इति षोढा गुरुभिर्निदर्शितः ।

वयं तु (न) मन्महे—रसभावाध्याययोर्वागङ्गसत्त्वजास्य (त्त) द्रसभावेषु दर्शितास्ते कथं प्रयोज्या इत्ययमध्यायः । यथा हि किराटगृहाद् गन्धद्रव्या-ण्यानीय गान्धिकेन समानीक्रियते अस्येयान् भाग इदं पूर्वमिति, एवमत्राध्यायेऽ-भिनयाः । तत्र शृङ्गारस्य प्राधान्यात् तत्रैवाभिनयानां भागयोगेन पौर्वापर्य-युक्त्या च समीकरणं सत्त्वातिरिक्त इति । तेन सामान्यानां कर्म समानीकरणं भावनप्रायमभिनयविषयं स्वयं चाभिनयरूपं सामान्याभिनयं शृङ्गारमु खेन चान्यदुपनेयमिति । तदेतत्सर्वं हृदये कृत्वा मुनिराह **सामान्याभिनयो नाम ज्ञेय** इति । नाम्नैव ज्ञातुं शक्योऽन्वर्थत्वादस्येति भावः । तत्तु व्याख्यातम् ।

नन्वेवं तत्र न किंचिदवशिष्यते वक्तव्यमित्याशङ्क्यावृत्याह सामान्याभि-नयो नाम ज्ञेय इति । नामशब्दः प्रसिद्धिद्योतकः । तदयमर्थः—यद्यपि

---

* षष्ठेऽध्याये रससूत्रव्याख्याने सप्तविघ्ना उक्ताः ।

तत्र कार्यः प्रयत्नस्तु नाट्य-सत्त्वे[1] प्रतिष्ठितम् ॥१॥

ज्ञेयः (स्थिर) विषये सामान्याभिनयः प्रसिद्धोऽपि वाक्यार्थबलात्, तथापि यो वागङ्गसत्त्वेभ्यो जातः तद्विषयः सामान्याभिनयो व्याख्यातः। **तत्रेति** विषये तन्निरूपणायामस्माकं प्रयासः कार्य एव। आहार्यो हि यद्यप्यभिनयान्तरेभ्यो न्यूनस्तथापि तस्य सिद्धस्वरूपत्वान्नात्रोपादानम्। आङ्गिकादिक्रियाणां हि पूर्वापरीभूतरूपतया सम्भावनीयवि(शेष)भावनादेकीकारात्मा सामान्याभिनयो यत्नसंपाद्य एव। आहार्यस्य तु तन्मध्ये स्थिरत्वेनावस्थानाद्यत्नसिद्ध एवासौ। अत एवाहार्येऽपि भविष्यति सामान्याभिनयचिन्ता। न तु सर्वथैवास्य तत्र त्यागः। तथा हि "वागङ्गालङ्कारैः" (२२-१४) इति लीलायां, "माल्याच्छादनविलेपनभूषणानां" (२२-१७) इति विच्छित्तौ, "वागङ्गाहार्यसत्त्ववेगेन" (२२-१७) इति विभ्रमे, तस्य सातिशयनिरूपणं भविष्यति।

अन्ये त्वाहुः—आन्तरभावानपेक्ष एवाहार्यो दण्डकमण्डलवक्षसूत्रादिर्व्रतविशेषादिमात्रं गमयति, न तु भावं कंचित्। उज्ज्वलो हि वेषो न रतिं गमयति नापि मलिनः शुचम्। तदभावेऽपि हि ते भवत एव। औचित्यमात्रं ह्येतद्रतावुज्ज्वलो वेषः, शुचि मलिन इति। ये त्वेते गुणद्रव्यादिबाह्याभिनयाः सुखदुःखादिभावानिश्चायाश्च ते चित्तवृत्तीनां बाह्यार्थानां च कार्यकारणभावस्य नियतव्यक्तित्वाद् भावापेक्षा इति। वागङ्गसत्त्वाभिनया अन्योन्य सहचर्यमाणाः, नत्वेवं तेष्वाहार्य इत्यस्यानुपादानक्रिया। एतच्च न मुनेर्मतमित्यावेदितमस्माभिरुपाङ्गाभिनयाहार्याभिनयाध्याययो (८१-२२) रित्यास्ताम्।

नन्वेवं त्रितयनिष्ठो यद्यपि यत्नस्तथाप्यभिहितत्वेन किमिह वक्तव्यमित्याह **नाट्यं सत्त्व** इति। तुशब्दः सत्त्वशब्दानन्तरं द्रष्टव्यः। सात्त्विके त्वभिनये नाट्यं प्रतिष्ठितम्। रसमयं हि नाट्यं रसे चान्तरङ्गः सात्विकस्तस्मात् स एवाभ्यर्हित इति तद्गतमेव वक्तव्यं पूर्वमभिधेयमित्याशयमशेषचिरन्तना आक्षेपपूर्वकं समादधति—त्रिषूद्दिष्टेषु वक्तव्यं वागङ्गसत्त्वेषु नाट्यं प्रतिष्ठितमिति सोऽयमाक्षेपः। प्रतिसमाधानं तु यदि वागङ्गजमेव स्यात् प्रयत्नं विनापि

1. NS. सत्त्वे।

सत्त्वातिरिक्तोऽभिनयो ज्येष्ठ इत्यभिधीयते ।
समसत्त्वो भवेन्मध्यः सत्त्वहीनोऽधमः स्मृतः ।।२।।
अव्यक्तरूपं सत्त्वं हि विज्ञेयं भावसंश्रयम्[1] ।
यथास्थानरसोपेतं रोमाञ्चास्रादिभिर्गुणैः ।।३।।

सिद्धिः स्यात्, वागङ्गसत्त्वजोऽसौ सत्त्वे च नाट्यं प्रतिष्ठितम्, सत्त्वं च मनस्समाधानजम् । तस्माद्भूयसा प्रयत्नेन विना (न) सिध्यतीति । एतत्तु चोद्यसममेवोत्तरं सत्त्वस्य हि प्रयत्नाधिक्यमुपयोगीति वागङ्गयोरुपादानमलमेवेति—अलमनेत ।

ननु कोऽत्रहेतुः सत्त्वे नाट्यं प्रतिष्ठितमित्याशङ्कयाह **सत्त्वातिरिक्तोऽभिनय** इति । सत्त्वमिति सात्त्विकोऽभिनयः, तेन वागङ्गा(सत्त्वा)भिनययोर्यत्नैकत्रैवाभिनये क्रमेण युगपद्वा प्रयुज्यते तत्र परे(रं?)सात्त्विकस्या(न्य)द्वयापेक्षयाधिक्यं भवति । तत्प्रशस्यतमाभिनयक्रिया(ज्येष्ठा)भवति । सुष्ठु सम्यगभिमुखी भावं सौष्ठवं नीतो भवति रसपर्यन्तत्वात्प्रीतेरिति भावः ।

अथ सात्त्विकोऽन्यतुल्य एव, तदभिनयनं प्रशस्यं संपद्यते परमिति यावत् । यदि त्वितरापेक्षया सात्त्विको न्यूनस्तर्हि अभिनयक्रिया स्वरूपेणापूर्णा संपद्यत इत्यर्थः । सात्त्विकाभावे ह्यभिनयक्रियानामापि नोन्मीलति । अभिनयनं हि चित्तवृत्तिसाधारणतापत्तिप्राणसाक्षात्कारकल्पाध्यवसायसंपादनमिति, अत एवोक्तं सत्तवे नाट्यं प्रतिष्ठितमिति ।

अव्यक्तरूपमित्यादिकं प्रबन्धं श्रीशङ्कुकादय इत्थं नयन्ति—कस्मात् पुनः सत्त्वं प्रयत्नातिशयमपेक्षते । उच्यते—रामाद्यनुकार्यगतं भावसंश्रयं तद्भावनाप्रकर्षजं रोमाञ्चादिसंपादकं यदान्तरं नाट्यस्य सत्त्वं तदव्यक्तं अस्फुटं केवलं रोमाञ्चादिभिर्गमकत्वाद्गुणभूतैर्विज्ञेयं, अन्यथा हि सुखाद्यभावे कुत एषामुद्भव इत्यहेतुकं स्यात् । तत्र सत्त्वं भावस्य स्थाने प्रसङ्गतो यो मुख्यो रसस्तेनोपेतं, रसेनानुकार्ये च प्रकृष्टेन यत्नेन ज्ञेयं सुखादि तस्य ये रोमाञ्चादयः कार्यास्तत्त-

---

1. KSS. ज्ञेयं भावरसाश्रयम्, NS. नवरसाश्रयम् ।

त्साध्यभावे यतः सत्त्वात्प्रवर्त्यन्ते तन्मयः प्रयोगः कथं प्रकृष्टयत्नमन्तरेण सिध्येदिति तात्पर्यम् । न केवलं (प्रकृत) रोमाञ्चादावभिनये संपाद्ये नटस्य सत्त्वमुपयुज्यते यावदङ्गनानां येऽलङ्कारास्तेष्वपि । तथा हि ते तावत् कटककेयूरादिभ्योऽप्यभि विकारानयनेऽभिनयं(?)रूपलावण्यादिवत् स्तनकेशादिवच्च युवतिरियमिति प्रतीयते, न त्वभिनेयं तेषां किंचिदस्ति केवलमलङ्कारत्वमेषाम् । न च प्रयोगाभिनिविष्टत्वाद्युवतेरपि प्रयोज्यास्ते प्रयोक्तुं शक्या मनस्समाधानमन्तरेण । तत्र मनसो देहवृत्तित्वात् समाधानं सत्त्वमुपचाराद्देहात्मकम् । देहे हि मनस्समाधातव्यम्, तत्र इषद्विकारो भावः स एव प्रौढतायां तदतिशये च हावो हेला च । तथा च भावः तत्र कटकादाविव हेमः स्थितः । तत्र तु मदनानपेक्षी विकारो भावः येनाकामयमानापि तरुणी कामयमानेन लक्ष्यते, तस्यैव तु मदनापेक्षत्वेन प्रौढतायां हेलात्वमेव, यौवने क्रमादुपचीयमाने स्वात्मेन्द्रियमनःस्वास्थ्ये हावः हेला शरीरविकारः धात्वादिवैषम्यात्तु तदवसादे प्रविलय इति हेलातो भावयुक्तो भावतै (हावतै ?)वेति नानपेक्षितहेत्वन्तरा यौवनकृताः शरीरविकारा अपि प्राधान्येन वक्त्रगात्रगता गुणा इव भावा इव नाभिनयाः । किं त्वीषद्भिद्यमानैर्वागाद्यभिनयैर्मुखरागेण च संभवत्तया प्रतीता अप्रतीता अलङ्कारा उच्यन्ते । तदेतदुक्तमव्यक्तरूपमित्यादिना समाख्याता बुधैर्हेला ललिताभिनयात्मिका (२२-११) इत्यन्तेन । एतेभ्यस्त्वङ्गजेभ्योऽन्ये शीलकृता इति स्वाभाविक दश लीलाद्याः सत्त्वबलेनैव प्रयोज्याः । अन्ये तु निसर्गजेत्वेनायत्नजाः सप्त शोभाद्या उक्ताः (२२-३२) । तत्रैते शोभाद्याः स्त्रीगताः पुरुषगताश्चान्ये । सर्वे चैते अतत्स्वभावेनापि नटेन सत्त्वबलात्प्रयोक्तव्या इति बहुप्रद(र्शनविलसितं) व्याख्यातं न ग्रन्थज्ञेभ्यो रोचते ।

तथा हि—किमिदमनुकार्यं (र्यगतं ?) कवेः शिक्षार्थमुपदिश्यते, तथानुकर्तृगतं नटस्य (वा) । प्रथमस्तावद्यदि पक्षस्तदव्यक्तरूपं सत्त्वमिति सत्त्वस्य कथं प्रयोक्तरि स्थितिः, सत्त्वाद्भावः समुत्थित इति ह्युक्तम् । नटे च सत्त्वं. अनुकार्ये च भाव इति किं केन संगच्छते । स्वनुकार्ये च प्रस्तुते प्रागल्भ्यमाधुर्ये परत्र (पात्र ?) गते उच्येते इति किमेतच्च, प्रतिलव(विलय ?) क्रमेण भावहावहेलानां परस्परकार्यकरत्वं प्रथमं तावद्व्याख्यातम्, तदप्यसत् । न हि प्रतिसंहारे कारणता कार्यस्य व्यपदिश्यते । न हि पृथिव्यादिभूतानि प्रविलयतन्मात्राणां कारणानि, तानि चाहंकारस्य. सोऽपि च बुद्धेः, सा च प्रकृतेः, प्रकारो वा तदहङ्करणमिति व्यवहारः । प्रति (संहार इव) प्रकृतेः कार्यदशायामपि संभवान्न पूर्वः प्रादुर्भावः तत्कथं कार्यता तदहंकारादेः कारणत्वमेत-

अलङ्कारास्तु[1] [2]नाट्यज्ञैर्ज्ञेया भावरसाश्रयाः[3] ।

दिति चेत् सामानमेतदिहापि । यदि हि भावो हावतां प्राप्तः सोऽपि हेलात्वं च तनो हेला विलीयते । आख्यास्था दोषात् तदा हावः स्थित एव, न हेलया हेला परं कार्यकारणभावव्यवहारस्यावकाशः । किं चेते देहविकाराः प्रयत्नेन निर्वर्त्या इति (साक्षिण इति) यदुच्यते तस्मिन्नाट्यस्य संसारे नाम तदस्ति यत्प्रयत्नेन निर्वर्त्या इति सात्त्विकाद्वैतम् । किं च विभावानुभावव्यभिचारिव्यतिरिक्तमपि यद्यत्रोपयोगि संभवति तद्वृथैव प्रतिज्ञातं तत्संयोगाद्रसनिष्पत्तिरिति, गीतातोद्यरङ्गादिबलेनेदं व्यवस्थितं सामान्याभिनय इत्यभिधानात् अनभिनयवत्त्वे चास्य सत्त्वनिर्वर्त्यस्यापि को नाट्ये उपयोगः, कथं च सामान्याभिनयेनेत्यपरामृष्टाभिधानम् । एतत्सर्वं मुनिमताननुप्रविष्टैः परं श्रद्धीयते नामेत्यास्तां तावत् ।

प्रकृतव्याख्यानमुच्यते—इहोक्तं सत्त्वे नाट्यं प्रतिष्ठितं तेन सात्त्विकभावानुनयो वक्तव्यः तस्य च किंचिदुक्तमिति दर्शयति **अव्यक्तरूपं सत्त्वं हि विज्ञेयमिति** । इह चित्तवृत्तिरेव संवेदनभूमौ संक्रान्ता देहमपि व्याप्नोति । सैव च सत्त्वमित्युच्यते । तत्र चाव्यक्तं संवित्प्राणभूमिद्वयानिपतितं यत्सत्त्वं तद्भावाध्यायसंश्रयत्वेनैव विज्ञेयम् । तस्य च ये गुणा देहपर्यन्ततां प्राप्ता घर्मरोमाञ्चादयः तेऽपि तत्रैवोक्ताः किंचित् । यथास्थानमिति यस्य रसस्य यत् स्थानं, तद्यथा शृङ्गारस्य (उत्तमौ) स्त्रीपुंसौ. रौद्रस्य रक्षोदानवादिः, भयानकस्याधमप्रकृतिः. तदनतिक्रमेण रसेषूपेतं सम्बद्धं तत्सत्त्वम् । भावशब्देनात्र भावाध्यायः(उक्तः) ।

एतदुक्तं भवति—चित्तवृत्तिरूपं यत्सत्त्वं तद्भूकायसंक्रान्तप्राणदेहधर्मतावशाद् भवदपि भावाध्याये रसाध्याये च वितत्य निरूपितमिति पुनः किं तदभिधानेन ।

किं तस्य भूसत्त्वस्य रूपं वक्तव्यमित्याह **अलङ्कारास्तु नाट्यज्ञै**रित्यादि । अयमभिप्रायः—संवेदनरूपात्प्रसृतं यत्सत्त्वं तद्विचारितम् । अन्यत्तु देहधर्मत्वेनैव स्थितं सात्त्विकं, यतः सात्त्विकेष्वेवोत्तमेषु दृश्यते, तत्र स्त्रीणामुत्तमत्व

---

1. NS. च ।
2. NS. सत्त्वस्था ।
3. NS. समाश्रयाः । KSS नाट्यरसाश्रयाः ।

यौवनेऽभ्यधिकाः[1] स्त्रीणां विकारा वक्त्रगात्रजाः ॥४॥

श्रृङ्गाररसपर्यन्तमेव, पुरुषाणां तु वीररसविश्रान्तम् । शान्तस्तु प्रधानत्वेन न प्रयोगार्ह इत्युक्तप्रायः । स्त्रीगतेन श्रृङ्गारेण पुरुषनिष्ठेन वीरेण च सार्वलौकिकः पुमर्थो व्याप्तः । न च सत्त्वमयमुत्तमस्त्रीरूपं विमुच्यान्यत्रामी चेष्टालङ्कारा विनिवेशं लभन्ते (न) सात्त्विकास्तावद्राजसतामसशरीरेष्ट्वसंभवात् । चण्डालीनामपि रूपलावण्यसंपदो दृश्यन्ते, ननु चेष्टालङ्कारास्तासामपि भवन्त उत्रमतामेव सूचयन्ति स्ववर्गापेक्षया वा संपदंभ्रशादिना । एतदुक्तं भट्टतोतेन—न चालङ्कृतीनामत्र लक्षणं महदाश्रयमिति—ते च दृष्टाः सन्तः उत्तमेयं श्रृङ्गारसमुचितेति विभावादिसुविवेकविहीनं व्यभिचारिरूपदशान्तरसंस्पर्शशून्यं विशेषविरहितमेव सामान्यरूपं श्रृङ्गारमभिनयति(न्ति?), सामान्याभिनया न तु लावण्यादिवदनभिनेया एव(वं?) शरीरविकारा अनुभावा एव तेन विभावानुभावव्यभिचारिसंयोगादित्येवमेवैतत् । एवं पुरुषगता अपि शोभादय उत्साहप्रकृतिरयमित्येतावन्मात्रं गमयन्तः सामान्याभिनया एव । किं च यत्किंचिदङ्गनानां श्रृङ्गारोचितं चेष्टितमभिनीयते तत्रैव चेष्टालङ्कारा अवश्यमभिनेया इति सामान्यवत्सर्वावस्थानुयायित्वेनाभिनीयत इति (च) सामान्याभिनया एव प्रधानपुरुषस्य शोभादयः, तथैते वागङ्गसत्त्वाहार्याणि स्वभेदसहितानि यथासंभवं संभूयाभिप्रविष्टानि यथा किलिकिञ्चिते विच्छित्तौ विभ्रमे चेति सामान्याभिनया वागङ्गाहार्ययोगेऽपि च सत्त्वप्रधानतया सात्त्विका इत्युक्ताः ।

एवं तैरेव सामान्याभिनयैः प्रधानप्रमदापुरुषद्वारेण विश्वमेव व्याप्तम् । ते चात्राध्याये वक्तव्याः, तदाह—**अलङ्कारा**स्त्वति तुर्व्यतिरेके, अन्ये भावाध्यय एवोक्ताः, एते तु वक्तव्याः ते तु तत्र नोक्ताः । यत एते केवलमलंकारा देहमात्रनिष्ठाः, न तु चित्तवृत्तिरूपाः । **भावसंश्रया** इति रतिभावमात्रमभिनयन्तीत्यर्थः । ते हि यौवने उद्रिक्ता दृश्यन्ते बाल्ये त्वनुद्भिन्ना वार्धके तिरोभूताः । यदाह—

यावन्त एते तरुणीजनस्य भावाः समं कुट्टमितादयोऽपि ।
रात्रावदृश्यानिव तान्घटादीन्कामप्रदीपः प्रकटीकरोति ॥ इति ॥

---

1. KSS. ह्यधिकाः ।

आदौ त्रयोऽङ्गजास्तेषां[1] दश स्वाभाविकाः परे[2] ।

अयत्नजाः [3]पुनः सप्त रसभावोपबृंहिताः ॥५॥

[4]देहात्मकं भवेत्सत्त्वं सत्त्वाद्भावः समुत्थितः ।

भावात्समुत्थितो हावो हावाद्धेला समुत्थिता ॥६॥

वक्त्रगात्रजा इति देहविकारमात्ररूपा एव परं न हि यथा बाष्पादीनामन्तःप्राणभुवि कण्ठरोधादिरूपं लक्ष्यते, तथा चेष्टालङ्काराणाम् गात्राणि(वक्षोनितम्बा)दीनि, वक्त्रं प्राधान्यात् पुनरुपात्तम् । तत्र देहविकाराः केचन क्रियात्मका अपि ते च प्राग्जन्माभ्यन्तरिता भावसंस्कारमात्रेण सत्त्वोद्बुद्धेन देहमात्रे सति भवन्ति, त एवाङ्गजा उच्यन्ते, तथा भावो हावो हेला च । अन्ये त्वद्यतनजन्मसमुचितविशिष्टविभावानुप्रवेशस्फुटीभवद्रतिभावानुविद्धे देहे परिस्फुरन्ति । ते स्वाभाविकाः स्वस्माद्रतिभावात् हृदयगोचरीभूताद् भवन्तीति तथा कस्याश्चित् कश्चिदेव स्वभावबलाद् भवति, अन्यस्या अन्यः, कस्याश्चित् द्वौ त्रय इत्यादि, अतोऽपि स्वाभाविकाः ।

भावहावहेलास्तु सर्वा एव सर्वास्वेव सत्त्वाधिकासूत्तमाङ्गनासु भवन्ति । तथा शोभादयः सप्त । एवमङ्गजाः स्वाभाविकाश्च क्रियाजन्मानः, अन्ये तु गुणस्वभावाः शोभादयः ते चायत्नजाः । यत्नजाताः क्रियात्मका उच्यन्ते, (इच्छानां) यत्नस्ततो देहक्रियेति हि पदार्थविदः । ततोऽन्येऽयत्नजाताः । तदेतदाह —आदौ **त्रयोऽङ्गजा** इति । तेषामलङ्काराणां मध्ये । **आदा-**

---

1. KSS. प्रोक्ताः ।
2. NS. तथा ।
3. KSS., NS. तथा ।
4. इतः प्रभृति श्लोकपञ्चकस्य पाठक्रमो विभिन्नपुस्तकेषु भिन्नतया दृश्यते ।

[1]हेला हावश्च भावश्च परस्परसमुत्थिताः ।
सत्त्वभेदे भवन्त्येते शरीरे प्रकृतिस्थिताः ॥७॥
वागङ्गमुखरागैश्च सत्त्वेनाभिनयेन च ।
कवेरन्तर्गतं भावं भावयन्भाव उच्यते ॥८॥

विति प्राच्यवासनानुविद्धदेहमात्रप्रभवित्वात् पूर्वमेव भवन्तीति यावत् । भावोपबृंहिता इत्युभयशेषः । स्वाभाविका अयत्नजा स्वरतिभावेन प्राणिता भवन्ति । (अनुमति) पुनरिति सत्त्वानां, पुस्तचित्रालेख्यालिखितानामेव नैते भवन्ति । तत्र त्रयाणां तावदुपक्षेपकर्तृ पीठबन्धमाह **देहात्मकं भवेत्सत्त्वमिति** । शरीरस्वभावं तावत्सत्त्वं संभाव्यते उत्तमशरीरतां प्राप्तमित्यर्थः । ततो भावः ततोऽपि हावः तस्मादपि हेला । एवं तीव्रतरसत्त्वे देह एव । यदा तु तथाविद्धं सत्त्वं न भवति तदा प्राक्तनरतिवासनोत्थं अत्र सहकार्यन्तरमपेक्षणीयं वर्तत इति दर्शयति—

हेला हावश्च भावश्च परस्परसमुत्थिताः ।
सत्त्वभेदे भवन्त्येते शरीरे प्रकृतिस्थिताः ॥ इति ॥

एकश्चशब्दोऽपिशब्दार्थे, अपरः समुच्चये । प्रत्येकं हि समुच्चये द्योत्ये तृतीयोऽपि चः पठितव्यः स्यात् । तदयमर्थः—प्र(कृ)तिस्थिताः देहस्वभावमात्रापेक्षा अप्येते परस्परसमुत्थिता भवन्ति । तथा हि—कुमारीशरीरे प्रौढतमकुमार्यन्तरगतहेलावलोकने सति हावोद्भवो भावश्चेदुल्लासितपूर्वः, अन्यथा हि भावस्यैवोद्भवः । एवं हावेऽपि दृष्टे भावो हेला वा । यदा तु हावावस्थोद्भिन्ना पूर्वं परत्र च हेला दृश्यते तदा हेलातोऽपि हेला । एवं हावाद्धावो भावाद्भाव इति च वाच्यम् । एवं परकीयभावादिश्रवणात् तथाविधेयाभिधेयरमणीयकाव्याकर्णनादेरपि हेलादीनां प्रबोधो भवतीति मन्तव्यम् । एतदन्योन्यसमुत्थितत्वम् ।

ननु यद्येते प्रकृतिस्थितास्तत एवाङ्गजास्तत्किमन्यापेक्षणेनेत्याह (वागङ्गेत्यादिना) । वागङ्गमुखरागेणेत्यादिपाठः परं भावाध्यायश्लोको नास्य तुल्यो-

1. KSS., NS. च भावो हावश्च हेला च ।

[भावस्यातिकृतं सत्त्वं व्यतिरिक्तं स्वयोनिषु ।
नैकावस्थान्तरकृतं [1]भावं तमिह निर्दिशेत्] ॥९॥
तत्राक्षिभ्रूविकाराढ्यः शृङ्गाराकारसूचकः[2] ।
सग्रीवारेचको ज्ञेयो हावः[3] स्थितसमुत्थितः ॥१०॥

ऽर्थस्त्वन्य एव, न तु श्रीशङ्कुकेनार्थं(र्ध ?) एकार्थं मन्तव्यम् । एवं चित्तवृत्ति-लक्षणं देहधर्मस्येति सर्वसंमतम् । तस्मादयमर्थः—वागङ्गमुखरागैः सत्त्वेन च लक्षितो भावः वागङ्गसत्त्वविशेष एव बालिकाया भाव इत्युच्यत इत्यर्थः । किमपि विशेषो नेत्याह । किं तदन्तर्गतं वासनात्मतया वर्तमानं रसाख्यं भावं भावयन्सूययन् किं सर्वस्य नेत्याह कवेः सूक्ष्मसूक्ष्मानपि योऽर्थान् पश्यति तस्य सहृदयस्येत्यर्थः ।

एतदुक्तं भवति—उत्तमाधमरूपे कुमारीद्वितये व्यवहरति (एकायाः) वाक् स्पन्दते चक्षुरादिव्यापारः क्रीडनकावहारखेदजनितमुखवैवर्ण्यं बाष्पादि च पश्यतः हृदयस्य भवति तावद्विशेषोल्लासिनी अभिनयजनितेवानुमातृरूपा अपि तु विशेषाध्यवसायिनी मतिः, महतीयं काचिन्नायिकाभविष्यतीति । तथाविधं यद्वागादेरान्तररतिवासनासद्भावसमुपनतं किंचिद्विशिष्टरूपत्वं स देहविकारविशेषो भावः । चशब्द एक इवशब्दार्थे, अभिनयतुल्यो वागादिभिर्लक्षितो भाव इत्यर्थः ।

तत्रेति तत्पुरत एव (उत्तमाङ्गना) पात्रलक्षणेन चोद्भ्रूनारकचिबुकग्रीवादेः सातिशयो विकाररूपो धर्मः, अत एव शृङ्गारोचितमाकारं सहृदयासहृदयसर्वजनहृदयं सूचयतीति । हावः—एष हि स्वचित्तवृत्ति परत्र जुह्वतीं ददतीं ता कुमारीं ह्वावयति । **स्थितसमुत्थित** इति स्थितः स्वयं समुत्थितः स्वेत्यु(स्वतः?) द्भिद्योद्भिद्य विश्राम्यन् हावः, स तु प्रसरणैकधर्मकः, तथा हि हेला स्यात्, अत एवायं सुकुमारपरिकरसब्रह्मचारीति दर्शितम् । हावावस्थायां यत्स्वयं रतेः प्रबोधनं न मन्यते केवलं तत्संस्कारबलात्तथाविकारान् करोति । यैर्दृष्टा तथा कल्पयति । यदा तु रतिवासनाप्रबोधात्तां प्रबुद्धां रतिमभिमयन्ते केवलं

1. KSS., NS. हावं ।
2. KSS., NS. रससूचकः ।
3. KSS., NS. भावः ।

[1]यो वै हावः स एवैषा शृङ्गाररससंभवा ।
समाख्याता बुधैर्हेला ललिताभिनयात्मिका ॥११॥

समुचितविभावोपग्रहविरहान्निर्विषयतया स्फुटीभावं न प्रतिपद्यते तदा तज्जनितो देहविकारविशेषो हेला। 'हिल भावकारण' इति (धातुपाठे) पठ्यते। भावस्य संवन्धादिति या प्रसरता वेगवाहित्वमित्यर्थः। वेगेन गच्छत् हेलतीत्युच्यते लोके। तदाह शृङ्गारेति। शृङ्गाररसो रतिः ततो हृदये स्थिता या हेला संभवतीत्यर्थः। तथा शृङ्गारस्य रस(स्य?) मानतायां यादृक्साधारणमिव रूपं तस्य संभवः संभावना या स्यात् सामाजिकशृङ्गार रसास्वादसदृशरूपैव संभावना चमत्कारमात्रप्राणा। तथा हि तस्या यावद्विषयार्जनं किंचिदवभाति विभावविशेषापरिस्फुरणादिति वरसुन्दर (रूपोत्कीर्ण) ग्रावकल्पशैशवदशोत्तीर्णतारुण्योन्मीलना अत एव ललिता चेष्टा अभिनयरूपतामिव अस्यां विकारावेशातिशयवशात् न प्रतिलभते। क्रमेणोदाहरणान्येषाम्—

उत्तालालकभञ्जनानि कबरीभारोऽथ शिक्षारसो
दन्तानां परिकर्म नीविनहनं भ्रूलास्ययोग्याग्रहः।
तिर्यग्लोचनवलिगतानि वचसां छेकोक्तिसंक्रान्तयः
स्त्रीणां म्लायति शैशवे प्रतिकलं कोऽप्येष केलीक्रमः॥(विद्ध१)

स्मितं किंचिन्मुग्धं तरलमधुरो दृष्टिविभवः
परिस्पन्दो वाचामभिनयविलासोक्तिसरसः।
गतानामारम्भः किसलयितलीलापरिकरः
स्पृशन्त्यास्तारुण्यं किमिव हि न रम्यं मृगदृशः॥

कुरङ्गीवाङ्गानि स्तिमितयति गीतध्वनिषु यत्
सखीं कान्तोदन्तं श्रुतमपि पुनः प्रश्नयति यत्।
अनिद्रं यच्चान्तः स्वपिति तदहो वेद्म्यभिनवां
प्रवृत्तोऽस्याः सेक्तुं हृदि मनसिजः प्रेमलतिकाम्॥

1. KSS., NS. य एव भावाः सर्वेषां शृंगाररसंश्रया।

लीला विलासो विच्छित्तिर्विभ्रमः[1] किलिकिञ्चितम्[2] ।
मोट्टायितं कुट्टमितं बिब्बोको ललितं तथा ॥१२॥
विहृतं चेति विज्ञेया दश स्त्रीणां स्वभावजाः ।
[3]पुनरेषां स्वरूपाणि प्रवक्ष्यामि पृथक्पृथक् ॥१३॥
वागङ्गालङ्कारैः श्लिष्टैः प्रीतिप्रयोजितैर्मधुरैः ।
इष्टजनस्यानुकृतिर्लीला ज्ञेया प्रयोगज्ञैः ॥१४॥
स्थानासनगमनानां हस्तभ्रूनेत्रकर्मणां चैव ।
उत्पद्यते विशेषो यः श्लिष्टः स तु विलासः स्यात् ॥१५॥

अत्र हि भावान्तर्गतरतिप्रबोधमात्रमुक्तम् । न त्वभिलाषः श्रृङ्गार इति मन्तव्यम् । तत्पर ब्राह्मणस्योपनयनमिव भविष्यत्समस्तपुरुषार्थसद्मपीठ-बन्धत्वेन योषितां परमो ह्युत्सवः लोकोत्तरोऽलङ्कारः सातिशयमानन्दस्थानं परं पवित्रमित्युपश्रूयते । यद्यपि चैते पुरुषस्यापि भवन्ति तथापि योषितां त एवालङ्कारा इति तद्नतत्वेनैव वर्णिताः । पुंसस्तूत्साहवृत्त्यात एव परमा-लङ्काराः, तथा च सर्वेष्वेव नायकभेदेषु धीरत्वमेव विशेषणतयोक्तम् । तदाच्छादितास्तु श्रृङ्गारादयः धीरललित इत्यादौ ।

एवं त्रीनङ्गजान् व्याख्याय स्वाभाविकान्दशोद्दिशति **लीला विलास** इत्यादिना । विशिष्टविभावलाभे रतौ सविशेषत्वेन स्फुटीभूतायां तदुपबृंहण-कृता देहविकारा लीलादयः शाक्याचार्यराहुलकादिभिर्यन्मतं विशेषसौक्ष्म्या-दनुपलक्ष्य हेलाहावादीन् लीलादिमध्य एव पठद्भिश्चेष्टैवालङ्काराभूतेति, एतावन्मात्रे विश्रम्य सामान्येन चेष्टा अलङ्कार इति, तदयुक्तम् ।

अत्रैषां दशानां क्रमेण लक्षणान्याह **वागङ्गालङ्कारै**रिति । प्रियतमगतैः प्रीत्या तं प्रति बहुमानातिशयेन स्वात्मनि योजितैः मधुरैः सुकुमारैः न तु तदी-

1. KSS. विक्रमः ।
2. KSS., NS. किञ्चितः ।
3. KSS. अलंकारास्तथैवेषां लक्षणं श्रृणुत द्विजाः ।

माल्याच्छादनभूषण विलेपनानामनादरन्यासः।

स्वल्पोऽपि परा[1] शोभां जनयति[2] यस्मात्तु विच्छित्तिः ॥१६॥

यैरेवोद्धतैः मधुरैरपि विशिष्टैः न तु कल्पितत्वेनाभिमानैः अत एवानुकृतिनोद्घट्टकरूपेणाविकृतं(तः?) बहुमानः स्वात्मनि तत्स्वात्मीकरणेन। एते च दश प्राप्तसंभोगत्वेऽपि भावयन्त्येव। शोभादयस्तु सप्त भाविनोप्राप्तसंभोगतायामेव। एतान् लीलादीन् कवयो लोकवाचोऽत्र कीदृशा साङ्कर्येण प्रयुञ्जते। यथा—"गतेषु लीलाञ्चितविभ्रमेषु" (कुमा -३३) इति। 'तत्रोपचारोऽन्वर्थत्वं लौकिकी प्रसिद्धिर्वा प्रमाणीकर्तव्या। तन्त्रज्ञैरेवं पठितव्यम्—"गतेषु लीलाञ्चितसुन्दरेषु" इति, तदसदिति भट्टेन्दुराजशिष्याः, यतो ये लीलाविभ्रमप्रभृतयो भविष्यन्त्यस्तदुचिततया तदानीं शिक्ष्यत इव। व्याहृत्य नीयते स हि (अभिनय) प्रयोगकालो लीलादेरिति विनयस्य तु राजहंसकर्तृत्वमुत्प्रेक्ष्यते।

स्थानासनेति स्थानमूर्ध्वता, आसनमुपविष्टता।

स्थानकादावप्रयत्नशिक्षितमपि शृङ्गारबलादुपनीय तद्रूपं विलासः, श्लिष्ट इत्यनुल्बणम। यथा—

बाले डअंणस्सु विमण्णमआसणु(?)—इत्यादौ।

स्वल्पोऽपि परामित्यल्पतयैव परां शोभां जनयति सौभाग्यगर्वमहिमा ह्यसौ। यथा—

कच उपरबभउ ससर इसिणिअत्थ(?)—इत्यादौ।

यत्तु "सरसिजमनुविद्धं शैवलेनापि रम्यं (शाकु)—इत्युदाहृतं तदसत्। न ह्यत्रानादरन्यासः सौभाग्यगर्वकृतः, अपि तु तपस्विसमुचितवेषपरिग्रहणप्रायमित्यलम्।

विविधानामिति योगो भेदः तेन वागादिभेदेन बहुभेदानां च बहूनां च (अर्थानां) योऽन्यथा निवेशः पूर्ववत्सौभाग्यगर्वकृतः (स) विभ्रमः, तद्यथा, वचनेऽन्यथावक्तव्येऽन्यथाभाषणम्, हस्तेनादातव्ये पादेनादानम्, रशनायाः

1. KSS. अप्यधिकां।

2. KSS. या सा तु।

विविधानामर्थानां वागङ्गाहार्यसत्त्वयोगानाम्[1] ।

मदरागहर्षजनितो [2]व्यत्यासो विभ्रमो ज्ञेयः[3] ॥१७॥

[4]स्मितरुदितहसितभय[5]हर्षगर्वदुःखश्रमाभिलाषाणाम् ।

सङ्करकरणं हर्षादसकृत् किलकिञ्चितं ज्ञेयम् ॥१८॥

कण्ठे न्यासः इत्यादि । मद्येन कृतो रागः प्रियतमं प्रत्येव बहुमानो हर्षः। सौभाग्यगर्वो यथा--

चिरिअ बन्धिअ निच्चिप्पटणिच्चिअ तद्धजम्म अदेसि सहि ।

सोहग्गमत्थि एक्कें चिअरिअ किप्पिण (वेण) णाहिणं वद्द(?) ॥

स्मितरुदितहसितेति सङ्करेण संकीर्णतया हर्षाद्गर्वाद्यत्संकरणम् । यथा---

मह···तिमललमकलति हलहलन्ति सप्पदिओ

(व) ल्लवच्चर इव इ अणेकत्ति(?) इत्यादौ ।

अत्र हि गर्वश्रमदुःखस्मितरुदितहसितानि देशीपदैः क्रमेणोक्तानि ।

इष्टजनस्येति कथने दर्शने वा कान्तस्य यदुत्पद्यते योषितो लीलादि तद्भाव-भावनवशान्मदनाङ्गमर्दपर्यन्तं तदङ्गमोडनान्मोट्टायितम् । यथाह—

सिइऊणथणसक्कियहत्थऊरू ।—इत्यादौ ।

केशस्तनाधरग्रहणादिति प्रियतमेनेति शेषः । यथा—

देशिखणंमि णअथणहिअइआपडि अपुणहे तिहिं अज्ज—

णहरग्गस उकि किं दुरपसमहणाहलबंधाहिं । इत्यादौ ।

---

1. KSS., NS. युक्तानाम् ।
2. NS. योऽतिशयो विभ्रमः स मतः ।
3. KSS. नाम ।
4. NS. स्मितहसितरुदित ।
5. KSS. रोगमोहदुःखसमाभिषङ्गानां NS. बहुदुःखगर्वश्रमाभिलाषाणाम् ।

इष्टजनस्य कथायां चीलाहेलादिदर्शने वापि[1] ।
तद्भाव[2] भावनाकृतमुक्तं मोट्टायितं नाम[3] ॥१९॥
केशस्तनाधरादिग्रहणादति[4] हर्षसंभ्रमोत्पन्नम् ।
कुट्टमितं विज्ञेयं सुखमपि दुःखोपचारेण ॥२०॥
इष्टानां भावानां प्राप्तावभिमानगर्वसंभूतः ।
स्त्रीणामनादरकृतो बिब्बोको नाम विज्ञेयः ॥२१॥
हस्तपादाङ्गविन्यासो भ्रूनेत्रोष्ठप्रयोजितः ।
सौकुमार्याद्भवेद्यस्तु ललितं तत्प्रकीर्तितम्[5] ॥२२॥
[करचरणाङ्गन्यासः सभ्रूनेत्रोष्ठसप्रयुक्तस्तु ।
सुकुमारविधानेन स्त्रीभिरितीदं स्मृतं ललितम्] ॥२३॥
वाक्यानां प्रीतियुक्तानां प्राप्तानां यदभाषणम् ।
व्याजात्स्वभावतो वापि विहृतं नाम तद्भवेत् । २४॥

इष्टानामिति वस्त्रालङ्कारादीनामिति अनादरकृत इति तद्विषय एवयोऽनादरकृतस्तद्वहुलम् (बिब्बोकम् ?) । यथा—चन्दघसि नामकोप्पेस स तु किं दु आविलं उइआ को चण्ड । इत्यादौ ॥

हस्तपादाङ्गविन्यास इति कर्तव्यवशादायत एव हस्तादिकर्माणि यद्वैचित्र्यं स विलासः। ललिते तु यत्र बाह्यव्यापारयोग एव न किंचिदस्ति नादातव्यबुद्धिः । अथ च सुकुमारकरव्यापारणं न दुष्टस्य किंचित्, अथ च तारादिकर्मेति विशेषः । यथा—

---

1. KSS. दर्शनेनापि । NS. दर्शने चापि ।
2. KSS., NS. भावनकृतं ।
3. NS. इत्यभिख्यातम् ।
4. NS. ग्रहणेप्यति । KSS. ग्रहणेष्यति ।
5. KSS., NS. Omit this verse.

[प्राप्तानामपि वचसां[1] क्रियते यदभाषणं ह्रिया स्त्रीभिः ।
व्याजात्स्वभावतो वाप्येतत्समुदाहृतं विहृतम् ॥]२५॥

शोभा कान्तिश्च दीप्तिश्च तथा माधुर्यमेव च ।
धैर्यं प्रागल्भ्यमौदार्यमित्येते स्युरयत्नजाः ॥२६॥

रूपयौवनलावण्यैरुपभोगोपबृंहितैः ।
अलङ्करणमङ्गानां शोभेति परिकीर्तिता[2] ॥२७॥

विज्ञेया च तथा कान्तिः शोभैवापूर्णमन्मथा ।
कान्तिरेवातिविस्तीर्णा दीप्तिरित्यभिधीयते ॥२८॥

सर्वावस्थाविशेषेषु दीप्तेषु ललितेषु च ।
अनुल्बणत्वं चेष्टाया माधुर्यमिति संज्ञितम् ॥२९॥

कि अणि लोपललविअरुपकिसरि इचच्चा ए स बहुमजात्ति···भराबहुखिसिदुपुणाखिललविलूण अ अणललहिखणु अ ॥ इत्यादि ।

अन्ये तु 'लड विलास' इति (धातु)पाठं प्रमाणयन्तो विलासमेव सातिशयं ललितसंज्ञं मन्यन्ते ।

वाक्यानां प्रीतियुक्तानामिति । प्राप्तानामित्यवसरलाभेन कथने योग्यानामित्यर्थः । **स्वभावत** इति मौग्ध्याद्बाल्यादन्यचित्तत्वाद्वा ।

व्याजादिति । व्याजादिभिर्मौग्ध्यादिभिः प्रख्यापनातिशयेनेत्यर्थः । तत्प्रख्यापनमपि कासांचित् स्वभाव एव । यथा कविभिस्तु······ लिललिकरन्ति अ इन्छिहि पुणच्छ मरणुकरन्ति अ—इत्यादौ ।

अथायत्नजा इति । **शोभाकान्तिरित्यादि** । एषां क्रमेण लक्षणानि । **रूपयौवनलावण्यैरिति** । तान्येव रूपादीनि पुरुषेणोपभुज्यमानानि छायान्तरं

---

1. KSS. वचनं ।
2. KSS. यत् सा **शोभेति** भण्यते ।

चापलेनानुपहता सर्वार्थेष्वविकत्थना ।
स्वाभाविकी चित्तवृत्तिर्धैर्यमित्यभिधीयते ।।३०।।

प्रयोगनिस्साध्वसता प्रागल्भ्यं समुदाहृतम् ।
औदार्यं प्रश्रयः प्रोक्तः सर्वावस्थानुगो बुधैः ।।३१।।

श्रयन्ति । सा च्छाया मन्दमध्यतीव्रत्वं क्रमेण संभोगपरिशीलनादाश्रयति शोभां कान्ति दीप्ति चेत्यर्थः । **आ** समन्तात् **पूर्णो मन्मथ** इति कामोपभोगो हेतुर्यस्याः सा इत्यर्थः । अन्यस्तु (अ)पूर्णमन्मथेति व्याचक्षाणः कान्तिदीप्तिशोभानां क्रमेण सातिशयत्वमाह । तच्चोपक्रमविरुद्धमित्युपाध्यायाः ।

दीप्तेष्विति क्रोधादिषु । **च**शब्द इवार्थे ललितेषु रति क्रीडादिषु यथा-मासृण्यं चेष्टायास्तथा दीप्तेष्वपि यत्तन्माधुर्यम् ।

सर्वार्थेष्विव रूपयौवनादिषु वर्गत्वाच्चेयं क्रिया रूपेभ्यः पृथगेव धीरता पठिता । **प्रयोग** इति कामकलादौ चातुःषष्टिक इत्यर्थः । यथाहुः—

अन्यदा भूषणं पुंसः शमो लज्जेव योषितः ।
पराक्रमः परिभवे प्रागल्भ्यं सुरतेष्विव ।। इति ।

यस्त्वनुकर्तृविषयमेतदित्यन्यैर्व्याख्यातं तत्पूर्वमेव दूषितम् । सर्वास्वमर्षेर्ष्या-क्रोधाद्यवस्थास्वपि यत्परुषवचनाद्यनुदीरणं तदौदार्यम् । चित्तवृत्तिस्वभावा अपि केचिदेते विभावजन्यत्वाभावाद् भाववर्गे न पठिताः रसान् प्रति भाव-कत्वाभावाच्च (इत्याहुः) । तच्चैतदयुक्तम् । शोभाकान्तिदीप्तयः ता बाह्यरूप-लावण्यगता एव विशेषाः आवेगचापलत्रासामर्षा भावा एव । माधुर्याद्या न चित्तवृत्तिस्वभावा इति क एषु भावत्वाशङ्कावकाशः इत्यभावोऽपि भावान्तर-तया तद्विशेषणतया प्रतिभासगोचर इति अतो भावरूपतैवेति चेदस्तु नामैवम् । तथाप्यलङ्कारत्वात्, सायान्याभिनयरूपत्वात्, बाह्यशरीरनिष्ठतापर्यवसानात्. शृङ्गारैकमात्रविषयत्वाच्च, अशेषरसविषयत्वात्, व्यभिचारिवर्गात् पृथक्त्वेनैषा-मभिधानम् ।

(न च) एतावत एवेत इत्यत्र नियमो विवक्षितः । तेन मौग्ध्यमदभावविकृतपरितपनादीनामपि शाक्याचार्यराहुलादिभिरभिधानं* विरुद्धमित्यलं बहुना ।

---

* अत्र रामकृष्ण कविना राहुलादिभिरिति, आदिशब्देन पद्मश्रीसागरनन्दिमातृगुप्तप्रभृतये गृहीताः तन्मते **मौग्ध्यं यथा**—

बाल्ये गते वचोभङ्गी रामाणां कान्तसन्निधौ ।
हारिमोक्तिमयी या तु तन्मौग्ध्यं परिकीर्तितम् ।।

मदो यथा—

तारुण्यातिशयोद्भूतः सुरापानविशेषितः ।
विकारबहुलो यस्तु तं वदन्ति मदं बुधाः ।।

भावो यथा—

कान्तस्य दृष्टिपथतस्तिरोधातुमिवेच्छति ।
लज्जयाधोमुखी मुग्धातिर्यग्विक्षिप्तलोचना ।।
प्रियं पश्यत्यतिशयजातरोमाञ्चकञ्चुका ।
तत्क्षणोद्भूतमदनाचार्यशिक्षोपदेशतः ।।
यत्तस्यां जायते चेष्टा स भावः शाक्यसंमतः ।

विकृतम्—

वचसा प्रातकालेऽपि प्रियया नाभिधीयते ।
क्रियया यदनुष्ठानं विकृतं तदुदाहृतम् ।।

परितपनम्—

क्षणमात्रमदृष्टे या प्रिये सन्तापसन्ततिः ।
विरहोत्थेव कामिन्याः परितापः स कथ्यते ।।

आदिशब्देन विक्षेपकेलिव्वाजप्रतिभेदनादय ऊह्याः ।

[1]सुकुमारा भवन्त्येते प्रयोगे ललितात्मके[2]।
विलासललिते हित्वा दीप्तेऽप्येते[3] भवन्ति हि ॥३२॥
शोभा विलासो माधुर्यं स्थैर्यं गाम्भीर्यमेव च।
ललितौदार्यतेजांसि सत्त्वभेदास्तु पौरुषाः ॥३३॥
दाक्ष्यं शौर्यमथोत्साहो नीचार्थेषु जुगुप्सनम्।
उत्तमैश्च गुणैः स्पर्धा यतः[4] शोभेति सा स्मृता ॥३४॥
[5]धीरसंचारिणी दृष्टिर्गतिर्गोवृषभाञ्चिता।
स्मितपूर्वम[6]थालापो विलास इति कीर्तितः ॥३५॥
अभ्यासात्करणानां तु श्लिष्टत्वं यत्र जायते।
महत्स्वपि विकारेषु तन्माधुर्यमिति स्मृतम् ॥३६॥
धर्मार्थकामसंयुक्ताच्छुभाशुभसमुत्थितात्।

अथैषां सामान्याभिनयत्वमुपपादयितुमाह **सुकुमारे भवन्त्येत** इति। **ललितात्मके प्रयोगे** प्रयुज्यमाने शृंगारे यः सुकुमारोऽन्योन्योपसंभोगविप्रलम्भादि भेदः। तत्र सर्वत्रैते न भवन्ति। न ह्येतच्छून्यमङ्गानां चेष्टितं प्रयोगार्हम्। योऽपि तत्र शृंगारे ईर्ष्यामर्षदीप्तिप्रकारस्तत्रापि विलासं ललितं च वर्जयित्वा अवश्यमन्येषां क्रमयौगपद्यादिना संभव इति शृंगारभेदेषु साधारणभूतो योऽभिनयस्तेन सामान्याभिनयतास्य युक्तेति तात्पर्यम्।

अथ पुरुषगतानुद्दिश्य लक्षयति **शोभा विलास** इत्यादि। यतः शरीरविकाराद् दाक्ष्यादि गम्यते सा शोभेति संबन्धः। गोवृषभः उत्तमा गौः।

महत्स्वपि विकारेष्विति युद्धनियुद्धव्यायामादिष्वभ्यासकृतं, करणानां करचरणादिक्रियाणां श्लिष्टत्वं अनुल्बणत्वं यत्र शरीरविकारो स माधुर्यम्। नटगतमेतदिति त्वसत् प्रक्रमविरोधात्, प्रयोक्तृगुणानां च प्रकृत्यध्याये भूमिकाविकल्पाध्याये च (अ ३५, ३६) वक्ष्यमाणत्वात्।

---

1. GOS. सुकुमारे।
2. KSS. ललितालके।
3. KSS., NS. अप्येते।
4. KSS., NS. यत्र।
5. KSS. स्थिर NS. वीर।
6. KSS. तथा वाचो

[1]व्यवसायादचलनं स्थैर्यमित्यभिसंज्ञितम्[2] ॥३७॥
यस्य प्रभावादाकारा हर्षक्रोधभयादिषु[3] ।
भावेषु नोपलक्ष्यन्ते[4] तद्गाम्भीर्यमिति स्मृतम्[5] ॥३८॥
अबुद्धिपूर्वकं यत्तु निर्विकारस्वभावजम्[6] ।
शृङ्गाराकारचेष्टत्वं ललितं तदुदाहृतम्[7] ॥३९॥
दानमभ्युपपत्तिश्च तथा च प्रियभाषणम् ।

धर्मादयो यस्य फलं स तैः **संयुक्त** इत्युक्तम् । **शुभाशुभसमुत्थिता**दिति । शुभसंकल्पजा अशुभसङ्कल्पजाश्च । अशुभादपि हि सङ्कल्पोऽस्थिरान्निवर्तते । यथैलश्चातुर्वर्ण्यस्य सर्वस्वहारादर्थफलाद्याशयात् ।

अन्ये तु वीरस्यैतदनुचितमिति मत्वान्यथा व्याचक्षते शुभाशुभयोः समुत्थित इति । तेन यच्छास्त्रोक्तमुचितं चारभ्यते । तत्र क्रियमाणे (शुभं) सुलभनगार्थलाभः, अशुभं क्षयव्ययादिरूपकमस्तु तथापि तद्विषयाध्यवसायादविचलनं स्थैर्यं देहविकाररूपमेव ।

आक्रियते चित्तवृत्तिरेभिरित्याकारः, मुखरागदृष्टिविकारादयः तेष्वपि चासत्सु कारणसामग्र्यव्यभिचरितफलेति हर्षादिसंभवेऽपि यत्कृतस्तत्कृतमुखरागाद्यभावः स एव निस्तिमितदेहस्वभावो गाम्भीर्यम् ।

परजनविषयं दानादि चेष्टाविकाररूपमेवौदार्यम् । **स्व**ग्रहणन्तु लोकोक्तिमनादररूपरूपान्तु भयं नोदाहार्यं (नौदार्य)मेव स्फुटयति । **अभ्युपपत्तिः** परित्राणाद्यर्थिनोऽङ्गीकरणम् । **परेणे**ति शत्रुणा, न तु गुरुणा मित्रादिना वा । **प्राणात्ययेऽपी**ति न तु नीत्यनुवर्तनेन कथंचित् देशकालाद्यनुवर्तनेन सहनपूर्वकं निर्वाननम् । तथा च ममैव श्लोकः—

1. NS. व्यवसायादिचलनं ।
2. KSS. अभिधीयते ।
3. KSS. रोमहर्षभयादिषु । NS. क्रोधहर्षभयादिषु ।
4. KSS., NS. नोपलभ्यन्ते ।
5. KSS. गाम्भीर्यमिति संज्ञितम् ।
6. NS. सुकुमारं स्वभावतः KSS. सुकुमारस्वभावजम् ।
7. KSS. प्रकीर्तितम् ।

स्वजने च परे वापि तदौदार्यं प्रकीर्तितम्[1] ॥४०॥

अधिक्षेपावमानादेः प्रयुक्तस्य परेण यत् ।

प्राणात्ययेऽप्यसहनं तत्तेजः समुदाहृतम् ॥४१॥

[2]सत्त्वजोऽभिनयः पूर्वं मया प्रोक्तो द्विजोत्तमाः ।

शारीरं चाप्यभिनयं व्याख्यास्याम्यनुपूर्वशः ॥४२॥

षडात्मकस्तु शारीरो वाक्यं सूचाङ्कुरस्तथा ।

[3]शाखा नाट्यायितं चैव निवृत्त्यङ्कुर एव च ॥४३॥

मूर्घ्ना कंचन पार्थिवं धृतवता च्छिद्रैः प्रविश्यान्तरं

स्वं रूपं विनिगूह्य तापमतुलं दत्त्वा चिराद् भ्रंशितः ।

यश्चङ्कुर्जडरूपतापरिचितो नीत्येव वन्हे त्वया

तन्मन्येऽत्र कथासु तिष्ठति परं निर्वन्ध्यतेजस्विता ॥ इति ।

सात्त्विकः पूर्वमुक्त इत्यर्धस्यास्य केचिच्छङ्काशमनं प्रयोजनमाहुः—एवं हि शंक्यते सात्त्विकप्रसङ्गेन कस्माद्रोमाञ्चादयो नोक्ता इति; तद्वारणार्थमाह **पूर्व**मिति भावाध्याय एव ते निरूपिता—इति । अयं च नार्थः, यतः सत्त्वे नाट्यं प्रतिष्ठितं, अतो वागङ्गसत्त्व इत्यत्र पश्चान्निर्दिष्टः सात्त्विकः सामान्याभिनयो यस्मात् **पूर्व**मिति आदौ प्रोक्तः ततो हेतोर्यद्विलोमक्रमेण **अनुपूर्वशः** आनुपूर्व्यं क्रमप्राप्तं तेन क्रमेण शारीरं सामान्याभिनयं वक्ष्यते । सत्त्वानन्तरं हि विपरीतवृत्त्या आङ्गिकस्यानन्तर्यं वागङ्गसत्त्व इति । (**शारीर**मित्यादि) अत्र **च**शब्दो यस्मादर्थे, **अपि**शब्दस्तत इत्यत्रार्थे । तत्रोद्देशमाह—**षडात्मकस्त्विति** । यः पूर्वं शारीरोऽभिनयो बहुना प्रकारवैचित्र्येणोक्तः तस्यावान्तरसामान्याभिनयरूपा हि षड् भवन्तीति, स एव षडात्मकतयाऽवान्तरजातियोगात् सात्त्विकवाचिकाभिनयैश्च संभूय क्रमतां प्राप्तैश्च व्यामिश्रतायां सामान्याभिनयः संपाद्यत इति तुशब्दस्यार्थः । (**वाक्य**मिति) वाक्यसहचरितः शारी-

---

1. KSS. इति स्मृतम् ।
2. NS. सत्त्वतोऽभिनयाः पूर्वं मयोक्ता द्विजसत्तमाः ।
3. KSS. शाखो ।

नाना[1]रसार्थयुक्तैर्वृत्तनिबन्धैः[2] कृतः [3]सचूर्णपदैः ।
प्राकृतसंस्कृतपाठो[4] वाक्याभिनयो बुधैर्ज्ञेयः ॥ ४४॥

रोऽभिनयो वाक्यम् । न हि शरीराभिनयमध्ये च निर्वर्तकानि गणितानीति चिरन्तनाः ।

शारीरस्वरा (अ २९) इति यद्व्यवहाराद्वा भावश्च शारीरत्वेन प्रसिद्धे वाक्यमेवाभिनयान्तरनिरपेक्षमिति, सद्वृत्तभाषागुणः स्फुटतमां स्वार्थप्रतीतिं यदा विधत्ते तत एव रसभावानुभावकं तदा तदेव वाक्याभिनय इति तु काव्यकौतुकग्रन्थः । अत्रः तु पाठ्यरूपः सामान्याभिनयः कथमिति चिन्त्यम् । शरीरानुप्रवेशादितिचेत् त्वरितानपेक्ष (तदितरानपेक्ष?) एव । न चाभिनयशून्याभिनेयकाव्ये वाक्यं किंचिद्भवति । न चाभिनेये वाक्याभिनयव्यवहार इत्युपाध्यायेनायमेकीयोऽभिप्रायो दर्शितः न त्वस्यायं स्वपक्ष इति भ्रमितव्यम् ।

तत्र वाक्याभिनयस्य लक्षणमाह—

नानारसार्थयुक्तैर्वृत्तनिबन्धैः कृतः स चूर्णपदैः ।
प्राकृतसंस्कृतपाठो वाक्याभिनयो बुधैर्ज्ञेयः ॥ इति ।

नानारसविशेषो वाक्यार्थः तेन युक्तानि वाक्यानि यानि तानि च वृत्तरचितानि चूर्णपदात्मकानि वा पुनरपि संस्कृतानि वा प्राकृतानि वा तैर्युक्तः सहचरितः शारीरो वाक्येन सहैव प्रयुज्यमानः शारीरो वाक्याभिनय इति यावत् । प्राकृतः संस्कृतश्च पाठोऽस्मिन्निति बहुव्रीहिः स चायं वाक्याभिनयश्चतुर्धा संस्कृतप्राकृतयोर्गद्यपद्यभेदात् ।

अत्र केचिदाहुः योऽर्थः सदैव हृदये वर्तते अत एव विमर्शानुबन्धनादिनिरपेक्ष एव स सततं स्फुरति । यथा भीमसेनस्य कुरुकुलविषयः क्रोधातिशयः तद्विषये वाक्ये "चञ्चद्भुजाभ्रमित" (वेणी—अ १) इत्यादौ पाठसमकालः यो भ्रुकुट्यादिमयः शारीरोऽभिनय इति । एतच्चासत् । सूचायां

---

1. NS. भावरसार्थैर्वृत्तनिबद्धैः कृतस्य ।
2. KSS. निबद्धैः ।
3. KSS. सचूर्णकृतैः
4. KSS.; NS. पाठ्यो ।

वाक्यार्थो वाक्यं वा सत्त्वाङ्गैः सूच्यते यदा पूर्वम्।

पश्चा[1]द्वाक्याभिनयः [2]सूचेत्यभिसंज्ञिता सा तु ॥४५॥

विमर्शपूर्वकवस्तुविषयायामपि प्रवृत्तायां यद्वाक्यं बध्यते तत्सहचरितोऽपि शारीरः किमिति न वाक्याभिनयः तथापि चतुर्विधवाक्याभिनययोगात् सूचादीनां बहुभेदत्वं वक्ष्याम इत्यास्तां तावत्।

वाक्यार्थो वाक्यं वा सत्त्वाङ्गैः सूच्यते यदा पूर्वम्।

पश्चाद्वाक्याभिनयः सूचेत्यभिसंज्ञिता सा तु ॥ इति।

यदा तु निपातः यदित्यत्रार्थे इह वर्तते। तेन यैः सात्त्विकाङ्गिकैः भाविवक्तव्यं सूच्यते, येषामन्तरोऽभिनयः प्रवर्तत एव सूचाभिनयः। "आत्मबुद्ध्या समर्थ्यार्थां" निति हि न्यायो वा प्रसरेत्। तत्रोत्तमानां बाहुल्येनाभिसंधानविचारपूर्वकं एवमिति चिरतरोऽसावभिसन्धिकालः तत्राविष्टस्यवेहोपयोग इति—विचार्यमाणं तथाभूतवस्तुविशेषावेशजनितेन शारीरविकारेणावश्यं भवितव्यं सममेव सूचाभिनयः। तत्र च द्वयी गतिर्विद्यते, स्थितेनैवाभिसन्धानेन यादृक्क्रम आक्षिप्तस्तादृशैव क्रमेण परतः शब्दोच्चारणम्। यथा 'राज्यं निर्जितशत्रु योग्यसचिवन्यस्तः समस्तो भरः, (रत्ना—अ-४) इत्यादौ। तत्र हि पूर्वपूर्वावान्तरवाक्यांशाभिधेयभागप्रभावित एवोत्तरोत्तरावान्तरवाक्यार्थ इति यादृगभिसन्धानक्रमस्तादृगेव तत्र क्रमः। यत्र त्वन्यथाभिसन्धानमन्यथा च क्रमस्तत्र निर्विभागभेदकं सन्धानीयवाक्यार्थसंधानम्। यथा मायापुष्पके सुग्रीवस्य—

दुर्गं भूमिरमात्यभृत्यसुहृदो दाराः शरीरं धनं

मानो वैरिविमर्दसौख्यममरप्रख्येन सख्येन किम् (सख्योन्नतिः?)।

यस्मात्सर्वमिदं प्रियाविरहितैस्तस्मादशक्ता(विरहिणस्तस्याद्यशक्ता?)वयं

न स्वेच्छासुलभैः पथोऽपि घटने शैलाश्मखण्डैरपि ॥

अत्र हि शरीरं दारा भूमिर्धनं भृत्या दुर्गं वैरिविमर्दसुखं रामस्य मित्र-

1. NS. वचना, KSS. वाच्या।
2. KSS. सा सूचा सूरिभिर्ज्ञेया।

[1]हृदयस्थो निर्वचनै रङ्गाभिनयः[2] कृतो निपुणसाध्यः ।
सूचैवौत्पत्तिकृतो विज्ञेयस्त्वङ्कुराभिनयः ।।४६।।

मिनिप्रसिद्धिरित्यभिसन्धानक्रम उचितो, निकट (पद) परामर्शक्रमेण प्रकरणा-(र्थवशादिदं लब्धं) दूरं प्रसृत्य क्रमेण यद्वा इदं तावदास्तां, इदमपि तत इति न्यायेनान्तः प्रवेशः, तथापि रामस्य मित्रमितिप्रसिद्धिरित्यादिना विलोमक्रमेण भाव्यम् । तत्र प्रथमे पक्षे वाक्यं सूच्यत इत्युक्तम्, क्रमो हि वाक्यमिति तद्विदो मन्यन्ते । 'एको नववच······शब्दः क्रमो युध्यतः सुहृद्भि' (?) रित्यादौ । द्वितीयपक्षे तूक्तं वाक्यार्थः सूच्यत इति ।

अन्यस्त्वाह—यदा स्वयमेव विमृश्यते तदा वाक्यार्थः सूचितः, यदा तु परवचनमाकर्ण्यते, यथा 'भो वयस्स पेक्ख पेक्ख'(रत्ना) इत्यादावुद्यानवर्णनं पूर्यते तदा तदुक्तोऽर्थः सूच्यते तस्य पश्चाद्वचनाभिनयो भविष्यति 'वयस्य सम्यगुपलक्षित' मित्यादि, तत्र सूचाभिनये वाक्यं सूच्यत इति । तच्चासत्—परवाक्यापेक्षया हि तत्र निवृत्त्यङ्कुराभिनयः भाविवाक्यापेक्षया तु ततोऽन्यैव सूचा । अनभिनेय एवाभिनयनलक्ष्यं प्रत्ययपरिचयोऽयमपराध्यति । किंचिद्वाक्यार्थप्रग्रहणेन किमयमर्थो न स्वीकर्तुं शक्यो येन पुनर्वाक्यशब्दोपादानं स्यात्, तस्मात्परोदीरितवाक्यार्थ एव ह्यसौ सूचितो न तु वाक्यमित्यास्ताम् ।

तदिदमुक्तपूर्वं गद्यपद्येतरचतुःप्रकारवाक्यं तदर्थसूचने भेदादष्टधा सूचाभिनयादनु षोडशधा युक्तम् । परवाक्यस्य न भिन्नाङ्गतेत्यधुनैवोपपादितम् ।

हृदयस्थो निर्वचनै रङ्गाभिनयः कृतो निपुणसाध्यः ।
सूचैवोत्पत्तिकृतो विज्ञेयस्त्वङ्कुराभिनयः ।। इति ।।

अन्यपरेऽपि वाक्ये यद्गर्भीभूतं हृदयस्थं वस्तु तन्निष्ठो योऽभिनयोऽङ्गविकारैर्वचनशून्यैः सम्पादितः सूचातुल्यः सोऽङ्कुरो नाम शारीरः । यथा सागरिका—जाव अहं पि कुसुमाइं अवचाइअ कामदेवं पूअइस्सं—इत्यभिधायैतद्वाक्ये गर्भीभूतं कुसुमापचयमङ्गविकारैर्दर्शयति । यच्चायमङ्कुरो निपुणैरेव प्रयोक्तृभिः सामाजिकैश्च साध्यः आपाद्यः चेतसा ध्यात उत्पत्त्या स्वबु-

1. KSS. हृदयस्थैः ।
2. NS. अङ्गविकारैः ।

[1]यत्तु शिरो मुखजङ्घोरुपाणिपादैर्यथाक्रमं क्रियते ।

शाखादर्शन[2]मार्गः शाखाभिनयः स विज्ञेयः ॥४७॥

द्विकल्पनयापचितः । यद्यपि कविवाक्यान्येवात्रोपजीव्यानि, तथापि यादृक् कुसुमापचयकर्म सागरिकायाः सौभाग्यसौन्दर्यप्रेमसाध्वसादिगर्भं न तादृशं तापसस्य तदुभयविलक्षणं 'यः······वेद्या (?)' इत्येवमादि तत्सर्वं बचनेभ्य एवाकृष्यते नथा विस्पष्ठेन च तथाबचनतो लभ्यमेतत् । अपि तु पर्यालोचनातिशयगम्यमिनि निपुणसाध्यमित्युक्तम् ।

अन्ये तु सूचाया उत्पत्तिभागेन तुल्योऽङ्कुरस्तस्याः प्राग्भावे वचनशून्यत्वादिति । इदं त्वमुक्तसमासं (नं ?) निर्वचनशब्देनोक्तत्वादर्थस्य ।

यत्तु शिरोमुखजङ्घोरुपाणिपादैर्यथाक्रमं क्रियते ।

शाखादर्शनमार्गः शाखाभिनयः स विज्ञेयः ॥

समस्तेन शाखाव्यापारेण बर्तनाप्रधानतया प्रयुक्तः शाखाभिनयः शिरोमुखजङ्घोरु चेत्यादिना कृतैकवद्भावेन द्वन्द्वपदसमूहेन पुनः (श्लोक) द्वन्द्वेन, **नाट्यायित**मित्यादि **स्थान** इत्यादि च ।

पूर्वप्रविष्टस्य पात्रस्यापरपात्रं प्रविश्य तद्रूपमुदीक्षमाणस्य प्रवेशोऽपि तद्ध्रुवागानतत्सूचापरिक्रमणादिकालेन किंचिन्नाट्यमस्तीति तत्काले पूर्वपात्रेण ये समुचिता उपचाराः क्रियन्ते नाट्यायितमित्याद्यार्यायास्तात्पर्यम् । पूर्वप्रविष्टेन पात्रेण सह सङ्गमं विधाय पश्चात्प्रविष्टस्य पात्रस्य पूर्वप्रविष्टपात्रपरिक्रमणादिकाले स्थानकेनैवासीनस्य तूष्णीं स्थितौ प्राप्तायामभिनयः तदपि नाट्यायितमित्यपरार्यायास्तात्पर्यमिति श्रीशङ्कुकाद्याः । तच्चायुक्तम् । अन्योन्यसङ्गमावधि यत्पात्रस्य चेष्टितं तदपरोदितवाक्यार्थसूचनोचितत्वं वा निर्वचनकादौचित्यमात्रादेवोपनतं वा, पूर्वत्र पक्षे निवृत्त्यङ्कुरः उत्तरत्राङ्कुरः इत्यभयं न नाट्यायितम् ।

तथा हि प्रयोगकुशला एवंविधे विषये धर्मी—लिखति इति, प्रति पाल-

1. KSS., NS. यस्तु ।
2. KSS., NS. दर्शित ।

नाट्यायितमुपचारैर्यः क्रियतेऽभिनयसूचया[1] नाट्ये ।

काल[2]प्रकर्षहेतोः प्रवेशकैः संगमो यावत् ॥४८॥

यन्नास्ते (इति), यथापुष्पापचयं नाट्यतीति । नाट्यस्य सन्धानरूपत्वं च वाक्यं सूचादीनामपि संभवत्येव । न वा नाट्येन नाट्यं सन्धीयत इति नाट्यायितवाचोयुक्तिरपि कथम् । तस्मादित्थमेतद् व्याख्यातव्यम्—इह यदा स्वप्नोऽप्येकघनो दृश्यते तन्मध्यत एव च किं दृश्यमानं परस्य स्वप्न एव जाग्रद्रूपतामापादिते स्वप्नोऽयं मया दृष्ट इति वर्ण्यते, तदा जाग्रदपेक्षया स्वप्नव्यवहारः, न तत्र पारमार्थिक इत्यौपचारिकं तदपेक्षं तस्य स्वप्नत्वमिति तस्य स्वप्नायितव्यवहारो दृष्टः । एवमिहापि नाट्य एकघनस्वभावे हि स्थिते तत्रैवासत्यनाट्यानुप्रवेशान्नाट्यपात्रेषु सामाजिकीभूतेषु तदपेक्षया यदन्यं नाट्यं तस्य तदपेक्षया नाट्यरूपत्वं पारमार्थिकमिति नाट्यायितमुच्यते । तच्च द्विविधं नाट्यरूपकनिष्ठमेव वा कार्यान्तरनिष्ठं वा । तस्य क्रमेण लक्षणमार्याद्वितयेनोच्यते । नाट्ये यत्प्रवेशकैर्नाट्यान्तरगतैरिव पात्रैः अत एव ततः प्रविशतीत्युक्तैः सङ्गमः क्रियते तन्नाट्यायितम् । कीदृशैरभिनयद्वारेण यत्सूचनं तयोपचारैः परमार्थतयोपचर्यमाणैः । ननूभयमपि नाट्यं कस्मान्न भवति नत्वेकघनतेत्याशङ्क्याह कालप्रकर्षलक्षणाद्धेतोरन्योन्यभिन्नकालत्वात् कथं तत्रैकघनता युक्तेति भावः । यावदिति भूयस्तरं प्रबन्धं व्याप्नोतु परिमितं वा सर्वं नाट्यायितमित्यर्थः । तथा यावदिति स्वप्ने स्वप्नान्तरं तत्राप्यन्यत् स्वप्नान्तरमित्यादिन्यायेन वा भवत्वेक(घन)स्वप्नायितवृत्त्या वा सर्वथा तन्नाट्यायितम् । तत्रास्य बहुतरव्यापिनो बहुगर्भस्वप्नायिततुल्यस्य नाट्यायितस्योदाहरणं महाकविसुबन्धुनिबद्धो वासवदत्तानाट्यधाराख्यः समस्त एव प्रयोगः । तत्र हि बिन्दुसारः प्रयोज्यवस्तुक उदयनचरिते सामाजिकीकृतः, असावप्युदयनो वासवदत्ताचेष्टिते । एष चार्थः—स्वस्मिन् सूत्ररूपके दृष्टे सुज्ञानो भवति । अतिवैतत्यभयात्तु न प्रदर्शितः । एकस्तु प्रदेश उदाह्रियते तत्र ह्युदयने सामाजिकीकृते सूत्रधारप्रयोगः—"तव सुचरितैरेष जयति" इति, तत उदयनः 'कुतो मम सुचरिता' नीति सास्रं विलपति—

---

1. KSS., NS. सूचना ।

2. NS. काव्यप्रकर्षहेतोः ।

स्थाने ध्रुवास्वभिनयो [1]यः क्रियते हर्षशोकरोषाद्यैः[2] ।

भावरससंप्रयुक्तैर्ज्ञेयं नाट्यायितं तदपि[3] ॥४६॥

एह्यम्ब किं कटकपिङ्गलपालकैस्तैर्भक्तोऽहमप्युदयनः सुतलालनीयः ।

यौगन्धरायण ममानय राजपुत्रीं हा हर्षरक्षित गतस्त्वमपप्रभावः ॥

यत्रैव बिन्दुसारः सामाजिकीभूतः परमार्थतामभिमन्यमानो "धन्या खलु (ईदृशैर्भक्तस्य) प्रलापेः" इत्युच्छ्वसति । प्रतीहारी आत्मगतं—"अअणिद-परमत्थकलणेहिं पिच्छइ खु देवो" इत्यादि ।

परिमितव्यापिनो निर्गर्भस्य नाट्यायितस्योदाहरणं यथा बालरामायणे गर्भाङ्के सीतास्वयंवरे ।

एवं तावन्नाट्यरूपकनिष्ठं नाट्यायितं व्याख्यातम् । कार्यान्तरनिष्ठं तूच्यते । इह यदाभ्यन्तररसाविष्टता भवति तदा ध्रुवायोगाभिनयः स्वतुल्यतामापाद्यमानः परस्परमिलिताकारकतां काकतालीयेनोपनिपातात् (संभाव्यते) । यथा—नलिनीदलए णीसहसुकदेहिं आतथा मुच्चइ ।

पलइ विअब्भइ विज्जइ हंसी णलिणीवणे वि णत्थिज्जइ ॥

इत्यादौ । तत्र हि प्रयोक्तुरेवमभिसन्धिध्रुवामभिनयेन दर्शयामीति । किंतु प्रासादिक्यध्रुवायां गीयमानायां, "यत्र काव्येन (वाक्येन ?) नोक्तं स्यात् तत्तु गीतं प्रसाधयेत्" (अ ३२) इति वचनात् ध्रुवार्थस्तत्रोचित आघातः, प्रयोगो हि बहुविधां मदनावस्थां नाट्यतीति । एवं भूतोऽङ्कुरस्वभावः पौर्वापर्यपर्यालोचनवशात् तथाभूत एवोपनिपतित इति, अप्रयुज्यमानापि (ध्रुवा) काकतालीयेन प्रयोगमुपांशुरूपा नाट्यमपि नाट्यमिव शासत इति तथाविधनाट्यायितत्वापादकः शारीराभिनयो नाट्यायितमिति दर्शयति **स्थाने ध्रुवास्वभिनयो यः क्रियत** इति । **भावैर्व्यभिचारिभिः रसैः** स्वस्थायिभिः ये **संप्रयुक्ता** आविष्टाः तत्संपादनैकमनसः प्रयोक्तारस्तैर्यो **ध्रुवास्विति** ध्रुवार्थविषयोऽभिनयः क्रियते । कथं, **स्थाने** प्रसङ्गे सति काकतालीयवशादित्यर्थः । योऽभिनयः शारीरो नाट्यायितम् । ननु किं प्रतिपदमभिनयता, नेत्याह **हर्षादिभिरिति** तत्सूचकैरङ्गोपाङ्गसत्त्वैरित्यर्थः । **तदपीति** न केवलं पूर्वं यावदिदमपीति ।

---

1. KSS., NS. यत् ।

2. KSS. हर्षरोषशोकाद्यैः ।

3. KSS., NS. तच्च ।

[1]यत्रान्योक्तं वाक्यं सूचाभिनयेन योजयेदन्यः ।

तत्संबन्धार्थं [2]कथं भवेन्निवृत्त्यङ्कुरः सोऽथ ॥५१॥

[3]एतेषां तु [4]भवेन्मार्गो यथाभावरसान्वितः ।

यत्रान्योक्तं वाक्यं सूचाभिनयेन योजयेदन्यः ।

तत्संबन्धार्थकथं भवेन्निवृत्त्यङ्कुरः सोऽथ ॥

अन्योक्तं वाक्यं कथमन्यसूचाभिनये चित्तवृत्तिसूत्रकेनाङ्गोपाङ्गसत्त्वक्रमेण दर्शयेदित्याशङ्क्य हेतुमाह **तत्संबन्धकथमिति** बीजादेर्निवृत्ति यथाङ्कुरः सूचयति, एवं निवृत्ते वाक्ये (तदङ्कुर) यति निवृत्त्यङ्कुर उक्तः । तथा हि विदूषकेण वत्सराजे "अवि सुहयदि दे लोअणाणं" इति पृष्टे सागरिका—"सच्चं जीविदमरणाणं अन्तरं वट्टामि" इति, ततो राजा—"सुखयतीति किमुच्यते । कृच्छ्रेणोरुयुगं व्यतीत्य सुचिरं" इत्यादि पठति । तस्मिन् क्रमेणाकर्ण्यमाने सागरिकाया यथाभूत (संशयोत्कण्ठारागोदयजनितो) व्यभिचारिसत्त्वयोजितः सत्त्वाङ्गोपाङ्गपरिस्पन्दो दृश्यमानो निवृत्त्यङ्कुरः । (निवृत्त्यङ्कुरो) नाट्यायितं च वासवदत्तानाट्यधारे प्रतिपदं दृश्यते । एतेषां च सर्वाभिनयैः सम्भूय वृत्तित्वात् सर्वत्र चाभिनेये प्रायशः सद्भावात् सामान्याभिनयत्वं तदर्थमेव च वितत्यैतत्स्वरूपाभिधानम्, यत्पूर्वमुक्तम्—

अस्य शाखा च नृत्तं च तथैवाङ्कुर एव च ।

त्रिविधं वस्त्वभिनयः.................... ।

इति तेन सहास्य यथा न विरोधस्तथैवोपपादितमुपाङ्गाभिनय इति तत एवावधार्यम् । किं पुनरुक्ताभिधानेन ।

एवमाङ्गिकं सामान्याभिनयमुपपाद्य वाचकमुपपादयति **एतेषां तु भवेन्मार्ग** इति विषय इत्यर्थः । वाक्यभावे यद्यप्यात्मापि शरीरो निर्विषय एव तेन यदेके शाखाङ्कुरनाट्यायितानां च वाक्यविरहितत्वं मन्यमाना एतेषामिति

1. KSS. यस्तु ।
2. KSS. कृतं निवृत्तमेवाङ्कुरं विद्यात् । NS. कृतं यत् ।
3. KSS. एते मार्गास्तु निर्दिष्टा ।
4. NS. च स्मृता ।

काव्यवस्तुषु निर्दिष्टो द्वादशाभिनयात्मकः ॥५१॥
आलापश्च प्रलापश्च विलापः [1]स्यात्तथैव च ।
अनुलापोऽथ संलाप[2]स्त्वपलापस्तथैव च ॥५२॥
सन्देशश्चातिदेशश्च निर्देशः स्यात्तथापरः[3] ।
उपदेशोऽपदेशश्च व्यपदेशश्च कीर्तितः ॥५३॥
[4]आभाषणं तु यद्वाक्यमालापो नाम स स्मृतः ।
अनर्थकं वचो यत्तु प्रलापः स तु कीर्तितः ॥५४॥

सर्वेषामित्यादि वाक्यसूत्रानिवृत्यङ्कुरमात्रविषयत्वेनैव संकोचयन्ति, ते न तत्त्वज्ञाः, सर्वोऽप्यभिनयो वाक्योपजीवनमन्तरेण नियमहेत्वभावादसमञ्जसतामभ्येति । केवलं तत्कालिकातत्कालिकादिमात्रेण वाक्यं भिद्यतां नाम । एतच्चोपाङ्गाभिनये वितत्योपपादितम् ।

काव्यवस्तुष्विति दशरूपकभेदेषु द्वादशरूपोऽभिनयात्मको वाचिकाभिनयस्य भाव इत्यर्थः । द्वादशप्रकारानुद्दिशति आलापश्चेत्यादिना तानेव क्रमेण लक्षयति आभाषणं त्वित्यादिना । युष्मदर्थविषयमुपदेशादिशून्यं यद्वचनं तदालाप इत्यर्थः । "विभ्राजसे मकरकेतनमर्चयन्ती" (रत्ना-१), यथा वा "जयतु भवान्" इत्यादि । अनर्थकं वचो यत्तु स प्रलाप इति परस्परमसम्बद्धं मौर्ख्यादिवशादित्यर्थः । यथा दरिद्रचारुदत्ते शकारः— "शुणामि मल्लगन्धं, अन्धआलशच्चिदादो उण णीसआदो हिदुत्तं एलामि (श्रृणोमि माल्यगन्धम्. अन्धकारसंचितया पुनर्नासिकया (तदुक्तं) आलोकयामि) (मृच्छ-१) । **करुणप्रभवो यस्तु स विलाप** इति । करुणग्रहणं दुःखोपलक्षणम्, तेन विप्रलम्भोऽपि गृह्यते । तत्र करुणरससंबन्धं वचनं, (दुःखे) यथा—क्वासि प्रयच्छ मे प्रतिवचनम्, विप्रलम्भे यथा—बाणाः पञ्चमनो-

---

1. KSS. अन्य ।
2. KSS. ह्यप ।
3. KSS. च तथैव च ।
4. KSS., NS. आभाषणे ।
5. KSS. यच्च NS. यत्र ।
6. NS. स प्रलापश्च कीर्तितः KSS. संज्ञितः ।

[1]करुणप्रभवो यस्तु विलापः स तु कीर्तितः[2]

बहुशोऽभिहितं वाक्यमनुलाप इति स्मृतः[3] ॥५५॥

उक्तिप्रत्युक्तिसंयुक्तः संलाप इति कीर्तितः[4] ।

पूर्वोक्तस्यान्यथाभावो[5] ह्यपलाप इति स्मृतः ॥५६॥

[6]तदिदं वचनं ब्रूहीत्येष सन्देश उच्यते[7] ।

[8]यत्त्वयोक्तं मयोक्तं तत्सोऽतिदेश इति स्मृतः ॥५७॥

भवस्य (रत्ना-३) इत्यादि । एतत्प्रधानादेव कामावस्थाविशेषो विलापः (तासु षष्ठ्यवस्था) इति वक्ष्यते । **बहुशोऽभिहितं वाक्यमनुलाप** इति । अनुवादार्थं तदेव पुनरुच्यमानमित्यर्थः । यथा—"द्वीपादन्यस्मादपि" (रत्ना १) इति सूत्रधारेणोक्ते नेपथ्ये यौगन्धरायणः—एवमेतत्, दीपादन्यस्मादपीत्यनुवदति । **उक्तिप्रत्युक्तिसंयुक्तः संलाप** इति । यद्विधान्युदाहरणानि(?) । **पूर्वोक्तस्यान्यथा वादोऽप्यपलाप** इति । यथा कृत्यारावणे गौतमीरूपच्छन्ना रामाक्रन्दितं लक्ष्मणे श्रावयितुकामा शूर्पणखा पूर्वमाह—"अवि सुदं ते"(अपि श्रुतं त्वया) । ततः सीता (ससंभ्रमम्)—"अये किंति" (अये किमिति) । ततः सा—"अं वञ्चिते, सत्यं गौतमीमेव मामियं सीता जानात्वित्येवं ह्याह, "णं मए णक्क हणिदं, अवि सुदं ते" (इति) । **तदिदं वचनं ब्रूहीत्येष सन्देश** इति । उदाहरणेन लक्षणमुन्नेयम् । ततः परमुखेनान्यस्य स्ववचोऽपणं सन्देश इति । अतिदेशस्त्वयोक्तं युक्तं मयोक्तमिति सिद्धेनासिद्धस्य तुल्यतापादनमतिदेश इत्यर्थः । अत्रोपदेशातिदेशयोरुपमानस्य च साहित्यविषये तार्किकमीमांसकविषये विशेषप्रतिपादनं यत् टीकाकारैः कृतं तत्सुकुमारमनोमोहनं वृथा

1. NS. दुःखशोकोद्भवं यत्तु ।
2. KSS. इति स स्मृतः ।
3. KSS. प्रकीर्तितः ।
4. KSS., NS. इति स स्मृतः ।
5. GOS. वादो ।
6. NS. त्वमिदं ।
7. KSS., NS. इष्यते ।
8. KSS., NS. अतिदेशस्त्वयोक्तं तन्मयोक्तमिति स स्मृतः ।

[1]स एषोऽहं ब्रवीमीति निर्देश इति कीर्तितः ।

व्याजान्तरेण कथनं व्यपदेश इहोच्यते[2] ॥५८॥

इदं कुरु गृहाणेति[3] ह्युपदेशः प्रकीर्तितः ।

अन्यार्थकथनं यत् स्यात् सोऽपदेशः प्रकीर्तितः ॥५९॥

एते मार्गास्तु[4] विज्ञेयाः सर्वाभिनययोजकाः ।

सप्त[5] प्रकारमेतेषां पुनर्वक्ष्यामि लक्षणम् ॥६०॥

प्रत्यक्षश्च परोक्षश्च तथा कालकृतास्त्रयः ।

आत्मस्थश्च परस्थश्च प्रकाराः सप्त एव तु[6] ॥६१॥

भ्रमणिकामात्रं प्रकृतानुपयोगादिहोपेक्ष्यमेव । स एवैषोऽहं ब्रवीमीति निर्देश इति लक्षणम् । **व्याजान्तरेण कथनं** व्यपदेश इति व्याजविशेषेणेत्यर्थः । यथा मुद्राराक्षसे क्षपणकस्य राक्षसदूषणार्थं तावन्नगरान्निर्वासनं तत्र च चाणक्येन व्याजेन वचनं कृतम्—अयं पापीयान् (जीवसिद्धिः) राक्षसप्रयुक्तविषकन्यया पर्वतेश्वरं घातितवान् ततो निर्वास्यते" इति । **इदं कुरु गृहाणेति ह्युपदेश** इति नियोग इत्यर्थः । **अन्यार्थकथनमपदेश** इति स्वयं विवक्षितस्यान्य एव वक्तीत्यन्यकथनमित्यर्थः । यथा भीमं प्रति सहदेवः—एवं गुरुणा सन्दिष्टं सुयोधनस्येति (वेणी-१) । उपसंहरति **एते मार्गास्त्विति सर्वेषु** षट्स्वपि शारीरेष्वित्यर्थः । तथा अभिनीयन्त इत्यभिनया नाटकादिकाव्यविशेषाः तेषु, यतः सामान्येन भवन्त्यत एवैते सामान्याभिनया इति तात्पर्यम् ।

---

1. KSS. स एकोऽहं ब्रवीमीति निर्देशः स तु संज्ञितः NS. लोकं ब्रवीम्यहमीति यो निर्देशः स उच्यते ।
2. KSS. भवेत्तु सः NS. प्रकीर्तितः ।
3. KSS., NS. इदमुपदेश इति स्मृतः ।
4. KSS., NS. हि ।
5. NS. प्रकारास्तेषां च पुनर्वक्ष्यामि तत्त्वतः ।
6. KSS., NS. चैव तु ।—

[1]एष ब्रवीमि नाहं भो वदामीति च यद्वचः ।
[2]प्रत्यक्षश्च परोक्षश्च वर्तमानश्च तद्भवेत् ॥६२॥
अहं करोमि गच्छामि वदामि वचनं तव ।
आत्मस्थो वर्तमानश्च प्रत्यक्षश्चैव स स्मृतः ॥६३॥
करिष्यामि[3] गमिष्यामि वदिष्यामीति यद्वचः ।
आत्मस्थश्च परोक्षश्च भविष्यत्काल एव च ॥६४॥
हता जिताश्च भग्नाश्च मया सर्वे द्विषद्गणाः ।
आत्मस्थश्च परोक्षश्च वृत्तकालश्च स स्मृतः ॥६५॥
[त्वया हता जिताश्चेति[4] यो वदेन्नाट्यकर्मणि ।
परोक्षश्च परस्थश्च वृत्तकालस्तथैव च ॥६६॥
एष ब्रवीमि कुरुते गच्छतीत्यादि यद्वचः ।
परस्थो वर्तमानश्च (प्रत्यक्षश्च) भवेत्तथा ॥६७॥
स गच्छति करोतीति वचनं यदुताहृतम् ।
परस्थं वर्तमानं च परोक्षं चैव तद्भवेत् ॥६८॥
करिष्यन्ति गमिष्यन्ति वदिष्यन्तीति यद्वचः ।

अथात्रैव भेदान्तराण्याह आत्मस्थश्च परस्थश्चेत्यादि । अत्रोदाहरण-दिशमाह अहं करोमीत्यादि ।

---

1. एष इत्यादि श्लोकचतुष्टयस्य विभिन्नपुस्तकेषु पाठक्रमो भिन्नतया दृश्यते । अत्र तु पाठान्तरमात्रमेव गृह्यते ।
पाठक्रमस्तु गायकवाड-ओरियन्टलसीरिजमुद्रितपुस्तकानुसारि ।
2. NS. आत्मप्रत्यक्षसंस्थश्च वर्तमानश्च स स्मृतः ।
3. NS. वदिष्यामि गमिष्यामीति ।
4. NS. चैव ।

परस्थमेष्यत्कालं च परोक्षं चैव तद्भवेत्]।।६९।।

[1]हस्तमन्तरतः कृत्वा यद्वदेन्नाट्यकर्मणि।

आत्मस्थं हृदयस्थं च परोक्षं चैव तन्मतम् ।।७०।।

परेषामात्मनश्चैव कालस्य च विशेषणात्।

सप्तप्रकारस्यास्यैव भेदा ज्ञेया अनेकधा ।।७१।।

इदानीं विषयभेदकृतमात्मस्थस्यापि पारोक्ष्यं दर्शयति **हस्तमन्तरतः कृत्वेत्यादि**। स्वगतजनान्तिकापवारितकेषु वक्तुरात्मस्थं पात्रान्तराणां चाप्रत्यक्षं नाट्यधर्मीवशादित्यात्मस्थमपि तत्परोक्षम्। लोकधर्म्याप्यात्मस्थं परोक्षम्। यथा—"सुप्तो मत्तो न्वहं किल विललाप" इति। यदाहोत्तमविषयेऽपि चित्तव्याक्षेपादिभ्यो (लिट् भवतीति। अन्य) भेदानां कार्येण (सम्भव) माह—

परेषामात्मनश्चैव कालस्य च विशेषणात्।

सप्तप्रकारस्यास्यैव भेदा ज्ञेया अनेकधा।।

एते प्रयोगा विज्ञेया मार्गाभिनययोजिताः।

एतेष्विह विनिष्पन्नो विविधोऽभिनयो भवेत्।।

इह तावद्वाक्यं द्वादशधाभिन्नं तत्राप्यात्मस्थपरस्थयोः प्रत्यक्षत्वपरोक्षत्वाभ्यां चतुर्विधत्वं चतुर्णां कालत्रयेण गुणने द्वादशभेदाः। भूतभविष्यतोरपि प्रत्यक्षत्वं योगिप्रत्यक्षादिदृशा न भवति। एवं द्वादशानां तावद्भिर्गुणने चतुश्चत्वारिंशदधिकं शतम्। संस्कृतेतरभेदेन त्रिविधत्वं यदुक्तं तेन गुणने द्विपञ्चाशदधिकानि नवशतानीति (!) वाक्याभिनयस्य भेदाः। सूचाया वाक्यतदर्थभेदाद् द्वैगुण्यम्। तेन एकोनविंशतिशतानि चतुरधिकानि सूचाभेदाः। वाक्यतुल्या एवाङ्कुरभेदाः सूचाभेदैर्गुणनीयास्तैः, पुनः शाखाभेदास्तैरपि द्विविधनाट्यायितभेदस्तावद्भिर्भनिवृत्त्यङ्कुरभेदा इति कोटिशतान्यनेकानि भवन्ति। न तु यथा श्रीशङ्कुकेनोक्तं चत्वारिंशत्सहस्राणीत्यादि।

---

1. KSS. हस्तमन्तरितं।

एते प्रयोगा विज्ञेया मार्गाभिनययोजिताः ।
[1]एतेष्विह विनिष्पन्नो विविधोऽभिनयो भवेत् ।।७२।।
[2]शिरोहस्तकटीवक्षोजङ्घोरुकरणेषु तु ।
समः कर्मविभागो यः सामान्याभिनयस्तु सः ।।७३।।
ललितैर्हस्तसंचारै[3]स्तथा मृद्वङ्गचेष्टितैः ।
अभिनेय[4]स्तु नाट्यज्ञै रसभावसमन्वितैः ।।७४।।
अनुद्धतमसंभ्रान्तमनाविद्धाङ्गचेष्टितम् ।
लयतालकलापात[5] प्रमाणनियतात्मकम्[6] ।।७५।।
सुविभक्तपदालापमनिष्ठुरमकाहलम्[7] ।
यदीदृशं भवेन्नाट्यं ज्ञेयमाभ्यन्तरं तु तत् ।।७६।।
एतदेव विपर्यस्तं स्वच्छन्दगतिचेष्टितम् ।

एवं विशिष्टः सामान्येनाभिनीयमानः संभूयाभिनयैर्युक्तः सर्वाभिनयेषु सामान्यभूत इत्येवं यः सामान्याभिनय अस्या एकीभावनिबन्धनभूताया अलातचक्र [मण्डल] संनिभत्वसम्पादिकाया सामान्याभिनयक्रियायाः

1. KSS. एभिरेव ।
2. KSS. वदनपादोरुजङ्घोदरकटीगतः । समकर्मविभागो, NS. वदन-हस्तोरःकट्यूरुचरणाश्रयः । समः कर्मविभागे यो विविधाभिनयो तु स ।
3. NS. विन्यासैः ।
4. NS. अभिनेयं तु ।
5. NS. काल । KSS. कलापादि ।
6. KSS. नियतात्मजम् ।
7. KSS. अनाकुलम् ।

अनिबद्धगीत[1]वाद्यं नाट्यं बाह्यमिति स्मृतम् ॥७७॥
[2]लक्षणाभ्यन्तरत्वाद्धि तदाभ्यन्तरमिष्यते ।
[3]शास्त्रबाह्यं भवेद्यत्तु तद्बाह्यमिति भण्यते[4] ॥७८॥
अनेन लक्ष्यते यस्मात् प्रयोगः कर्म चैव हि[5] ।
तस्माल्लक्षणमेतद्धि नाट्येऽस्मिन् संप्रयोजितम्[6] ॥७९॥
अनाचार्योषिता[7] ये च ये च शास्त्रबहिष्कृताः ।
[8]बाह्यं प्रयुञ्जते ते तु अज्ञात्वाचार्यकीं क्रियाम् ॥८०॥

प्राधान्यप्रदर्शनार्थमाह **अनुद्धतमसंभ्रान्त**मित्यादि । अनाविद्धशब्देनाङ्गिक-विषयं सामान्यं दर्शयति । एतद्भावं दुष्टत्वमिति दर्शयन् व्यतिरेकक्रमेणापि सामान्याभिनयस्यावश्योपादेयतामाह **एतदेव विपर्यस्त**मित्यादिना । आभ्य-न्तरमिति (स्वयमेव विवृणोति) **लक्षणाभ्यन्तरत्वादि**ति । ननु वागङ्गाभि-नयोपेत इति लक्षणं तस्य बाह्योऽप्यस्तीत्याशङ्क्याह **अनेन लक्ष्यते यस्मा**-दिति सामान्याभिनयरूपमेव लक्षणमिति तात्पर्यम् । **संप्रयोजित**मिति नाट्यविषयाः प्रत्येकं तवात् क्रिया एकीभावं नेयाः, एकीभावगतश्च क्रियासमूहोऽप्येकीभावं नेय इत्येतत् । **कर्मप्रयोग**शब्दाभ्यां नाट्य इति सप्तम्या कथयति—अनेन विना स्फुटं नाट्यरूपत्वमेव साक्षात्काराध्यवसायरूपं रसानुप्राणितं नत्र संपद्यत इति । व्युत्पत्तिर्दूरीभावं त्वनधीयानां, भट्टपुत्रादौ तदभावात्तदाह **अनाचार्योषिता ये चे**त्यादिना ।

---

1. KSS. वाद्यैः ।
2. NS. लक्षणाभ्यन्तरं यत् स्यात् तमोदार(तदेवा)भ्यन्तरं स्मृतम् ।
3. NS. शास्त्रार्थवाह्यभावार्थं बाह्यमित्यभिधीयते ।
4. KSS. संज्ञितम् ।
5. NS. चैव हि ।
6. KSS. तस्मिन् नियोजितम् ।
7. KSS., NS. उदिताः ।
8. NS. बाह्यस्ते (न्ते) (?) तु प्रयोज्यन्ति क्रियामात्रैः प्रयोजिते KSS बाह्यं ते तु प्रयोक्ष्यन्ते क्रियामन्त्रैः प्रयोजितम् ।

शब्दं स्पर्शं च रूपं च रसं गन्धं तथैव च।
[1]इन्द्रियाणीन्द्रियार्थांश्च भावैरभिनयेद्बुधः ॥८१॥
कृत्वा साचीकृतां दृष्टिं शिरः [2]पार्श्वानतं तथा।
[3]तर्जनी कर्णदेशे च बुधः शब्दं विनिर्दिशेत् ॥८२॥
किंचिदाकुञ्चिते नेत्रे कृत्वा भ्रूक्षेपमेव च[4]।
[5]तथांऽसगण्डोः स्पर्शात् स्पर्शमेवं विनिर्दिशेत् ॥८३॥
कृत्वा पताकौ मूर्धस्थौ किंचित्प्रचलिताननः[6]।
निर्वर्णयन्त्या दृष्ट्या च[7] रूपं त्वभिनयेद् बुधः ॥८४॥

अथ संभूयाभिनयरूपत्वमेव सामान्याभिनयमाह **शब्दं स्पर्शं चेत्यादि**। इन्द्रियशब्दस्येन्द्रियार्थशब्देन स्पर्शादिविशेषणस्यासंभवम्, स्वविषयग्रहणावेशः स्वकरणग्राह्यतावेशश्च सर्वेषामिन्द्रियाणां विषयाणां च प्रदर्श्यते, अत एवैष सामान्याभिनयनेयेऽर्थद्वयेऽभिनयस्य साधारण्यम्। **भावैरिति** क्रियाविशेषैरित्यर्थः। तानाह **कृत्वा साचीकृतां दृष्टिमित्यादि**। अनेनादरवशात्समस्तो भरः श्रोत्रदेशमनुयाति, यथोक्तं—

तथाहि शेषेन्द्रियवृत्तिरासां
सर्वात्मना चक्षुरिव प्रविष्ठा॥ (रघु ७-१२) इति

चकाराच्छ्रोत्रमपि शब्दग्रहणाविष्टमनेनाभिनीतं भवतीत्याह। एवमुत्तरत्र।

---

1. KSS. इन्द्रियैरिन्द्रियार्थैश्च।
2. GOS. पार्श्वनतं NS. पार्श्वाञ्चितं।
3. KSS. तर्जनी कर्णदेशे तु शब्दं त्वभिनयेद् बुधः। NS. तु शब्दान्नियोजयेत् बुधः।
4. KSS. भ्रुवोरुत्क्षेपणेन च।
5. KSS. तथाऽङ्ग।
6. NS., KSS. पताके मूर्घ्निस्थे किंचित्प्रचलिताङ्गुलिः।
7. KSS. तु।

किंचिदाकुञ्चिते नेत्रे कृत्वोत्फुल्लां च नासिकाम् ।

[1]एकोच्छवासेन चेष्टौ तु रसगन्धौ विनिर्दिशेत् ।।८५।।

पञ्चानामिन्द्रियार्थानां भावा ह्येतेऽनुभाविनः[2] ।

[3]श्रोत्रत्वङ्नेत्रजिह्वानां घ्राणस्य च तथैव हि ।।८६।।

[4]इन्द्रियार्थाः समनसो भवन्ति[5] ह्यनुभाविनः ।

न वेत्ति ह्यमनाः किंचिद्विषयं पञ्चधागतम्[6] ।।८७।।

मनसस्त्रिविधो भावो विज्ञेयोऽभिनये बुधैः[7] ।

[8]इष्टस्तथा ह्यनिष्टश्च मध्यस्थश्च तथैव हि ।।८८।।

[9]प्रह्लादनेन गात्रस्य तथा पुलकितेन च ।

एतदुपसंहरति पञ्चानामिन्द्रियार्थानामित्यादि । **इन्द्रियार्थाः समनस** इति यथाशब्दादिग्रहणक्रियाभिः शब्दः श्रोत्रे प्रतीयते, तन्मनोऽपि तदधिष्ठातृक्रमेणाधिष्ठानं कुर्वदित्यतोऽपि सामान्याभिनयः। तदुक्तम्—युगपद् ज्ञानानुत्पत्तिर्मनसो लिङ्गमिति । **मनसस्त्रिविधो भाव** इति वैशेषिकादिदृशि मनस्संयोगजो य आत्मन इच्छाद्वेषमाध्यस्थ्यलक्षणो भावः स मनस इत्युक्तः ।

1. KSS. एकोल्लासेन हृष्टेष्टो ।
2. KSS. अनुभावजाः ।
3. KSS., NS. त्वक्चक्षुर्घ्राणजिह्वानां श्रोत्रस्य तु तथैव च ।
4. NS., KSS इन्द्रियार्थश्च मनसा ।
5. KSS. भान्यते ।
6. KSS., NS. पञ्चहेतुकम् ।
7. KSS., NS. अभिनयं प्रति ।
8. NS. इष्टोऽनिष्टश्च मध्यश्च तस्याभिनय उच्यते KSS. इष्टोऽनिष्टस्तथा चैव मध्यस्थश्च तथैव हि ।
9. KSS. गात्रप्रह्लादनेनेह ।

[1]वदनस्य विकासेन कुर्यादिष्टनिदर्शनम् ॥८९॥

इष्टे शब्दे तथा रूपे स्पर्शे [2] गन्धे तथा रसे[3] ।

इन्द्रियैर्मनसा[4] प्राप्तैः सौमुख्यं संप्रदर्शयेत् ॥९०॥

[5]परावृत्तेन शिरसा नेत्रनासाविकर्षणैः[6] ।

[7]चक्षुषश्चाप्रदानेन ह्यनिष्टमभिनिर्दिशेत् ॥९१॥

नातिहृष्टेन मनसा न चात्यर्थजुगुप्सया ।

मध्यस्थेनैव भावेन मध्यस्थमभिनिर्दिशेत् ॥९२॥

कापिलदृशि तु विन्ध्यवासिनो मनस एव, ईश्वरकृष्णादिमते मनःशब्देनात्र बुद्धिः । **प्रह्लादनेन गात्रस्ये**त्यादिकं विषयग्रहणक्रियास्वभीष्ठविषये निदर्शयितव्यम् । अतोऽपि चास्य सामान्याभिनयत्वं द्रष्टव्यम् ।

एतदेव स्फुटयति **दृष्टे (इष्टे ?) शब्द** इत्यादिना । सुमुखत्वं प्रसादादियुक्तं वदनमित्यर्थः । विकर्षणानि सङ्कोचनानि च । बहुवचनेन मध्ये ग्रहणसिद्धये विकासासंभिन्न इति दर्शयति ।

अथात्रैव पूर्वोक्तप्रकारसंभवं दर्शयति **तेनेद**मित्यादि । कृतं कर्तव्यमिति वाक्यशेषे भूतता भविष्यत्ता च । आत्मनि सुखादयोऽर्थाः समवायिन इति सर्व एव ते आत्मस्थाः स्युः, रूपादीनां चान्यत्र समवायात् सदैव परस्थता स्यादित्याशङ्क्याह **आत्मानुभावी योऽर्थः स्या**दिति । परशब्दसन्निधानादात्मशब्दोऽत्राहंभावास्पदे प्रत्यगात्मनि वर्तते । तमात्मानमनुभावयति यदार्थः स

---

1. KSS. आननप्रक्रियाभिश्च सर्वमिष्टं निरूपयेत् ।
2. NS. घ्राणे ।
3. KSS. रसेऽपि वा ।
4. NS. मनसि ।
5. KSS. अप्रदानेन च चक्षुषा ।
6. NS. नेत्रभाषा विविक्ततैः ।
7. KSS. नेत्रनासाश्रिततया ।

तेनेदं तस्य वापीदं स एवं प्रकरोति वा[1] ।

परोक्षाभिनयो यस्तु मध्यस्थ इति स स्मृतः ॥६३॥

आत्मानुभावी योऽर्थः स्यादात्मस्थ इति स स्मृतः ।

[2]परार्थवर्णना यत्र परस्थः स तु संज्ञितः[3] ॥६४॥

प्रायेण सर्वभावानां कामान्निष्पत्तिरिष्यते ।

स चेच्छागुणसम्पन्नो बहुधा परिकल्पितः[4] ॥६५॥

आत्मस्थः । रूपादयोऽपि चैवं भवन्तीति कथं नात्मस्थाः परसुखादयश्च नैवमिति कथमात्मस्थाः ।

अथ कामोपचारस्य सामान्याभिनयत्वमुपपादयति **प्रायेण सर्वभावाना**मिति । **कामा**दिति इच्छातः । यद्यप्यनिच्छोः किञ्चिद्भवति तदपि प्राक्तनं च कर्माधिपत्यात् । कर्मस्थापूर्वकमिति प्रायग्रहणं व्याप्त्यर्थः कामादेव निष्पत्तिरित्यर्थः ।

ननु कोऽयं कामो नामेत्याह **स चेच्छे**ति । न. चेच्छामात्रादेव कार्यविनिष्पत्तिरित्याह गुणेन कार्यप्रयत्नादिना कार्यव्यापारादिसहितेन सम्पन्नः सहकृतः सर्वकार्यकारी । नन्वेकैव चेदिच्छा कथमनेकं कार्यं प्रसूयत इत्याशङ्क्याह—**बहुधा परिकल्पितः** भूयस्यः इच्छा इति यावन्नमुदाहरति **धर्मकाम** इत्यादि । धर्मः कामः अर्थो मोक्षे च । तत्र कामो नामेच्छा सा च सुखे तत्साधने वा भवति । तत्र धर्मार्थयोः स्वयं सुखरूपत्वं नास्ति सुखसाधनतापि च । साक्षाद्धर्मेण ह्यप्सरोनन्तादि (गतादि ?) सुखसाधनमुपार्ज्यते । एवमर्थेऽपि मन्तव्यम् । मोक्षो यद्यप्यबहिस्साधनाधीनपरमानन्दविश्रान्तिलक्षणः सुखात्मैव, तथापि दुर्लभ इति न तत्र संमोहितं लोकस्य हृदयम् ।

---

1. NS. च ।
2. KSS. परस्य वर्णनीयश्च NS. परार्थवर्णनायां च ।
3. NS. इति स स्मृतः ।
4. KSS. काम इष्यते ।

धर्मकामोऽर्थकामश्च मोक्षकामस्तथैव च ।
[1]स्त्रीपुंसयोस्तु योगो [2]यः स तु काम इति स्मृतः ॥९६॥
[3]सर्वस्यैव हि लोकस्य सुखदुःखनिबर्हणः[4] ।
भूयिष्ठं दृश्यते कामः [5]स सुखं व्यसनेष्वपि ॥९७॥
यः स्त्रीपुरुषसंयोगो[6] रतिसंभोगकारकः ।
स शृङ्गार इति ज्ञेय [7]उपचारकृतः शुभः ॥९८॥

स्त्रीपुरुषयोस्तु संयोगः साक्षादेव सुखसाधनमिति तस्यैवेच्छाविषयतेति निरुपपदेन कामशब्देन स एव वाच्यः । तेन च सर्वोऽर्थोऽनुरज्यते, यदाह— स्त्रीति नामापि संह्लादीति(कामन्द-स ४-५२) तथापि तत्स्पृष्टे लोकोत्तरेऽप्यर्थो लोकस्य हृदयसंवादादयत्नेनैव हृदयंगमत्वमभ्युपगच्छति । यथा—

मोहदुर्दिननिशाभिसारिका मानिनी समदना मदोद्धता ।

धीरियं प्रणयतस्त(स्त्व?)दुन्मुखी खण्डितां रमण मास्म तां कृथाः ॥ इति ॥ अनेनैवाशयेन रहस्योऽप्यर्थो मया रहस्येषु (मुख्ययैव वृत्त्या) निबद्धः कैशिक्या ह्येतदर्थमेवादरेण विनिवेशः प्रतिपादितः । अत एह्यस········ ।

कामोपचारस्य सामान्याभिनयत्वं बहुतरलक्ष्यव्यापकत्वात् तदेव दर्शयति **यः स्त्रीपुरुषसंयोग** इति । इच्छामात्रमपि तत्र सुखे(चोपचारकृत) मित्यत इच्छा-लक्षणं संभोगं करोतीत्याह । उपचारोऽन्योन्यहृदयग्रहणोचितैर्व्यापारैः परिपूर्णः ।

---

1. NS. यत्तु स्त्रीपुंसयोर्योगः समो योग इति स्मृतः ।
2. KSS. संयोगो यः कामः स तु संस्मृतः ।
3. KSS. does not read.
4. NS. निबर्हणम् ।
5. NS. सुखदो दुःखदेष्वपि ।
6. KSS. संयोगे रतिसंयोगकारकः ।
7. KSS. उपकार ।

[1]भूयिष्ठमेव लोकोऽयं सुखमिच्छति सर्वदा ।
सुखस्य[2] हि स्त्रियो मूलं नाना[3] शीलाश्च ताः पुनः ॥९९॥
[4]देवदानवगन्धर्वरक्षोनागपतत्रिणाम् ।
पिशाचयक्षव्यालानां नरवानरहस्तिनाम् ॥१००॥
मृगमीनोष्ट्रमकर[5]खरसूकरवाजिनाम् ।
महिषाजगवादीनां तुल्यशीलाः स्त्रियः स्मृताः ॥१०१॥
[6]स्निग्धैरङ्गैरुपाङ्गैश्च स्थिरा मन्दनिमेषिणी ।
आरोगा दीप्त्युपेता च [7]दानसत्त्वार्जवान्विता ॥१०२॥

इह चोक्त (उत्तम) प्रकृतिर्यदि भवति तद्रसाध्यायोक्तदशा शृङ्गार इत्युच्यते । एतमेवार्थमुपोद्बलयति **भूयिष्ठमेव लोकोऽयं सुखमिच्छति सर्वदा** इति । **भूयिष्ठ**मिति प्राप्तादधिकमिति यावत् । अत एव परमानन्दलाभमन्तरेण न कुत्रचित् संतुष्यति लोकः । **सर्वदेति** दुःखाभावमपि सुखार्थमेवेच्छति, सर्वदुःखनिर्वृत्तिं हि कामयते सुखेन यथेच्छमश्नीयात्, यथाभीष्टं च रमणीमुपभुञ्जीयादिति । हारमपि त्यजति मृदुशीतलसमीरस्पर्शजनितसुखसिद्ध्यर्थमेव । अत एव शून्यरहस्यविदः कणादसुगतादिसंमतमिमं मोक्षं न रोचयन्ते प्रेक्षावतां तत्राप्रवृत्तिप्रसङ्गादिति दर्शितमित्यलं बहुना ।

उपचारकृतमित्युक्तम्, तत्रोपचारज्ञानाय स्त्रीणामाशयं दर्शयति, आशयग्रहणपूर्वकत्वादुचितस्योपचारस्य **नानाशीलाः** (इति) । शीलं सत्त्वं चैतन्यं बुद्धिपूर्वकं स्वभावो हेवाक इति पर्यायाः । **देवदानवेत्या**दिना तानि शीलान्युद्दिश्य यथोद्देशं लक्षयति । आदि ग्रहणेनान्यदपि शीलमस्तीत्याह । **समरतेति** नातिमृद्वी

---

1. NS. सर्वः प्रायेण, KSS. इह प्रायेण लोकोऽयं शुभमिच्छति नित्यशः ।
2. KSS , NS. च ।
3. NS. शीलधराश्च ताः ।
4. KSS., NS. देवतासुर ।
5. KSS. वन ।
6. KSS. स्निग्धा चाङ्गैः···स्थिर NS. स्निग्धाङ्गोपाङ्गनयना ।
7. NS. सत्यार्जवदयान्विता KSS. दानशक्त्यार्जवान्विता ।

अल्पस्वेदा समरता [1]स्वल्पभुक् सुरत[2]प्रिया ।
[3]गन्धपुष्परता हृद्या देवशीलाङ्गना स्मृता ॥१०३॥

अधर्मशाठ्याभिरता[4] स्थिरक्रोधातिनिष्ठुरा ।
मद्यमांसप्रिया नित्यं कोपना चातिमानिनी[5] ॥१०४॥

चपला चातिलुब्धा च परुषा कलहप्रिया ।
[6]ईर्ष्याशीला चलस्नेहा चासुरं शीलमाश्रिता[7] ॥१०५॥

[8]क्रीडापरा चारुनेत्रा नखदन्तैः सुपुष्पितैः ।
[9]स्वङ्गी च स्थिरभाषी च मन्दापत्या रतिप्रिया ॥१०६॥

[10]गीते वाद्ये च नृत्ते च [11]रता हृष्टा मृजावती ।
गन्धर्वसत्त्वा[12] विज्ञेया स्निग्धत्वक्केशलोचना ॥१०७॥

बृहद्व्यायतसर्वाङ्गी रक्तविस्तीर्णलोचना ।

नातिखरेत्यर्थः । स्वङ्गीति सुखसन्निवेशान्यङ्गानि यस्या इत्यर्थः ।

---

1. NS. स्वल्पशुक्ररतप्रिया ।
2. KSS. सुरभिप्रिया ।
3. KSS. गान्धर्ववाद्याभिरता हृद्या देवाङ्गना ।
4. NS. अधमा साम्यनिरता ।
5. NS. क्रोधना यातिमानिनी ।
6. NS. ईर्ष्याशीलाथ निस्नेहा शीलमासुरं ।
7. KSS. शीलमास्थिताः ।
8. NS. क्षिप्रापरा । KSS. अनेकारामभोग्या च ।
9. KSS., स्मिताभिभाषिणी तन्वी मन्दाचारा NS. तन्वङ्गी स्मितभाषा च ।
10. NS. नृत्ते गीते च नाट्ये च ।
11. KSS. नित्यं ।
12. KSS., NS. शीला ।

[1]खररोमा दिवास्वप्ननिरतात्युच्चभाषिणी ॥१०८॥
नखदन्तक्षतकरी क्रोधेर्ष्या कलहप्रिया।
निशाविहारशीला च राक्षसं [2]शीलमाश्रिता ॥१०९॥
तीक्ष्णनासा[3]ग्रदशना सुतनुस्ताम्रलोचना।
नीलोत्पलसवर्णा च [4]स्वप्नशीलाऽतिकोपना ॥११०॥
तिर्यग्गतिश्चलारम्भा [5]बहुश्वासातिमानिनी।
गन्धमाल्यासवरता[6] नागसत्त्वाऽङ्गना स्मृता ॥१११॥
[7]अत्यन्तव्यावृतास्या च तीक्ष्णशीला सरित्प्रिया[8]।
सुरासवक्षीररता[9] बह्वपत्या फलप्रिया ॥११२]
नित्यं श्वसनशीला च [10]तथोद्यान[11]वनप्रिया।
[12][चपला बहुवाक्छीघ्रा शाकुनं सत्त्वमाश्रिता]॥११३॥

व्यावृतं विस्तीर्णमास्यमन्तर्मुखं यस्याम्। निष्कुटे गृहारामे चरतीति (निष्कुट-

---

1. KSS. निवृत्त्या NS. स्वभावोत्फुल्ल।
2. KSS. NS. सत्त्वं।
3. NS. नासोग्र।
4. KSS. स्वप्नोद्देशाऽति।
5. KSS. बहुसत्त्वाभिनन्दिनी NS. बहुविम्बातिमानिनी।
6. KSS. माल्यादिनिरता। NS. माल्यातिनिरता।
7. NS. अत्यर्थं घटितास्या च।
8. NS. रतिप्रिया।
9. KSS. रसा।
10. KSS., NS. सदोद्यान।
11. NS. रतिप्रिया।
12. KSS., NS. do not read.

[1][ऊनाधिकाङ्गुलिकरा रात्रौ निष्कुटचारिणी ।
बालोद्वेजनशीला च पिशुना क्लिष्टभाषिणी ॥११४॥
सुरते कुत्सिताचारा रोमशाङ्गी महास्वना ।
पिशाचसत्त्वा विज्ञेया मद्यमांस[2]बलिप्रिया ॥] ११५॥
स्वप्नप्रस्वेदनाङ्गी च स्थिरशय्यासनप्रिया ।
[3][मेधाविनी बुद्धिमती मद्यगन्धामिषप्रिया ॥] ११६॥
चिरदृष्टेषु हर्षं च कृतज्ञत्वादुपैति सा[4] ।
अदीर्घं [5]शायिनी चैव यक्षशीलाऽङ्गना स्मृता[6] ॥११७॥
[7]तुल्यमानावमाना या परुषत्वक् खरस्वरा[8] ।
शठानृतोद्धतकथा व्यालसत्त्वा च पिङ्गदृक्[9] ॥११८॥
आर्जवाभिरता नित्यं [10]दक्षात्यन्तगुणान्विता ।
विभक्ताङ्गी कृतज्ञा च गुरुदेवद्विजप्रिया[11] ॥११९॥
धर्मकामार्थ[12]निरता ह्यहङ्कारविवर्जिता ।

चारिणी) तच्छीलेति । कुत्सिताचारेति औररिष्टकादिप्रिया । (बुद्धिमतीति)

---

1. KSS. does not read it. NS. जनाधिकाङ्गुलि ।
5. NS. रतिप्रिया ।
3. KSS. does not nead ।
4. KSS. NS. या ।
5. NS. गमना याच ।
6. KSS., NS. ज्ञेया यक्षाङ्गनान्वया ।
7. NS. मानापमानयोस्तुल्या परुषा कटुकाक्षरा ।
8. KSS. खरस्वना ।
9. NS पिङ्गछक् व्यालवंशजा ।
10. KSS. दक्षा क्षान्ति ।
11. KSS., NS. गुरुदेवार्चने रता ।
12. NS. नित्या च वयाहङ्काम् वर्जिता । KSS. नित्या घ अहंकार विवर्जिता ।

सुहृत्प्रिया सुशीला च मानुषं [1]सत्त्वमाश्रिता ॥१२०॥
संहताल्पतनुर्हृष्टा[2] पिङ्गरोमा [3]छलप्रिया ।
प्रगल्भा चपला तीक्ष्णा वृक्षाराम [4]वनप्रिया ॥१२१॥
स्वल्पमप्युपकारं तु नित्यं या बहुमन्यते ।
[5]प्रसह्यरतिशीला च [6]वानरं सत्त्वमाश्रिता ॥१२२॥
महाहनुललाटा च [7]शरीरोपचयान्विता ।
पिङ्गाक्षी रोमशाङ्गी च गन्धमाल्यासवप्रिया ॥१२३॥
कोपना स्थिरचित्ता[8] च जलोद्यानवनप्रिया ।
मधुराभिरता चैव हस्तिसत्त्वा प्रकीर्तिता[9] ॥१२४॥
स्वल्पोदरी भग्ननासा तनुजङ्घा वनप्रिया ।
[10]चलविस्तीर्णनयना चपला शीघ्रगामिनी ॥१२५॥
[11]दिवात्रासपरा नित्यं गीतवाद्यरतिप्रिया ।
[12]निवासस्थिरचित्ता [13]मृगसत्त्वा प्रकीर्तिता ॥१२६॥

अशेषाविस्मरणं बुद्धिः प्रतिभा । **प्रसह्येति** कामुकमभियुज्येत्यर्थः । **निवास**

---

1. NS. हेतु ।
2. KSS., NS. धृष्टा ।
3. KSS., NS. फलप्रिया ।
4. NS. रतिप्रिया ।
5. NS. असह्य ।
6. NS. कपिसत्वं समाश्रिताः ।
7. KSS., मांसलोपचयान्विता ।
8. KSS., NS. स्थिरसत्वा ।
9. KSS. रतिप्रिया ।
10. KSS. रक्त ।
11. KSS. परित्रासपरा भीरुर्गीतवाद्यरतिप्रिया ।
NS. परित्रासपरा भीरू रोमशा गीतलोभिनी
12. KSS. कोपनास्थिरसत्त्वा NS. कोपनाय (च) लसत्त्वा ।
13. KSS., NS. मृगसत्त्वाङ्गना स्मृता ।

दीर्घपीनोन्नतोरस्का [1]चला नातिनिमेषिणी ।
बहुभृत्या बहुसुता मत्स्यसत्त्वा जलप्रिया ॥१२७॥
लम्बोष्ठी स्वेदबहुला किञ्चिद्विकटगामिनी ।
कृशोदरी [2]पुष्पफल[3]लवणाम्लकटुप्रिया ॥१२८॥
[4]उद्बन्धकटिपार्श्वा च खरनिष्ठुरभाषिणी ।
अत्युन्नतकटीग्रीवा उष्ट्रसत्त्वाऽटवीप्रिया ॥१२९॥
स्थूलशीर्षाञ्चितग्रीवा दारितास्या महास्वना ।
ज्ञेया मकरसत्त्वा च क्रूरा मत्स्यगुणैर्युता ॥१३०॥
स्थूलजिह्वोष्ठदशना[6] रूक्षत्वक्कटुभाषिणी ।
रतियुद्धकरी[7] धृष्टा[8] नखदन्तक्षतप्रिया ॥१३१॥
सपत्नीद्वेषिणी दक्षा चपला शीघ्रगामिनी ।
[9]सरोषा बह्वपत्या च खरसत्त्वा प्रकीर्तिता ॥१३२॥
दीर्घपृष्ठोदरमुखी रोमशाङ्गी बलान्विता ।
सुसंक्षिप्तललाटा च कन्दमूलफलप्रिया ॥१३३॥

इति सौधादिः । (रतियुद्धकरीति) रतौ युद्धमिव । (नखेति) नखदशनप्रका-

1. NS. (श्र) KSS. चपला निर्निमेषिणी ।
2. KSS. फुल्लफल ।
3. NS. वर्णांशुकबहुप्रिया ।
4. KSS., NS. उद्बद्ध ।
5. KSS. अभ्युन्नतखर ।
6. KSS. रसना NS. वदना ।
7. NS. प्रिया ।
8. KSS., NS. हृष्टा ।
9. GOS. सरोगा ।

कृष्णदंष्टोत्कटमुखी [1]ह्रस्वोदरशिरोरुहा।
हीनाचारा बह्वपत्या सौकरं सत्त्वमाश्रिता ॥१३४॥
स्थिरा विभक्तपार्श्वोरुकटीपृष्ठशिरोधरा।
[2]सुभगा दानशीला च ऋजुस्थूलशिरोरुहा ॥१३५॥
[3]कृशा चञ्चलचित्ता च [4]स्निग्धवाक्छीघ्रगामिनी।
कामक्रोधपरा [5]चैव हयसत्त्वाङ्गना स्मृता ॥१३६॥
स्थूलपृष्ठाक्षि[6]दशना तनुपार्श्वोदरा स्थिरा[7]।
[8]हरिरोमाञ्चिता रौद्री लोकद्विष्टा रतिप्रिया ॥१३७॥
किञ्चिदुन्नतवक्त्रा च जलक्रीडावनप्रिया।
बृहल्ललाटा सुश्रोणी माहिषं सत्त्वमाश्रिता ॥१३८॥
कृशा तनुभुजोरस्का [9]निष्टब्धस्थिरलोचना।
संक्षिप्तपाणिपादा च [10]सूक्ष्मरोमसमाचिता ॥४३९॥
भयशीला जलोद्विग्ना[11] बह्वपत्या वनप्रिया।
चञ्चला शीघ्रगमना [12]ह्यजसत्त्वाङ्गना स्मृता ॥१४०॥

रादि करोति स्वयं च तदात्मानि। (संक्षिप्तपाणीति) संक्षिप्तं परिमितम्।

---

1. KSS., NS. पीवरोरु।
2. NS. सुरूपा।
3. KSS. गूढा चपलचित्ता। NS. कृशा च चलचित्ता च।
4. KSS. तीक्ष्णवाक्।
5. NS. नित्यं हयसत्वा प्रकीर्तिता।
6. KSS., NS. अस्थि।
7. NS. स्निग्धत्वङ् मधुरा च या।
8. KSS., NS. खररोमाञ्चिता रौद्रा।
9. KSS. विष्टब्धेतर NS. निष्टब्धतर।
10. NS रूक्षा रोमसमाञ्चिताः।
11. KSS. जडोन्मत्ता।
12. KSS., NS. ह्यजाशीलाङ्गना।

[1]उद्बन्धगात्रनयना विजृम्भणपरायणा ।
[2]दीर्घाल्पवदना स्वल्पपाणिपाद[3]विभूषिता ॥१४१॥
उच्चः स्वना स्वल्पनिद्रा क्रोधना सुकृतप्रिया[4] ।
हीनाचारा कृतज्ञा च श्वशीला[5] परिकीर्तिता ॥१४२॥
पृथुपीनोन्नतश्रोणी तनुजङ्घा सुहृत्प्रिया ।
संक्षिप्तपाणिपादा च [6]दृढारम्भा प्रजाहिता ॥१४३॥
पितृदेवार्चनरता [7]सत्यशौचगुरुप्रिया ।
स्थिरा परिक्लेशसहा गवां सत्त्वं समाश्रिता[8] ॥१४४॥
नानाशीलाः स्त्रियो ज्ञेयाः स्वं स्वं सत्त्वं समाश्रिताः ।
विज्ञाय च यथातत्त्वमुपसेवेत ताः पुनः[9] ॥१४५॥
उपचारो यथासत्त्वं स्त्रीणामल्पोऽपि हर्षदः[10] ।
महानप्यन्यथायुक्तो नैव तुष्टिकरो भवेत् ॥१४६॥
यथा संप्रार्थितावाप्त्या[11] रतिः समुपजायते ।

शीलज्ञानस्योपयोगमाह विज्ञाय च यथासत्त्वमुपसेतेति । सत्त्वानुसारेण सेवायाः प्रयोजनमाह उपचारो यथासत्त्वमिति । एवं च सतीत्येतदेव व्यतिरेकेणाह महानप्यन्यथेति । महानिति पूर्णः । अन्यथेति अयथासत्त्वम् ।

1. KSS., NS उद्बद्ध ।
2. KSS. दीप्राल्प । NS. दीर्घान्त ।
3. KSS. विभूषणा ।
4. KSS., NS. बहुभाषिणी ।
5. KSS. साऽश्वशीला प्रकीर्तिताः ।
6. NS. इष्टारम्भा ।
7. NS. शुचिसत्त्वा KSS. नित्यशौचा ।
8. NS. उपाश्रिता ।
9. NS. उपसर्पेत्यथागुणम् KSS. उपसर्पेत् ततो बुधः ।
10. NS. प्रयुक्तो हर्षवर्धनः ।
11. NS. सम्प्रार्थिताः बाह्यरतिः । KSS. सम्प्रार्थितायां बाह्यरतिः ।

स्त्रीपुंसयोश्च रत्यर्थमुपचारो विधीयते ।।१४७।।
धर्मार्थं हि तपश्चर्या सुखार्थं धर्म इष्यते ।
सुखस्य मूलं प्रमदास्तासु सम्भोग इष्यते ।।१४८।।
कामोपभागो[1] द्विविधो नाट्यधर्मेऽभिधीयते[2] ।
[3]बाह्याभ्यन्तरतश्चैव नारीपुरुषसंश्रयः[4] ।।१४९।।
आभ्यन्तरः पार्थिवानां [5]स च कार्यस्तु नाटके ।
बाह्यो वेश्यागतश्चैव[6] स च प्रकरणे भवेत् ।।१५०।।
[7]तत्र राजोपभोगं तु व्याख्यास्याम्यनुपूर्वशः ।
उपचारविधिं सम्यक् कामतन्त्र[8]समुत्थितम् ।।१५१।।
[9]त्रिविधा प्रकृतिः स्त्रीणां नानासत्त्वसमुद्भवा ।

पुरुषार्थान्तरे कस्मादित्यव्युत्पत्तिर्न कृतेति वेदप्रमाण्यादि दर्शयति **धर्मार्थं हीत्यादि**। अस्येदानीं सामान्याभिनयस्य प्रकृत उपयोगं दर्शयति **कामोपभोगो द्विविध** इति। (**नाट्यधर्म** इति) नाट्योपाये इतिवृत्त इत्यर्थः। अभ्यन्तरमन्तःपुरं तत्र भवः (आभ्यन्तरः)। **नाटक** इति नाटिकायां चेत्यर्थः। **अनुपूर्वश** इति (वक्ष्यमाणग्रन्थे मुनिना) स्त्रीणां त्रैविध्यम्, राजोपचारे नायिकायाः कामोपपत्तिः, इङ्गितं इष्टवेदनम्, कामावस्थाः, विप्रलम्भोपचारः, दूतीप्रेषणम्, सन्देशः रत्युपायचिन्ता, [कन्यामित्रम्], प्रच्छन्नकामितम्, अन्तःपुरभोगः, [नि] वासकः

1. KSS. उपचारो।
2. KSS., NS. विधीयते।
3. KSS., NS. बाह्यश्चाभ्यन्तर।
4. KSS., NS. संभवः।
5. NS. कर्तव्यः स च।
6. KSS. कृतश्चैव NS. वेश्याङ्गनानां तु।
7. अयं श्लोकः NS. पुस्तके न दृश्यते।
8. KSS. सूत्र।
9. KSS. विविधा।

बाह्या चाभ्यन्तरा चैव स्याद्बाह्याभ्यन्तरापरा ।।१५२।।

कुलीनाभ्यन्तरा ज्ञेया बाह्या वेश्याङ्गना स्मृता ।

कृतशौचा तु[1] या नारी सा बाह्याभ्यन्तरा स्मृता ।।१५३।।

अन्तः पुरोपचारे तु कुलजा कन्यकापि वा[2] ।

न हि राजोपचारे तु[3] बाह्यस्त्रीभोग इष्यते ।।१५४।।

आभ्यन्तरो भवेद्राज्ञो बाह्यो[4] बाह्यजनस्य च[5] ।

दिव्यवेशाङ्गनानां हि राज्ञां भवति सङ्गमः ।।१५५।।

[6]कुलजाकामितं यच्च तज्ज्ञेयं कन्यकास्वपि ।

या चापि वेश्या साप्यत्र यथैव कुलजा तथा ।।१५६।।

इह कामसमुत्पत्तिर्नानाभाव[7]समुद्भवा ।

स्त्रीणां वा पुरुषाणां वा उत्तमाधममध्यमा ।।१५७।।

इत्यादिना क्रमेणेत्यर्थः । राज्ञामभ्यन्तर एव नाटके भोगः, न तु राज्ञामेवेति । वेशो गणिकानां स्थानं तत्र भवाः वेश्याः । (कृतशौचेति) कृतं शौचं शुद्धशीलत्वमेकान्तावरुद्धत्वेन यस्याः, सा च वेश्या पुनर्भवा । कन्येति गणिका कुमार्यपीत्यर्थः । न हि राजोपचारे तु बाह्यस्त्रीभोग इत्यस्यापवादमाह—दिव्यवेश्येत्यादि । यथा पुरूरवसः उर्वश्या ।

---

1. GOS. तु ।
2. KSS., NS. read an additional line—न हि राजोपचारेषु कुलजा कन्यकाऽपि वा ।
3. KSS., NS. उपचारेषु ।
4. KSS., NS. बाह्ये ।
5. KSS., NS. वा ।
6. KSS., NS. कुलजानां मतं ।
7. KSS., NS. बीज ।

श्रवणाद्दर्शनाद्रूपादङ्गलीलाविचेष्टितैः ।

मधुरैश्च समालापैः[1] कामः समुपजायते ।।१५८।।

रूपगुणादिसमेतं कलादिविज्ञानयौवनोपेतम् ।

दृष्ट्वा पुरुषविशेषं नारी मदनातुरा भवति ।।१५९।।

ततः काममानानां नृणां स्त्रीणामथापि च ।

कामभावेङ्गितानीह तज्ज्ञः समुपलक्षयेत् ।।१६०।।

कामोपचार इति प्रस्तुतस्तत्र कामस्य कथमुत्पत्तिरित्याह—**श्रवणा**दिति सर्वत्र शेषः । सीतायाः श्रवणाद्रावणस्य, शकुन्तलादर्शनाद् दुष्यन्तस्य ।

रूपं चित्रादि प्रतिकृतिः, ततो वत्सेशस्य दृष्टेऽप्याकारे कामोऽनुत्पद्यमानोऽङ्गलीलालक्षणाद्विचेष्टितादुपजायते, नष्टरागप्रत्यानयनं वा ततो भवति, यथा विशाखदेवस्य निबद्धेऽभिसारिकाबन्धितके (वञ्चितके ?) वत्सेशस्य पद्मावतीभट्टशबरीवेषाद्याचरणरूपाल्लीलाचेष्टितात् कामावृत्तिराख्याता । एवं मधुरेऽप्यालापे मन्तव्यम् । माधुर्यमर्थद्वारेण स्वरूपतः । चकारेणान्यदपि निमित्तं दर्शयति । यथा तापसवत्सराजचरिते पद्मावतीं प्रति कामोत्पत्तिर्वत्सेश्वरस्य निमित्तमत्यन्तानुवृत्तिर्नाम । तथा चाह—

मयि मनः प्रणिधाय धृता जटा
न गणितः स्वजनो न नवं वयः ।
अनुगमैरिति मामनुरागिणी
व्यवसितादपनेतुमिवेच्छति ।। इति । (४-८)

कामभावः कामाख्यश्चित्तवृत्तिः, तत्कृतानीङ्गितानि शरीरविकारा इत्यर्थः,

---

1. KSS., NS. मधुरैः सम्प्रलापैश्च ।

2. KSS., NS. read it after the verse.—ततः कामयमानानां ।

ललिता चलपक्ष्मा च [1]तथा च मुकुलेक्षणा ।
स्रस्तोत्तरपुटा[2] चैव काम्या दृष्टिर्भवेदिह ॥१६१॥
[3][वलितान्ता सलालित्यसंमितैर्व्यञ्जितैस्तथा[4] ।
दृष्टिः सा ललिता नाम स्त्रीणामर्धावलोकने ॥]१६२॥
ईषत्संरक्त[5]गण्डस्तु सस्वेदलवचित्रितः ।
[6]प्रस्पन्दमानरोमाञ्चो मुखरागो भवेदिह[7] ॥१६३॥
काम्येनाङ्गविकारेण सकटाक्षनिरीक्षितैः ।
तथाभरणसंस्पर्शैः[8] कर्णकण्डूयनैरपि[9] ॥१६४॥
अङ्गुष्ठाग्रविलिखनैः[10] स्तननानिप्रदर्शनैः[11] ।
नखनिस्तोदनाच्चैव[12] केशसंयमनादपि ॥१६५॥
वेश्यामेवं विधैर्भावैर्लक्षयेन्मदनातुराम् ।
कुलजायास्तथा चैव [13]प्रवक्ष्यामीङ्गितानि तु ॥१६६॥
प्रहसन्ती व नेत्राभ्यां प्रततं च निरीक्षते ।
स्मयते [14]सा निगूढं च [15]वाचं नाधोमुखी वदेत् ॥१६७॥

1. KSS., NS. सास्रा मुकुलितेक्षणा ।
2. KSS., NS. यदा ।
3. KSS., NS. पलितान्ता ।
4. KSS., NS. सदा ।
5. KSS., NS. कण्ठश्च स्वेदबिन्दुविचित्रितः ।
6. KSS., NS. प्रस्यन्द ।
7. KSS., NS. तु कामजः ।
8. KSS., NS. संस्पर्शात् ।
9. KSS., NS. कण्डूयनाद् ।
10. KSS., NS. विलिखेन ।
11. KSS., NS. प्रदर्शनात् ।
12. KSS., NS. चापि ।
13. KSS. विज्ञेयानि ।
14. KSS. च ।
15. KSS., NS वाक्यं ।

स्मितोत्तरा मन्दवाक्या स्वेदाकारनिगूहनी[1] ।
प्रस्पन्दिताधरा चैव चकिता च कुलाङ्गना ।।१६८।।
एवंविधैः कामलिङ्गैरप्राप्तसुरतोत्सवा ।
[2]दशस्थानगतं कामं नानाभावैः[3] प्रदर्शयेत्[4] ।।१६९।।
प्रथमे त्वभिलाषः स्याद् द्वितीये चिन्तनं भवेत् ।
अनुस्मृतिस्तृतीये तु चतुर्थे गुणकीर्तनम् ।।१७०।।
उद्वेगः पञ्चमे प्रोक्तो विलापः षष्ठ उच्यते ।
उन्मादः सप्तमे ज्ञेयो भवेद्व्याधिस्तथाष्टमे ।।१७१।।
नवमे जडता चैव दशमे मरणं भवेत् ।

अप्राप्तसुरतोत्सवेति प्राप्तसंभोगत्वे तु नैते विकाराः प्रादुर्भवन्ति । यदा तु काम उदितस्तदादेः प्राप्तसंभोगता कामावस्थानामुदय एव तथा च प्राप्तसंभोगतायामपि विप्रलम्भे *कुसमसदृक्षादिमहिमानं प्राप्ते कामिजनसंभोगे भवन्त्येवैता अवस्थाः । तथा च भट्टनोतेनोक्तम्—

कामावस्था न शृङ्गारः क्वचिदासां तदङ्गता । इति

पूर्वप्राप्तसंभोगतायामपि शृङ्गाराङ्गतेति यावत् । अप्राप्तसंभोगित्वेऽपि हि सागरिकावत्सराजयोर्दर्शितः शृङ्गारो रसाध्याये ।

अभिलाषात्मकः कामः क्रमादीदृशीर्दशाः प्रतिपद्यत इत्याह **प्रथमे त्वभि-**

1. KSS. निगूहना ।
2. KSS., NS. दशावस्थागतं ।
3. NS. नानाभावं ।
4. KSS. प्रकाशयेत् ।

*कामसूत्रं—III-२. (कुसुमसधर्माणो हि योषितः)

स्त्रीपुंसयोरेष विधिर्लक्षणं च निबोधत ॥१७२॥
व्यवसायात्समारब्धः संकल्पेच्छासमुद्भवः ।
समागमोपायकृतः सोऽभिलाषः प्रकीर्तितः ॥१७३॥
निर्याति विशति च मुहुः [1]करोति चाकारमेव मदनस्य ।
तिष्ठति च दर्शनपथे प्रथमस्थाने स्थिता कामे ॥१७४॥
केनोपायेन संप्राप्तिः कथं वासौ[2] भवेन्मम ।
दूतीनिवेदितैर्भावै[3]रिति चिन्तां निदर्शयेत् ॥१७५॥
आकेक[4]रार्धविप्रेक्षितानि वलयरशनापरामर्शः ।
नीवी[5]नाभ्योः संस्पर्शनं च कार्यं द्वितीये तु ॥१७६॥

लाष इत्यादि । अत्र व्यभिचारिण एव (केचित्) कामावस्था लक्षणान्तरयोगादिह पुनरुक्ताः । **व्यवसायादिति** काम्यजनज्ञानं **तत्संकल्पपूर्वकेच्छा** तत उद्भव उद्रिक्तत्वमस्येति **समागमोपायस्य** तद्विषयस्य चिन्ता विषयस्य द्वितीयावस्थात्मनः कृतं करणं यतो वक्ष्यति हि केनोपायेन संप्राप्यत इति चिन्तनीयाद्यवस्थासहचरितं कार्यं, वाग्व्यापाराद्युचितः शब्दश्चान्यसाहचर्यादित्याह **निर्याति विशति** चेत्यादि । मदनस्याकार अपाक्रियते येन दृष्ट्यादिविशेषेण **दर्शनपथ** इति तं यत्र पश्येत तेन वा दृश्येनेत्यर्थः । दूतीनिवेदितैर्भावैः मनोरथैरिन्द्रियलक्षणं स्वकल्पितैरपीत्यर्थः **आकेकरमिति** विचलमविचलं **विप्रेक्षितम्** ।

1. KSS. निर्गच्छति प्रविशति च ।
2. KSS. NS. संभवेत् ।
3. KSS. वाक्यैः ।
4. KSS. अक्षि ।
5. KSS. नाभ्यूरूणां स्पर्शः कार्यो ।

मुहुर्मुहुर्निःश्वसितैर्मनोरथविचिन्तनैः ।
[1]प्रद्वेषाच्चान्यकार्याणामनुस्मृतिरुदाहृता ॥१७७॥
नैवासने न शयने धृतिमुपलभते स्वकर्मणि विहस्ता ।
[2]तच्चिन्तोपगतत्वात् तृतीयमेवं प्रयुञ्जीत ॥१७८॥
अङ्गप्रत्यङ्गलीलाभिर्वाक्चेष्टाहसितेक्षितैः[3] ।
नास्त्यन्यः सदृशस्तेनेत्येतत् स्याद् गुणकीर्तनम् ॥१७९॥
गुणकीर्तनोल्लुकसनै[4]रश्रुस्वेदापमार्जनैश्चापि ।
[5]दूत्यविरहविस्रम्भैरभिनययोगश्चतुर्थे तु ॥१८०॥
आसने शयने चापि न तुष्यति न तिष्ठति[6] ।
नित्यमेवोत्सुका च स्यादुद्वेगस्थानमाश्रिता[7] ॥१८१॥
चिन्तानिःश्वासखेदेन हृद्दाहाभिनयेन च ।
कुर्यात्तदेव[8]मत्यन्तमुद्वेगाभिनयेन च ॥१८२॥
इह स्थित इहासीन [9]इह चोपगतो मया ।

विहस्तेति अशक्ता । **दूत्या अविरह** इति समासः । **उद्वेगाख्यं स्थानमवस्था** । **उद्वेगाभिनयो** निर्वेदे दर्शितः । रुदितनिःश्वसितादिः पूर्वावस्थाया उत्तरावस्था-

1. KSS. NS. प्रद्वेषत्त्वन्य ।
2. KSS., NS. न ।
3. KSS., NS. ईक्षणैः ।
4. KSS., NS. कुशलैः ।
5. KSS., NS. दूत्या विरहविशुम्भैः ।
6. KSS., NS. वापि न कुप्यति न हृष्यति ।
7. KSS., NS. एंव तु ।
8. KSS., NS. तदेव कुर्यात् ।
9. KSS., NS. इहायापगते ।

इति तैस्तै[1]र्विलपितैर्विलापं संप्रयोजयेत्[2] ॥१८३॥
उद्विग्नात्यर्थमौत्सुक्यादधृत्या च विलापिनी ।
ततस्ततश्च भ्रमति विलापस्थानमाश्रिता[3] ॥१८४॥
[4]तत्संश्रितां कथां युङ्क्ते सर्वावस्थागतापि हि ।
[5]पुंसः प्रद्वेष्टि चाप्यन्यानुन्मादः संप्रकीर्तितः ॥१८५॥
तिष्ठत्यनिमिषदृष्टिर्दीर्घं निःश्वसिति गच्छति ध्यानम् ।
रोदिति विहारकाले नाट्यमिदं स्यात्तथोन्मादे ॥१८६॥
सामदानार्थ[6]संभोगैः काम्यैः [7]संप्रेषणैरपि ।
सर्वै[8]निराकृतैः पश्चाद् व्याधि समुपजायते ॥१८७॥

न्तरीभवतीति दर्शयन्ति उद्विग्ना सती विलापिनी भवतीति । **सर्वावस्थागतापीति** गुरुजनसन्निधावपीति, अनेनोन्मादत्वं स्फुटयति । **विहारकाल** इति क्रीडोचितेषु कालेषु रोदितीत्यर्थः । **नाट्य**मिति न तु पटशकलवक्रशरावाद्यत्रोन्मादोक्तमिति भावः । इयत्युन्मादपर्यन्ते प्राप्ते चित्तवृत्तिभवे कामे शरीरमप्यन्यथाभवतीत्याह **सर्वैर्निराकृतैः पश्चाद्व्याधि**रिति । निराकृतैः विफलीभूतैः । मुह्यतीत्यत्र हेतुः,

1. KSS., NS. विलापेऽपि ।
2. KSS., NS. प्रयोजयेत् ।
3. KSS., NS. आपि हि (?) ।
4. KSS., NS. do not read it.
5. KSS., NS. प्रद्वेष्टि चापरान्पुंसो यत्रोन्मादः स उच्यते ।
6. KSS., NS. साभोगैः ।
7. KSS., NS. सम्प्रेक्षणैः ।
8. KSS., NS. अवशीकरणात् ।

[1]मुह्यति हृदयं क्वापि प्रयाति शिरसश्च वेदना तीव्रा ।
न धृतिं चाप्युपलभते ह्याष्टममेवं प्रयुञ्जीत[2] ।।१८८।।

पृष्टा न किंचित् प्रब्रूते न शृणोति न पश्यति ।
[3]हाकष्टवाक्या तूष्णीका जडतायां गतस्मृतिः ।।१८९।।

अकाण्डे दत्तहुंकारा तथा प्रशिथिलाङ्गिका ।
[4]श्वासग्रस्तानना चैव जडताभिनये भवेत् ।।१९०।।

सर्वैः कृतैः प्रतीकारैर्यदि नास्ति समागमः ।
कामाग्निना प्रदीप्ताया जायते मरणं ततः ।।१९१।।

एवं स्थानानि कार्याणि कामतन्त्रं समीक्ष्य तु[5] ।
अप्राप्तौ यानि काम्यस्य वर्जयित्वा तु नैधनम् ।।१९२।।

विविधैः पुरुषोऽप्येवं विप्रलम्भसमुद्भवैः ।
भावैरेतानि कामस्य नानारूपाणि योजयेत् ।।१९३।।

एवं कामयमानानां स्त्रीणां नृणामथापि वा ।

यतो हृदयं नावतिष्ठति । हा कष्टमिति एतद्व्यतिरेकेण तूष्णीका एतदेव भाष्यत इति यावत् । प्रतीकारैरिति समागमोपायैरित्यर्थः । नैधनं मरणम् । नानारूपाणीति अवस्था इत्यर्थः ।

---

1. KSS., NS. युध्यति ।
2. KSS., NS. त्वभिनयेत् ।
3. KSS., NS. हा कष्टाष्टमतूष्णीका ।
4. KSS., NS. श्वासाग्रे स्थानननासेव ।
5. KSS., NS. समीक्षया ।

सामान्यगुणयोगेन युञ्जीताभिनयं बुधः[1] ॥१९४॥
चिन्ता[2]निःश्वासखेदेन हृद्दाहाभिनयेन च ।
[3]तथानुगमनाच्चापि तथैवाध्वनिरीक्षणात् ॥१९५॥
आकाशवीक्षणाच्चापि तथा दीनप्रभाषणात् ।
स्पर्शनान्मोटनाच्चापि तथा [4]सापाश्रयाश्रयात् ॥१९६॥
एभिर्नानाश्रयोत्पन्नैर्विप्रलम्भसमुद्भवैः ।
कामस्थानानि सर्वाणि भूयिष्ठं संप्रयोजयेत् ॥१९७॥
स्रजो भूषजगन्धांश्च गृहान्युपवनानि च ।
कामाग्निना दह्यमानः शीतलानि निषेवते ॥१९८॥
प्रदह्यमानः कामार्तो बहुस्थान[5]सर्मादितः ।
प्रेषयेत्कामतो दूतीमा[6]त्मावस्थाप्रदर्शिनीम् ॥१९९॥
सन्देशं चैव दूत्यास्तु प्रदद्यान्मदनाश्रयम् ।

पुरुषस्य सुलभोपायत्वान्मध्य एव समागमः शक्यक्रियः, न तु योषितामित्याशयेन कामावस्थाः स्त्रीषूपदिष्टाः, पुरुषेष्वनिदिष्टाः ।

स्रजो भूषणगन्धांश्चेत्यादिना यदुक्तं नद्यथायोगमवस्थातुं योज्यम् ।

---

1. इतोऽग्रे KSS., NS. पुस्तकयोः 'ललिता चलपक्ष्मा·········'इत्यादि श्लोकद्वयमधिकं वर्तते ।
2. KSS., NS. अतित्रास ।
3. KSS., NS तथागुणनाया ।
4. KSS., NS. पापा समाश्रयेत् ।
5. KSS., NS. समन्वितः ।
6. KSS., NS. तु स्व ।

तस्येयं [1]समवस्थेति कथयेद्विनयेन सा ॥२००॥
[2]अथावेदितभावार्थो रत्युपायं विचिन्तयेत् ।
अयं विधिर्विधानज्ञैः कार्यः प्रच्छन्नकामिते[3] ॥२०१॥
विधिं राजोपचारस्य पुनर्वक्ष्यामि तत्त्वतः ।
अभ्यन्तरगतं सम्यक् कामतन्त्रसमुत्थितम्[4] ॥२०२॥
[5]सुखदुःखकृतान् भावान् नानाशीलसमुत्थितान् ।
यान्यान् प्रकुरुते राजा तान्स्तान् लोकोऽनुवर्तते ॥२०३॥
न दुर्लभाः पार्थिवानां स्त्र्यर्थमाज्ञाकृता[6] गुणाः ।
दाक्षिण्यात्तु समुद्भूतः कामो रतिकरो भवेत् ॥२०४॥
बहुमानेन [7]देवीनां वल्लभानां भयेन च ।

प्रच्छन्नकामितं नायिकान्तरेभ्यः संन्ध्रियमाणमित्यर्थः ।

ननु राज्ञां किमशक्यं येन दूतीप्रेषणादिप्रयासमनुभवन्तीत्याह—न दुर्लभाः पार्थिवानामित्यादि । आज्ञाकृता गुणा उपायाः उप प्रलम्भादुदाहरणात् अय इत्यर्थः । राज्ञां ये उपाया इति सम्बन्धषष्ठी तेन बलार्थेऽभिमतानिषेधः । दाक्षिण्यादित्युभयविषयम्, पूर्वनायिकासु च दाक्षिण्यं, अभिलषणीयप्रमदाकृतं च दाक्षिण्यम्, तस्या राजविषयं प्रेमेत्यर्थः । कुतः प्रच्छन्नत्वमित्याह—बहुमानेनेति कर्मषष्ठी । देव्यो हि प्राप्ताभिषेका अवश्यं राज्ञा बहुत्वेनोत्कृष्टत्वेन माननीयः ।

1. KSS., NS. समयस्थ ।
2. KSS., NS. अथ वेदितभावार्थैः ।
3. KSS., NS. कामाभिः ।
4. KSS., NS. कामतन्त्रे समुपस्थितम् ,
5. KSS., NS. सुखदः स्वकृतान् ।
6. KSS., NS. कृतो गुणः ।
7. KSS., NS. देवानां ।

[1]प्रच्छन्नकामितं राज्ञा कार्यं परिजनं प्रति ।।२०५।।
यद्यप्यस्ति नरेन्द्राणां[2] कामतन्त्रमनेकधा ।
[3]प्रच्छन्नकामितं यत्तु तद्धि रतिकरं भवेत् ।।२०६।।
यद्वामाभिनिवेशित्वं [4]यतश्च विनिवार्यते ।
दुर्लभत्वं च [5]यन्नार्याः सा कामस्य परारतिः ।।२०७।।
राज्ञामन्तः पुरजने दिवासंभोग इष्यते ।
वासोपचारो यश्चैषां[6] स रात्रौ परिकीर्तितः ।।२०८।।

अनेकधेति विवाहिनावरुद्धेत्यादिनेत्यर्थः । **वामाभिनिवेशित्वमिति** "सुलभावमानी हि मदन" इति विघ्नः, तथाप्यभिलष्यमाणं वस्तु प्राप्तं चेत् कोऽभिलाषः, तेन प्राप्तं प्राप्तमपहारितमिव गतं, गतं प्राप्तमिवेत्येवम् । **(दुर्लभत्वमित्यादि)** पराक्रमेण (विद्धि) विष्णुरयं काम उत्तमतमां प्रीतिं प्रतिप्रतनोति न ह्यत्र यायामिव (भयादिव ?) निवृत्तिः साध्या, अपि तु भौमात्मकं सुखं भोगस्त्वसनि कामे तेन (केन ?) प्रत्युत संभवनीयः । रतिरिति तद्धेतुत्वादित्यर्थः ।

अथ स्पष्टकामितमाह—**राज्ञामन्तःपुरजने (दिवा) संभोग** इति । संभोगः परस्परावलोकनप्रणयकलहसङ्गीतकादि । यथोक्तम्—"तद्वक्त्रेन्दुविलोकनेन दिवसो नीतः"* इति । अन्तःपुरजनोऽत्र ऊढा, पुनर्भूः, अवरुद्धगणिका, कन्यकाप्रेष्याविषयं तु प्रच्छन्नकामितमुक्तम् ।

---

1. KSS., NS. प्रच्छन्नकामिनां राज्ञां ।
2. KSS., NS. नृपाणां तु ।
3. KSS., NS. प्रच्छन्ने कामिनं वक्तु ।
4. KSS., NS. यतश्चैव निवार्यते ।
5. KSS., NS. यत्र ।
6. KSS., NS. चैव ।

* तद्वक्त्रेन्दुविलोकनेन दिवसो नीतः प्रदोषस्तथा
तद्गोष्ठ्यैव निशापि मन्मथकृतोत्साहैस्तदङ्गार्पणैः ।
तां संप्रत्यपि मार्गदत्तनयनां द्रष्टुं प्रवृत्तस्य मे
बद्धोत्कण्ठमिदं पुनः किमथवा प्रेमा समाप्तोत्सवः ।। तापस १—१६.

[1]परिपाट्यां फलार्थे वा नवे प्रसव एव वा।

दुःखे चैव [2]प्रमोदे च षडेते वासकाः स्मृताः ॥२०९॥

उचिते वासके स्त्रीणामृतुकालेऽपि वा नृपैः[3]।

प्रेष्याणामथवेष्टानां कार्यं चैवोपसर्पणम् ॥२१०॥

प्रभूनान्तरपूर्वस्य वासकवृत्तान्तमाह—

परिपाट्यां फलार्थे वा नवे प्रसव एव वा।

दुःखे चैव प्रमोदे च षडेते वासकाः स्मृताः ॥ इति

परिपाटिर्यथाकल्पितानुपूर्वी अस्या एकेन भिन्नेन वारः, अस्या द्वाभ्यामित्यादि। तदपवादमाह—**फलार्थ** इति ऋताविति यावत्। **नव** इति नवत्वे प्रसवे वृत्ते चिरविरहखिन्ना मुखायितं दुःखे तदीयबन्धुव्यापत्त्या दुःखिता आश्वासनीयेति। **प्रमोद** इति तदीयपुत्रोत्सवादौ 'उत्सवो हि माननीय' इत्युक्तम्। वासयति तत्र स्थाने रात्रमिति वासः। अत्र उचितः कामोपचारः फलार्थ इत्यस्य हेतोः सर्वापवादकत्वं दर्शयितुं धर्मवृत्तिना राज्ञा परिचार्यो द्वेष्या दुर्भगा अपि सेव्या इति निरूपयितुमाह—

उचिते वासके स्त्रीणामृतुकालेऽपि वा नृपैः।

प्रेष्याणामपि सर्वासां कार्यं (चैवोपसर्पणम्) ॥ इति

आर्तवकालो हि भूयानपि फलतः परमिति भवति। यथोक्तम्—

ऋतुः षोडश तत्राद्याश्चतस्रो दशमात्परा

त्रयोदशी च निन्द्याः स्युरयुगाः कन्यकोद्भवाः।

षष्ठ्यष्टमी च दशमी द्वाभ्यां वर्णैश्च साधिका

युग्मा पुत्राय रात्रिः स्यात् ॥ इति।

---

1. KSS., NS. परिपाट्या फलार्थे वा न च प्रमद एव च।
2. KSS., NS. प्रमादे।
3. KSS. नृपः।

तत्र वासकसज्जा च विरहोत्कण्ठितापि वा ।
स्वाधीनभर्तृका चापि[1] कलहान्तरितापि वा ॥२११॥
खण्डिता विप्रलब्धा वा तथा प्रोषितभर्तृका ।
तथाभिसारिका चैव ज्ञेयास्त्वष्टौ तु नायिकाः[2] ॥२१२॥
उचिते वासके या तु रतिसंभोगलालसा ।
[3]मण्डनं कुरुते हृष्टा सा वै वासकसज्जिका[4] ॥२१३॥
अनेककार्यव्यासङ्गाद्यस्या नागच्छति प्रियः ।
[5]तदनागतदुःखार्ता विरहोत्कण्ठिता तु सा[6] ॥२१४॥
सुरतातिरसैर्बद्धो यस्याः [7]पार्श्वे तु नायकः ।

तत्रापि नक्षत्रविशेषपरिवर्जनम् । पुत्रश्च राज्ञां मुख्यफलम्, यथाह 'प्रजायै गृहमेधिनाम्' (रघु—१) इति । अत्र तु वृद्धपशुभ्यो (पशवो ?) वदन्ति—

मासपसूआ······(षण्) मासगब्भिणी एकदिअहज्जरमुहे······ ।* (इति यत्तन्निषिद्धं स्मृतौ वैद्यके च ।)

वासकभावाभावभावितान्नायिकाभेदान्दर्शयति अत्र (तत्र?) **वासकसज्जेति** । एताः क्रमेण लक्षयति **उचिते वासक** इत्यादिना । उचितः पूर्वोक्तेन नयेनायातः **लालसा** साभिलाषा ।

---

1. KSS., NS. पतिका वापि
2. KSS., NS. इत्यष्टौ नायिका स्मृताः ।
3. KSS., NS. मङ्गलं ।
4. KSS., NS. सज्जिता ।
5. KSS., NS. तस्यानुगम ।
6. KSS., NS. मता ।
7. KSS., NS. पार्श्वगतः प्रियः ।

*अपूर्णा चास्फुटार्थेयं गाथा कोक्कोकवचनस्य मूलं स्यात् । यथा—

रङ्गादिश्रान्तदेहा चिरविरहवती मासमात्रप्रसूता
गर्भालस्या च नव्यज्वरयुततनुका त्यक्तमानप्रसन्ना ।
स्नाता पुष्पावसाने नवरतिसमये मेघकाले वसन्ते
प्रायस्संपन्नरागा मृगशिशुनयना स्वल्पसाध्या रते स्यात् ॥

[1]सान्द्रामोदगुणप्राप्ता भवेत् स्वाधीनभर्तृका ॥२१५॥
ईर्ष्याकलहनिष्क्रान्तो यस्या नागच्छति प्रियः ।
[2]सामर्षवशसंप्राप्ता कलहान्तरिता भवेत् ॥२१६॥
व्यासङ्गादुचिते यस्या वासके नागतः प्रियः ।
तदनागमदुःखार्ता[3] खण्डिता सा प्रकीर्तिता ॥२१७॥
[4]यस्या दूतीं प्रियः प्रेष्य दत्त्वा संकेतमेव वा ।
नागतः कारणेनेह विप्रलब्धा तु सा भवेत्[5] ॥२१८॥
[6]नानाकार्याणि सन्धाय यस्या वै प्रोषितः प्रियः ।
सा(प्र?)रूढालककेशान्ता भवेत् प्रोषितभर्तृका ॥२१९॥
हित्वा लज्जां [7]तु या श्लिष्टा मदेन मदनेन च[8] ।
अभिसारयते कान्तं सा भवेदभिसारिका ॥२२०॥

स्वाभिलाषा । आमोदगुणो हर्षः सौभाग्याभिमानश्च । **व्यासङ्गा**दित्यन्य-नारीविषयादित्यर्थः । (प्र)रूढाः प्रलम्बीभूता अलकाः, **केशान्तश्च** कबरीभारः । प्ररूढ एकवेणीभूते यस्याः । अन्ये त्वक्तनकर्मनया केशान्ते ललाटे रोम्णामुद्भेद-मुत्प्ररूढं वर्णयन्ति । मदो मद्यकृतः, चकाराद् द्वयं वदन्मदनस्यैव प्राधान्यमाह । अभिसरः सहायः तस्य व्यापारेण प्रियतममतिक्रामति, "तत्करोति तदाचष्टे तेनातिक्रामति धातुरूपं" चेति स्पष्ट (सृ-टेः ?) इत्यस्य वृद्धिः । कुप्यन्ती

1. KSS., NS. सामोदेगुणसंयुक्ता ।
2. KSS., NS. आमर्षवेषसंतप्ता ।
3. KSS., NS. तदनागमनार्ता तु खण्डितेत्यभिधीयते ।
4. KSS., NS. तस्माद्भूतां प्रियः प्राप्य गत्वा ।
5. KSS., NS. मता ।
6. KSS., NS. गुरुकार्यान्तरवशाद्यस्या विप्रोषितः ।
7. KSS., NS. समाकृष्टा ।
8. KSS., NS. या ।

आस्ववस्थासु विज्ञेया नायिका नाटकाश्रया ।

एतासां [1]चैव वक्ष्यामि कामतन्त्रमनेकधा ॥२२१॥

चिन्तानिःश्वास[2]खेदेन [3]हृद्दाहाभिनयेन च ।

सखीभिः सह संलापै[4]रात्मावस्थावलोकनैः ॥२२२॥

ग्लानिदैन्याश्रुपातैश्च रोषस्यागमनेन च ।

[5]निर्भूषणभुजात्वेन दुःखेन रुदितेन च ॥२२३॥

खण्डिता विप्रलब्धा वा कलहान्तरितापि वा ।

तथा प्रोषितकान्ता च [6]भावानेतान् प्रयोजयेत् ॥२२४॥

विचित्रोज्ज्वलवेषा तु प्रमोदोद्द्योतितानना ।

उदीर्णशोभा च तथा कार्या स्वाधीनभर्तृका ॥२२५॥

प्रशान्तेत्यादयस्तु नायिकाभेदे नेहोक्ताः, तेषां वासकाभावनिवृत्तत्वाभावात् । **नाटकाश्रया** इति नाट्यविषया इत्यर्थः ।

तत्र विप्रलम्भजीवितं शृङ्गारेण वासकाभावभावितनायिकाभेदाश्रयं प्रथमं दर्शयति **चिन्तानिःश्वासखेदेने**त्यादिना । सामान्याभूते सकलहृदयसंवादिनि मदनोपचारे चायमभिनय इत्यपि सामान्याभिनयः । **भावानेताना**निति पठितानुभावव्यभिचारिसमुचिता ये भावा व्यभिचारिस्थायिरूपा (णामि) हापठितमप्यनुभावजातं प्रदर्शयन्ति यावत् । वासकसज्जा अभिसारिका च स्वावसरे स्वाधीनभर्तृकयैव तुल्य इति पृथङ् नोक्ते ।

---

1. KSS., NS. ये च ।
2. KSS., NS. खेदैश्च ।
3. KSS., NS. हृदया ।
4. KSS., NS. संप्रलापैश्च ।
5. KSS., NS. निर्भूषणाङ्गी विमृजा ।
6. KSS., NS. भावैरेवं ।
7. KSS., NS. अतिशया ।

[1]वेश्यायाः कुलजायाश्चप्रेष्यायाश्च प्रयोक्तृभिः ।
एभिर्भावविशेषैस्तु कर्तव्यमभिसारणम् ॥२२६॥
समदा मृदुचेष्टा च तथा परिजनावृता ।
नानाभरणचित्राङ्गी गच्छेद्वेश्याङ्गना शनैः[2] ॥२२७॥
संलीना[3]स्वेषु गात्रेषु त्रस्ता [4]विनमितानना ।
अवकुण्ठनसंवीता गच्छेत्तु कुलजाङ्गना ॥२२८॥
[5]मदस्खलितसंलापा विभ्रमोत्फुल्ललोचना ।
आविद्धगतिसंचारा गच्छेत्प्रेष्या समुद्धतम्[6] ॥२२९॥
[7]गत्वा सा चेद्यदा तत्र पश्येत्सुप्तं प्रियं तदा[8] ।
[9]अनेन तूपचारेण तस्य कुर्यात्प्रबोधनम् ॥२३०॥
अलङ्कारेण कुलजा वेश्या गन्धैस्तु शीतलैः ।
प्रेष्या तु वस्त्रव्यजनैः कुर्वीत प्रतिबोधनम् ॥२३१॥

अथाभिसारणस्वरूपमाह—**वेश्याया** इत्यादि । भावविशेषैरिति वस्तुविशेषैरित्यर्थः । संलापो दूत्या सख्या सहोक्तिप्रत्युक्तिः । (अलङ्कारेणेति) अलङ्कारशब्दो नूपुरादि(वि)शिष्टः (तत्) ।

---

1. KSS., NS. वेश्यानां कुलजायां वा प्रेष्यायां वा ।
2. KSS., NS. स्वेषु गात्रेषु ।
3. KSS., NS. विप्रेक्षित ।
4. KSS., NS. च ।
5. KSS., NS. मदस्त्वभिनयालापा ।
6. KSS., NS. प्रेष्याङ्गनानया ।
7. KSS., NS. स्यादयं शषितो व्यक्तं ।
8. KSS., NS. यदा ।
9. KSS., NS. प्रिया यथोत्थापयति तथा वक्ष्याम्यहं पुनः ।
10. KSS., NS. बोधयेत् स्थायिनं प्रियम् ।

कुलाङ्गनानामेवायं [1]नोक्तः कामाश्रयो विधिः ।

सर्वावस्थानुभाव्यं हि[2] यस्माद्भवति नाटकम् ।।२३२।।

[3]नवकामप्रवृत्ताया क्रुद्धाया वा समागमे ।

[4]सापदेशैरुपायैस्तु वासकं संप्रयोजयेत्[5] ।।२३३।।

[6]नानालङ्कारवस्त्राणि गन्धमाल्यानि चैव हि ।

प्रियायोजितभुक्तानि निषेवेत मुदान्वितः ।।२३४।।

ननु राज्ञां वेश्यादिसंभोगो निह्नवकारापायसङ्कुलत्वात् किमिहानेन दर्शितेनेत्याशङ्क्याह—**सर्वावस्थानुभाव्यं हि** कार्यं नाटकमिति नाट्य इति यावत् । सर्वावस्था अनुभाव्या प्रत्यक्षायमाणत्वं नेया, यत्र प्रकरणादौ वेश्यासंभोगोऽप्यस्तीत्युक्तं दशरूपके (अध्या—१८) यदि तर्हि सर्वतः प्रकारो नाटके प्रदर्श्यस्तदा वासके यदा प्रकटप्रकार उक्तः ।

एवं व्याजप्रकारोऽपि वाच्य इत्याशयेनाह—**नवकामप्रवृत्ताया** इति । नवे पुरुषसम्भोगे या प्रवृत्ता प्रथमसमागमनीया वेश्या पूनर्भूर्गान्धर्वविवाहविवाह्या कन्या वा तस्याः समागमे चिंकीर्षिते, सव्याजैः उपायैः वासको व्याजश्च यथा तथैव प्रकटं नाङ्गीकरोति, नायिकान्तरेभ्यश्च झटिति भीरुर्नायको भवति । अवरुद्धापि खण्डिता कलहान्तरिता वा वासकमनङ्गीकुर्वती व्याजतोऽङ्गीकार्यते । तत्र नायिकाहृदयग्रहणोचितविदग्धतानिमित्तं नायकस्योपचारमाह—**नानालङ्कारे**त्यादि ।

---

1. KSS., NS. प्रोक्तः ।
2. KSS., NS. भावं तु ।
3. KSS., NS. भयकामप्रणेता ।
4. KSS., NS. सत्यादेशैः ।
5. KSS., NS. सम्प्रकल्पयेत् ।
6. KSS., NS. नानालङ्कारमाभ्याभिधूपगन्धाम्बराणि च ।
   नित्यं सुखान्युदात्तानि सेवेत मदनान्वितः ।

न तथा भवति मनुष्यो
मदनवशः कामिनीमलभमानः ।
द्विगुणोपजातहर्षो भवति
यथा सङ्गतः प्रियया ॥२३५॥

विलासभावेङ्गितवाक्यलीला-
[2]माधुर्यविस्तारगुणोपपन्नः ।
परस्परप्रेमनिरीक्षितेन
समागमः कामकृतस्तु कार्यः ॥२३६॥

ततः प्रवृत्ते मदने उपचारसमुद्भवे ।
वासोपचारः कर्तव्यो नायकागमनं प्रति ॥२३७॥

ननु प्राप्ता चेत् प्रमदा तर्हि निवृत्तकामः, तत् कोऽयमुपचारप्रतिभर इत्याशङ्क्याह **न तथा भवतीति** । मदनः कामभवः इति काम एव । मदि हर्षग्लपनयोरिति पठति, तेन समागमे द्विगुणीभवति कामः, ततश्चोपचारे यत्न उचित इत्याह—**विलासभावेति** । विलासः स्त्रीणां च व्याख्यातः 'स्थानासनगमनाना'मिति, (२२-१५) (स्त्रियाः), 'धीरसंचारिणी दृष्टिः (२२-३५) इति (पुरुषस्य) च । तत्प्रधानभावाः चेष्टितानि । **इङ्गितं** प्रेमसूचका व्यापाराः व्याख्याताः 'काम्येनाङ्गविकारेणेत्यादि,' 'चकिता भवेत्' इत्यन्तेन (२२-१६७-१७२) ।

वाक्यलीलेति अङ्गासाध्यादिषूक्ता । माधुर्यं "सर्वावस्थाविशेषे"ष्विति

---

1. KSS., NS. विशेषो ।
2. KSS., NS. विशेषमाधुर्य ।

गन्धमाल्ये[1] गृहीत्वा तु चूर्णवास[2]स्तथैव च ।
[3]आदर्शो लीलया गृह्यश्छन्दतो वा पुनः पुनः ॥२३८॥
वासोपचारे नात्यर्थं भूषणग्रहणं भवेत् ।
रशनानपुरप्रायं स्वनवत्त्र प्रशस्यते ॥२३९॥
[4]नाम्बरग्रहणं रङ्गे न स्नानं न विलेपनम् ।
नाञ्जनं[5] नाङ्गरागश्च केशसंयमनं तथा ॥२४०॥
[6]नाप्रावृता नैकवस्त्रा न रागमधरस्य तु ।
उत्तमा मध्यमा वापि [7]कुर्वीत प्रमदा क्वचित् ॥२४१॥
अधमानां भवेदेष सर्व एव विधिः सदा ।

(२२-२९)नृणां च, "अभ्यासात् करणानां" (२२-३६)इति । एषां विस्तारगुणेन कविवर्णनाकृतेनोपपन्न एतस्मादुपचारसम्यगुद्भवो यस्य । **चूर्णः** पटवासः । **वासो** वस्त्रम् । **नात्यर्थ**मिति खेदावहत्वात् । रात्रावदृश्यत्वात्तु दरिद्राणां दीपशून्यं वासगृहं दृष्टवतां हेतुत्वेन स्वनवत्त्वं, **चेति** हेतौ यतः प्रशस्तेन सुरतलीलोपयोगिना शब्देन युक्तम् । **नाम्बरग्रहणं रङ्गे** इत्यादिना प्रसङ्गतो निषेधमाह । वासोपचारसिद्धये तु रङ्गेऽप्येतदुपचारोपयोगि कर्तव्यमिति हि कोप-

1. KSS., NS. माल्यं ।
2. KSS., NS. द्वार ।
3. KSS., NS. स्थापयेन्नायककृते कुर्याच्चात्मप्रसाधनम् ।
4. KSS., NS. नास्वरग्रहणं रङ्गे नानुरङ्गे विलेपनम् ।
5. KSS., NS. नानुरागं च न च केशोपसंग्रहम् ।
6. KSS., NS. नानावृत्तानेकवस्त्रा ।
7. KSS., NS. प्रकुर्यात् ।
8. KSS., NS. एवं विधिः प्रकृतिसंभवः ।

[1]कारणान्तरमासाद्य तस्मादपि न कारयेत् ॥२४२॥

प्रेष्यादीनां च नारीणां नराणां वापि नाटके ।

भूषणग्रहणं कार्यं पुष्पग्रहणमेव च[2] ॥२४३॥

गृहीतमण्डना [3]चापि प्रतीक्षेत प्रियागमम् ।

लीलया [4]मण्डितं वेषं कुर्याद्यन्न विरुध्यते ॥२४४॥

[[5]विधिवद्वासकं कुर्यान्नायिका नायकागमे ।]

[6]प्रतीक्षमाणा च ततो नालिकाशब्दमादिशेत् ॥२४५॥

श्रुत्वा तु नालिकाशब्दं[7] नायकागमविक्लबा ।

[8]विषण्णा वेपमाना च गच्छेत्तोरणमेव च ॥२४६॥

संभावनयेति नाम्बरग्रहणमिति सामान्योक्तावपि प्रकारादुत्तमाया मध्यमायाश्चेति गम्यते । अधमायाश्च भवत्येतद्रङ्गेऽपि । एवं निषेधमधमासु पुनर्विधिमुक्त्वा प्रकृतमुपचारमेवाभिसन्धत्ते **भूषणग्रहण**मित्यादि । उक्तपूर्वेऽत्रोपचारे आदरं दर्शयति **विधिवद्वासकं कुर्या**दिति वासकोचितमुपचारमित्यर्थः ।

ननु समाप्त उपचारे यदि प्रियो नागतः किं कुर्यादित्याह **प्रतीक्षमाणे**ति । नालिकाशब्दमादिशेदिति इयांश्च कालो गतः किमित्यादि न प्राप्तः स्यादिति,

1. KSS., NS. तासामपि ह्यसभ्यं यन्न तत्कार्यं प्रयोक्तृभिः । प्रमदाभिर्नरैर्वापि नानाभावं तु नाटके ।
2. KSS., NS. पुष्पाणां ग्रहणं तथा ।
3. KSS., NS. किंचित् प्रतीच्छेत ।
4. KSS., NS. मण्डनं ।
5. KSS., NS. do not read.
6. KSS., NS. वीक्षमाणा प्रियपश्यं (?) शृणुयान्नाडिकाध्वनिम् ।
7. KSS., NS. नादं ।
8. KSS., NS. वेपन्ती त्रस्तहृदया तोरणाभिमुखी व्रजेत् ।

[1]तोरणं वामहस्तेन कवाटं दक्षिणेन च[2] ।
[3]गृहीत्वा तोरणाश्लिष्टा संप्रतीक्षेत नायकम् ॥२४७॥
[4]शङ्कां चिन्तां भयं चैव प्रकुर्यात्तोरणाश्रिता ।
अदृष्ट्वा रमणं नारी विषण्णा च क्षणं भवेत् ॥२४८॥
दीर्घं चैव विनिःश्वस्य नयनाम्बु निपातयेत् ।
सन्नं च हृदयं कृत्वा विसृजेदङ्गमासने ॥२४९॥
व्याक्षेपाद्विमृशेच्चापि नायकागमनं प्रति ।
तैस्तैर्विचारणोपायैः[5] शुभाशुभसमुत्थितैः ॥२५०॥
गुरुकार्येण मित्रैर्वा मन्त्रिणा[6] राज्यचिन्तया ।
अनुबद्धः प्रियः किं नु वृतो[7] वल्लभयापि वा ॥२५१॥
उत्पातान्निर्दिशेच्चापि शुभाशुभसमुत्थितान् ।
निमित्तै[8]रात्मसंस्थैस्तु स्फुरितैः [9]स्पन्दितैस्तथा ॥२५२॥

ततोऽप्यनागनेऽयं विधिरित्याह श्रुत्वा तु नालिकशब्दमिति तैस्तैर्विचारणोपायै-रिति यदुक्तं तत्रोदाहरणम् । अनागतोगायानाह गुरुकार्येणेत्यादि । अनुभाववर्ग-

1. KSS., NS. वामेन तोरणं ग्राह्यं ।
2. KSS., NS. तु ।
3. KSS., NS. हस्तेन संमुखीभूय उदीक्षेत प्रियागमम् ।
4. KSS., NS. वेमां शङ्कां भये चैव कुर्यात् तोरणसंस्थिनम् ।
5. KSS., NS. विचारणैश्चापि ।
6. KSS , NS. मन्त्रिणां ।
7. KSS., NS. तु धृतो ।
8. KSS., NS. राज्य ।
9. KSS., NS. शेदितैः ।

शोभनेषु तु कार्येषु निमित्तं वामतः स्त्रियाः[1] ।

[2]अनिष्टेष्वथ सर्वेषु निमित्तं दक्षिणं भवेत् ॥२५३॥

सव्यं नेत्रं ललाटं [3]च भ्रूनासोष्ठं तथैव च ।

ऊरुबाहुस्तनं चैव स्फुरेद्यदि समागमः ॥२५४॥

[4]एतेषामन्यथाभावे दुर्निमित्तं विनिर्दिशेत् ।

दर्शने दुर्निमित्तस्य मोहं गच्छेत्क्षणं ततः ॥२५५॥

[5]अनागमे नायकस्य कार्यो गण्डाश्रयः करः ।

भूषणे चाप्यवज्ञानं रोदनं च समाचरेत् ॥२५६॥

[6]अथ चेच्छोभनं तत्स्यान्निमित्तं नायकागमे ।

सूच्यो नायिकयासन्नो [7]गन्धाघ्राणेन नायकः ॥२५७॥

दृष्ट्वा चोत्थाय संहृष्टा[8] प्रत्युद्गच्छेद्यथाविधि[9] ।

स्त्वसूयाखेदार्थचिन्तादिव्यभिचारिसंभवो यथायोगं योज्यः । उत्पातः सहसाऽशुभसूचको महाभूतपरिस्पन्दः स च परस्थः । स्फुरितं चलनं स्पन्दितमेतदितित्वेते स्वदेहस्थे इति भेदेनोक्ते । नेत्रमित्यादि सव्यं वाममिति मन्तव्यम्

---

1. KSS., NS. प्रियाः ।
2. KSS., NS. दुरुक्तेषु तु कार्येषु ।
3. KSS., NS. भ्रूरधरोष्ठः ।
4. KSS., NS. अतोऽन्यथा स्पन्दमाने दुरितं दक्षिणे भवेत् ।
5. KSS., NS. अप्राप्ते चैव कर्तव्यः प्रिये गण्डार्पितं करः ।
6. KSS., NS. ततश्चेच्छोभनं पश्यत् निमित्तं वै प्रियागमे ।
7. KSS., NS. गत्वा ।
8. KSS., NS. हृष्टाङ्गी ।
9. KSS., NS. हि नायकम ।

[1]ततः कान्तं निरीक्षेत प्रहर्षोत्फुल्ललोचना ।।२५८।।
सखीस्कन्धार्पितकरा कृत्वा स्थानकमायतम् ।
दर्शयेत् ततः कान्तं सचिह्नं सरसव्रणम् ।।२५९।।
यदि स्यादपराद्धस्तु [2]कृतस्तैस्तैरुपक्रमैः ।
उपालम्भकृतैर्वाक्यै[3]रुपालभ्यस्तु नायकः ।।२६०।।
मानापमानसम्मोहैरवहित्थभयक्रमैः[4] ।
वचनस्य समुत्पत्तिः स्त्रीणामीर्ष्याकृता[5] भवेत् ।।२६१।।
विस्रंभस्नेहरागेषु सन्देहे प्रणये तथा ।
परितोषे च [6]घर्षे च दाक्षिण्याक्षेपविभ्रमे[7] ।।२६२।।
धर्मार्थकामयोगेषु प्रच्छन्नवचनेषु च ।
हास्ये कुतूहले चैव संभ्रमे व्यसने तथा ।।२६३।।

तथा बाहू । अन्यथाभाव इति दक्षिणस्फुरणे । प्रत्युद्गच्छेदिनि नायिकेति प्रथमया योज्यम् ।

एवमियता वासकसज्जया वागङ्गसत्त्वव्यामिश्रः सामान्याभिनयः प्रियसंप्राप्त्यवधिर्दर्शितः । अथ खण्डितादीनां संदर्श्यते यदि स्यादपराद्धस्त्विति तैस्तैरिति मानावहित्थवस्त्रभङ्गाभिष्यन्दादिभिः । अन्यथाभाषणे कोपादुचिते तदपवादमाह—विस्रम्भेत्यादि कस्मिंश्चित् कार्ये निरूप्ये विस्रम्भसात्मिका कार्या, शरीरापाटवादि पश्यतो वार्ताप्रश्नादौ स्नेहः, तद्वशाद्योऽनुरागो लक्षितः,

---

1. KSS., NS. do not read it.
2. KSS., NS. ततः ।
3. KSS., NS. अभिभाष्यः स ।
4. KSS., NS. अवहित्थैर्यथाक्रमम् ।
5. KSS., NS. गाथाकृता ।
6. KSS., NS. हर्षे ।
7. KSS., NS. पातेन ।

[1]स्त्रीपुंसयोः क्रोधकृते पृथङ् मिश्रे तथापि वा ।
अनाभाष्योऽपि संभाष्यः प्रिय[2] एभिस्तु कारणैः ।।
यत्र स्नेहो भवेत्तत्र ह्रीर्ष्या मदनसम्भवा ।
चतस्रो योनयस्तस्याः कीर्त्यमाना निबोधत ।। २६५।।
वैमनस्यं व्यलीकं च विप्रियं मन्युरेव[3] च ।
एतेषां संप्रवक्ष्यामि लक्षणानि यथाक्रमम्[4] ।।२६६।।
निद्राखेदालसगतिं सचिह्नं सरसव्रणम् ।
एवंविधं प्रियं दृष्ट्वा वैमनस्यं भवेत् स्त्रियाः ।।२६७।।
[5]निद्राभ्यसूयितावेक्षणेन रोषप्रकम्पमानाङ्ग्या ।

कृतापराधः सत्यतो न वेति सन्देहः, प्रणयः प्रार्थना, अपत्याद्यभ्युदयः परितोषः कलास्थित्यादि (कलाशिल्पादि ?) निकृतिपक्षेण स्पर्धा संघर्षः, पक्षस्य सखीजनादेर्यदा कायः प्रियेण सम्पाद्यः पश्यति तदा सखीकार्यविवादविषयाद्दाक्षिण्यम्, इन्द्रजालादिकृते विस्मयः, धर्मार्थकामोपयोगिनि व्रतगृहकृत्यकौमुदीहर्षोत्सवादावश्यं कर्तव्ये चाप्रियं प्रति स्मरणाकर्तव्या, तेन वा स्मरणम्, उपालम्भद्वारेण किमयं वदेदिति परीक्षणम्, यथा नायकोऽत्यादरात् किंचित्पृच्छति तत्कुतूहलम्, सर्वो यदा हसति तदा हास्यम्, अग्न्याद्युत्पातः संभ्रमः, वसु (बन्धु ?) वियोगादि व्यसनम्, एतेष्वनाभाषणे सर्वथैव निस्स्नेहता स्यात्। **क्रोधकृत** इति युगपदित्यर्थः ।

अपराद्ध इत्युक्तं तत्रापराधं दर्शयितुमुपक्रमं करोति **यत्र स्नेह** इति । योनयो हेतवश्चत्वारः—वैमनस्यं, व्यलीकं, विप्रियं, मन्युरिति, तान् क्रमेण

1. KSS. NS. हास्योपस्थानसंप्राप्तौ दोषप्रक्षेप निह्नवे ।
2. KSS., NS. प्रिययेति ।
3. KSS. NS. भयं तत्र यत्रेप्यति च मन्मथः ।
4. KSS. NS. समुत्पत्तिः प्रयोगं च निबोधत ।
5. KSS., NS. तीव्रासूयितवचनाद्रोषाद्बहुशः प्रकम्पमानोष्ठी ।

साध्विति सुष्ठ्वति [1]वचनैः शोभत इत्येवमभिनेयम् ॥२६८॥

बहुधा वार्यमाणोऽपि यस्तस्मिन्नेव दृश्यते ।
[2]संघर्षमत्सरात्तत्र व्यलीकं जायते स्त्रियाः ॥२६९॥

कृत्वोरसि वामकरं दक्षिणहस्तं[3] तथा विधुन्वन्त्या ।
चरणविनिष्ठम्भेन[4] च कार्योऽभिनयो व्यलीके तु ॥२७०॥

जीवन्त्यां त्वयि जीवामि दासोऽहं त्वं च मे प्रिया ।
उक्त्वैवं योऽन्यथा कुर्याद्विप्रियं तत्र जायते[5] ॥२७१॥

दूतीलेखप्रतिवचनभेदनैः क्रोधहसितरुदितैश्च ।
विप्रियकरणेऽभिनयः सशिरः कम्पैश्च कर्तव्यः[6] ॥२७२॥

प्रतिपक्षसकाशात्तु[7] यः सौभाग्यविकत्थनः ।
उपसर्पेत् सचिह्नस्तु मन्युस्तत्रोपजायते[8] ॥२७३॥

वलयपरि[9]वर्तनैरथ सुशिथिलमुत्क्षेपणेन रशनायाः ।

लक्षयति निद्राखेदालसगतिमित्यादिना (सुरते) गतया निद्रया । (**असूयितेति**) यदसूयितेनावेक्षणं तेन । (बहुधेति) यतो नायिकातो वार्यते तस्यामेव **दृश्यत** इति सम्बन्धः । (**संघर्षेति**) सम्यक् कृतोः घर्षः संघर्षः । (**उक्त्वैवमित्यादि**

1. KSS. NS. वाक्यैः शोभनमित्यभिनयं युज्यात् ।
2. KSS. NS. संहर्षात्तत्र मात्सर्याद्व्यलीकं तु भवेत् स्त्रियाः ।
3. KSS., NS. रुषा विधुन्वाना ।
4. KSS. NS. विनिक्षेपेण च तस्मिन् कुर्वीत साभिनयम् ।
5. KSS., NS. तद्विप्रियमिति स्त्रियाः ।
6. KSS. NS. कम्पः प्रयोक्तव्यः ।
7. KSS., NS. विकाशात्तु ।
8. KSS. NS. चिह्नस्य पत्युस्तत्र भवेत् स्त्रियाः ।
9. KSS., NS. वर्तनेन च सशिथिल···रसनयोः ।

[1]मन्युस्त्वभिनेतव्यः सशङ्कितं [2]बाष्पपूर्णाक्ष्या ॥२७४॥

दृष्ट्वा स्थितं प्रियतमं

[3]सशङ्कितं सापराधमतिलज्जम् ।

ईर्ष्याविचनसमुत्थैः

खेदयितव्यो ह्युपालम्भैः ॥२७५॥

न च निष्ठुरमभिभाष्यो

न चाप्यतिक्रोधनस्तु परिहासः[4] ।

बाष्पो[5]न्मिश्रैर्वचनै-

रात्मोपन्याससंयुक्तैः ॥२७६॥

मध्याङ्गुल्यङ्गुष्ठाग्रविच्यवात्पाणिनोरसि कृतेन[6] ।

उद्वर्तितनेत्रतया[7] प्रतीतैरभिवीक्षणैश्चापि ॥२७७॥

कटिहस्तविवर्तनया[8] विच्छिन्नतया तथाञ्जलैः[9] करणात् ।

प्रतिज्ञातस्यापरिपालनं विप्रियम् । दूतलेखादिमुखेन यानि प्रसादनार्थं प्रतिवचनानि तेषां भेदः दूषणमनङ्गीकरणम् । (वलयेत्यादि) मन्युना तत्क्षण एव तनुत्वं गात्रे भवतीति वलयानां परिवर्तनं, वाससो रशनायाश्चोत्क्षेप इति ।

केचित्सहृदयास्त्वाहुः—मन्युना सखीजनमध्य एवास्यात्रहुमानलक्षणा भवत्यप्रतिपत्तिरिति तत्कृतानि च वलयस्य परिवर्तनं योज(लोच ?)नभ्रमणादिकं,

---

1. KSS., NS. मधुस्य ।
2. KSS., NS. चास्य मोक्षेऽस्य ।
3. KSS., NS. साशङ्कं ।
4. KSS., NS. परिहारः ।
5. KSS., NS. निम्नैः ।
6. KSS., NS. उरःस्थेन ।
7. KSS., NS. भावैरभिवीक्षणैः ।
8. KSS., NS. निविष्टस्य ।
9. KSS., NS. अङ्गुलैः ।

मूर्धभ्रमण[1]निहञ्चितनिपातसंश्लेषणाच्चापि ॥२७८॥

अवहित्थवीक्षणाद्वा[2] अङ्गुलिभङ्गेन तर्जनैर्ललितैः ।

एभिर्भावविशेषैर[3]नुनयनेष्वभिनयः कार्यः ॥२७९॥

[4]शोभसे साधु दृष्टोऽसि गच्छ त्वं किं बिलम्बसे ।

मा स्प्राक्षीः [5]प्रिया तत्र या ते हृदि स्थिता ॥२८०॥

गच्छेत्युक्त्वा परावृत्य [6]विनिवृत्तान्तरेण तु ।

केनचिद्वचनार्थेन[7] प्रहर्षं योजयेत्पुनः ॥२८१॥

रभसग्रहणाच्चापि हस्ते वस्त्रे च मूर्धनि ।

कार्यं [8]प्रसादनं नार्या ह्यपराधं समीक्ष्य तु ॥२८२॥

हस्ते वस्त्रेऽथ केशान्ते नार्याप्यथ गृहीतया ।

कान्तमेवोपसर्पन्त्या कर्तव्यं मोक्षणं शनैः ॥२८३॥

रशनोत्क्षेपणं यन्त्रोत्क्षेपणं चेति । **मध्याङ्गुल्यङ्गुष्ठाग्रविच्यवा**दिति तत्स्थं मूलं व्यापारं स्मारयति । (**कटीति**) कटीपार्श्वगतस्य हस्तस्य त्रिवर्तमानाया **अञ्जले**र्हस्तस्य पताकाभ्यां तु **संश्लेषा**दित्यस्य विश्लेपणम्, अवहित्थेन गाम्भीर्येण यद्वीक्षणं, तेन चायतं स्थानक्रमाक्षिप्तम् । तत्र हि तस्य विनियोग उक्तः (१२ १६४) । निरपेक्षभावता संभवतीत्याह गच्छेत्युक्त्वेति । विनिवृत्तिप्रधान्य

---

1. KSS., NS. निकुञ्चितनखादिसन्दर्शनाच्चापि ।
2. KSS., NS. वीक्षणेन सा ।
3. KSS., NS. अस्याभिनयः प्रयोक्तव्यः ।
4. KSS. शोभने ।
5. KSS., NS. प्रियां या हि तव या हृदि संस्थिता ।
6. KSS., NS. विनिवृत्तोत्तरेण ।
7. KSS., NS. व्यसनार्थेन ।
8. KSS., NS. प्रणमनं ।

गृहीतयाथ केशान्ते हस्ते वस्त्रेऽथवा पुनः ।
[1]हुं मुञ्चेत्युपसर्पन्त्या वाच्यः स्पर्शालसं प्रियः ॥२८४॥

पादाग्रस्थितया नार्या [2]किंचित्कुट्टमितोत्कटम् ।
अश्वक्रान्तेन कर्तव्यं केशानां मोक्षणं शनैः ॥२८५॥
[3]अमुच्यमाने केशान्ते [4]संजातस्वेदलेशया ।
हं हु मुञ्चापसर्पेति वाच्यः[5] स्पर्शालसाङ्गया ॥२८६॥
गच्छेति रोषवाक्येन गत्वा[6] प्रतिनिवृत्य च ।
केनचिद्वचनार्थेन [7]वाच्यं यास्यसि नेति च ॥२८७॥
[8]विधूननेन हस्तेन[9] हुंकारं [10]संप्रयोजयेत् ।
स चावधूनने कार्यः [11]शपथैर्व्याजि[12] एव च ॥२८८॥

मुत्तरं येनासौ विलम्बते । अपराधमिति, अल्पेऽपराधे मूर्धनि मध्ये हस्ततले भूषितवस्त्रे । व्याज इति व्रतोपवासोऽद्य मया प्रस्तुत इत्यादि ।

---

1. KSS., NS. यथा प्रियो न पश्येद्धि स्पर्शे ग्राह्यस्तथा स्त्रिया ।
2. KSS., NS. तथैवाकुञ्चिताङ्गया ।
3. NS. विमुच्य ।
4. KSS. नार्या सस्वेद ।
5. NS. वामः ।
6. KSS. प्रतिनिवर्त्य NS. अत्र विनिवृत्य ।
7. KSS. चालापं योजयेत् पुमान् NS. त्वालापं सम्प्रयोजयेत् ।
8. KSS. विधूनश्च ।
9. KSS., NS. हस्तस्य ।
10. KSS. स्त्री प्रयोजयेत् ।
11. NS. शपथे ।
12. KSS. वाच्य ।

अक्ष्णोः संवरणे[1] कार्यं [2]पृष्ठतश्चोपगूहनम् ।
नार्यास्त्वपहृते वस्त्रे [3]दीपाच्छादनमेव च ॥२८९॥
[4]तावत् खेदयितव्यस्तु यावत्पादगतो[5] भवेत् ।
ततश्चरणयोर्याते[6] कुर्याद्द्तोनिरीक्षणम् ॥२९०॥
[7]उत्थाप्यालिङ्गयेच्चैव नायिका नायकं ततः ।
[8]रतिभोगगता हृष्टा शयनाभिमुखी व्रजेत्[9] ॥२९१॥
एतद्गीतविधानेन सुकुमारेण योजयेत् ।
यदा शृङ्गारसंयुक्तं [10]रतिसंभोगकारणम् ॥२९२॥
यदा चाकाशपुरुष[11] परस्थवचनाश्रयम्[12] ।
[13]भवेत्काव्यं तदा ह्येष कर्तव्योऽभिनयः स्त्रिया ॥२९३॥

ननु वस्त्रापहारशयनादि रङ्गे निषिद्धमिति (किं) तेनोक्तेन, सत्यं लास्यदाने (स्थाने ?) तु तस्योपयोगः । इह तु कामोपचारप्रसङ्गादित्युक्तं, तदाह **एतद्गीतविधानेने**ति, न च नाट्येऽस्य सर्वात्मनानुपयोगः तथाहि यथा भाणकादौ। **आकाशपुरुष** इति (प्रविष्टपात्रेण) भावितः प्रधानोऽप्रविष्टः पुरुषो भवति तदा इदमिदं मया दृश्यत इति ब्रूयात् । एवं परस्थं वा यदा व्याख्यायते न च प्रत्यक्षत्वेनैतदुपयुज्यत इति दर्शयति **यदन्तः पुरसंबन्धमिति** ।

1. KSS, NS. संवरणं ।
2. NS. मृष्टतल्प ।
3. KSS. नीवी ।
4. NS. तादृशे दयितव्येस्तु ।
5. KSS. हतो ।
6. KSS., NS. पाते ।
7. KSS. तथाप्यालिङ्गयेदेनं NS. स्पर्शस्य ग्रहणं कृत्वा ।
8. NS. उत्थाप्य विधिना हृष्टा । KSS. रतिभोगहता भृष्टा ।
9. NS. भवेत् ।
10. KSS. संयुक्तो रतिसंयोग ।
11. KSS. काशपरुषं ।
12. NS. आशयम् ।
13. NS. नमेत्काव्ये । KSS. भवेत् कार्यं ।

यदन्तः पुरसंबन्धं [1]काव्यं भवति नाटके ।
शृङ्गाररससंयुक्तं [2]तत्राप्येष विधिर्भवेत् ॥२९४॥
न कार्यं शयनं रङ्गे नाट्यधर्मं विजानता ।
केनचिद्वचनार्थेन [3]अङ्कच्छेदो विधीयते ॥२९५॥
[4]यद्वा शयीतार्थवशादेकाकी सहितोऽपि वा ।
[5]चुम्बनालिङ्गनं चैव तथा गुह्यं च यद्भवेत् ॥२९६॥
दन्तच्छेद्यं नखच्छेद्यं नीवीसंस्रनमेव च ।
[6]स्तनान्तरविमर्दं च रङ्गमध्ये न कारयेत् ॥२९७॥
भोजनं सलिलक्रीडा तथा लज्जाकरं च यत् ।
एवंविधं भवेद्यद्यत्तत्तद्रङ्गे न कारयेत् ॥२९८॥
[7]पितापुत्रस्नुषाश्वश्रूदृश्यं यस्मात्तु नाटकम् ।
तस्मादेतानि सर्वाणि वर्जनीयानि यत्नतः ॥२९९॥
वाक्यैः सातिशयैः [8]श्रव्यैर्मधुरैर्नातिनिष्ठुरैः ।
हितोपदेशसंयुक्तै[9]स्तज्ज्ञः[10]कुर्यात्तु नाटकम् ॥३००॥

नन्वेवं सर्वमत्र प्राप्तमिति ननूत्पलचेटादौ दृश्यते शयनमित्याशङ्क्याह—**यद्वाशयीते**ति नात्र शयननिषेधस्तात्पर्यम्, अपि तु चुम्बनादिनिषेध इति भावः । **पितापुत्रे**त्यादि । ततश्च रसो भज्येत, स हि साधारणान्योन्यानुप्रवेशप्राण इति प्रत्यपि (प्रतिपदं ?) वदामः । एतत्सामान्याभिनयमध्ये वाचिकोऽप्यभिनयो-

---

1. KSS. कार्यं ।
2. NS. तदा ।
3. NS. छेदमत्र प्रयोजयेत् ।
4. KSS. NS. यदा स्वपेदर्थवशात् ।
5. NS. चुम्बनालिङ्गनादीनि रङ्गमध्ये न कारयेत् ।
6. KSS., NS. स्तनाधर ।
7. KSS., NS. पितृ ।
8. NS. हृद्यैः ।
9. KSS. जननैः ।
10. NS. प्राज्ञः कुर्वीत तज्ज्ञैः कार्यं तु ।

[1][एवमन्तःपुरकृतः[2] कार्यस्त्वभिनयो बुधैः] ।
समागमेऽथ नारीणां वाच्यानि मदनाश्रये ॥३०१॥
प्रियेषु वचनानीह यानि तानि निबोधत ।
प्रियः कान्तो विनीतश्च नाथः स्वाम्यथ जीवितम् ॥३०२॥
नन्दनश्चेत्यभिप्रीते वचनानि भवन्ति हि ।
दुःशीलोऽथ दुराचारः शठो वामो विकत्थनः ॥३०३॥
निर्लज्जो निष्ठुरश्चैव [3]प्रियः क्रोधेऽभिधीयते ।
यो विप्रियं न कुरुते न चायुक्तं प्रभाषते ॥३०४॥
तथार्जवसमाचारः [4]स प्रियस्त्वभिधीयते ।
अन्यनारीसमुद्भूतं चिह्नं [5]यस्य न दृश्यते ॥३०५॥
अधरे वा शरीरे वा स कान्त इति भाष्यते[6] ।
संक्रुद्धेऽपि हि यो नार्या नोत्तरं प्रतिपद्यते ॥३०६॥
परुषं वा न वदति विनीतः सोऽभिधीयते ।
हितैषी रक्षणे शक्तो न मानी न च मत्सरी ॥३०७॥
सर्वकार्येष्वसंमूढः [8]स नाथ इति संज्ञितः ।
सामदानार्थसंभोगैस्तथा लालनपालनैः ॥३०८॥
नारीं [9]निषेवते यस्तु स स्वामीत्यभिधीयते ।

ऽस्तीत्याशयेनाह प्रियेषु वचनानीति ।

---

1. KSS. does not read.
2. KSS., KS. पुरगतः ।
3. NS. प्रियं क्रोधेऽभिनिर्दिशेत् KSS. प्रायः क्रोधेऽभिधीयते ।
4. KSS. प्रिय इत्युच्यते बुधैः NS. प्रिय इति ।
5. NS. यत्र प्रदृश्यते ।
6. KSS. भण्यते ।
7. KSS. नोत्तरोत्तरभाषणम् ।
8. KSS. यः स स्वामीति कीर्तितः ।
9. KSS. संभजते स नाथ इति संज्ञितः ।

नारीप्सितै[1]रभिप्रायैर्निपुणं शयनक्रियाम् ॥३०९॥
करोति यस्तु संभोगे [2]स जीवितमिति स्मृतः ।
कुलीनो [3]धृतिमान्दक्षो दक्षिणो वाग्विशारदः ॥३१०॥
श्लाघनीयः सखीमध्ये नन्दनः [4]सोऽभिधीयते ।
एते वचनविन्यासा रति[5]प्रीतिकराः स्मृताः ॥३११॥
तथा चाप्रीतिवाक्यानि गदतो मे निबोधत ।
निष्ठुरश्चासहिष्णुश्च मानी धृष्टो विकत्थनः ॥३१२॥
[6]अनवस्थितचित्तश्च दुःशील इति स स्मृतः[7] ।
ताडनं बन्धनं चापि यो विमृश्य समाचरेत् ॥३१३॥
तथा परुषवाक्यश्च दुराचारः स तन्यते[8] ।
वाचैव मधुरो यस्तु कर्मणा नोपपादकः[9] ॥३१४॥
[10]योषितः किञ्चिदप्यर्थं स शठः परिभाष्यते[11] ।
वार्यते यत्र यत्रार्थे [12]तत्तदेव करोति य ॥३१५॥
[13]विपरीतनिवेशी च स वाम इति संज्ञितः ।

नारीप्सितैरिति न तु स्वोचितैरिति यावत् । (रतिप्रीतीति) रतौ सत्या,

1. NS. स्थितैः ।
2. KSS. जीवितः सोऽभिसंज्ञितः ।
3. KSS. नीतिमान् ।
4. KSS. नाम संज्ञितः ।
5. KSS. स्मृति ।
6. KSS. उत्तरोत्तरमानी ।
7. NS. कथ्यते ।
8. KSS. संज्ञितः ।
9. KSS., NS. नोपपादयेत् ।
10. NS. योषितां KSS. योषितं ।
11. KSS., NS. परिकीर्तितः ।
12. KSS., NS. तं तमेव ।
13. KSS., भवेदभिनिवेशी । NS. विपरीतनिषेवी ।

सरसव्रणचिह्नो यः स्त्रीसौभाग्यविकत्थनः ॥३१६॥
अतिमानी तथा स्तब्धो [1]विकत्थन इति स्मृतः ।
बार्यमाणो दृढतरं यो नारी[2]मुपसर्पति ॥३१७॥
सचिह्नः सापराधश्च स [3]निर्लज्ज इति स्मृतः ।
[4]योऽपराद्धस्तु सहसा नारीं सेवितुमिच्छति ॥३१८॥
अप्रसादनबुद्धिश्च निष्ठुरः सोऽभिधीयते ।
एते वचनविन्यासाः प्रियाप्रियविभाषिताः[5] ॥३१९॥
[6]नर्तकीसंश्रिताः कार्या बहवोऽन्येऽपि नाटके ।
एष गीतविधाने तु सुकुमारे विधि[7]र्भवेत् ॥३२०॥
[8]शृङ्गाररससंभूतो रतिसंभोगखेदनः ।
यच्चैवाकाशपुरुषं परस्थवचनाश्रयम् ॥३२१॥
शृङ्गार [9]एवं वाच्यं स्यात्तत्राप्येष क्रमो[10]भवेत् ।
यद्वा पुरुषसंबन्धं कार्यं भवति नाटके ॥३२२॥
शृङ्गाररससंयुक्तं तत्राप्येष क्रमो भवेत् ।

या प्रीतिः परितोषः, रतौ क्रोधोऽपि हि भवति परितोषश्च सुतादावुभयमप्युपात्तम् सहसेत्यप्रसाद्य । अन्येऽपीति उदाहरणमेतदित्यर्थः ।

पूर्वोक्तमेवोपसंहरति **एष गीतविधान** इति शृङ्गारे रसे **आकाशपुरुषादौ** ।

---

1. KSS., NS. स विरूप ।
2. KSS., अभिसर्पति ।
3. KSS. NS. विलज्ज इति संज्ञितः ।
4. KSS., NS. सापराधस्तु ।
5. KSS. विभूषिता ।
6. KSS. नानावस्थां समासाद्य विपरीतां समाचरेत् ।
7. KSS. मारो विधिः ।
8. KSS. शृङ्गाररसवाच्यः स्यात्तत्राप्येष विधिर्भवेत् ।
9. KSS. रस ।
10. KSS. विधिः ।

एवमन्तःपुरगतः प्रयोज्योऽभिनयो भवेत् ॥३२३॥
दिव्याङ्गनानां तु विधिं व्याख्यास्याम्यनुपूर्वशः ।
नित्यमेवोज्ज्वलो वेषो नित्यं प्रमुदितं मनः ॥३२४॥
[1]नित्यमेव सुखः कालो [2]देवानां ललिताश्रयः ।
[3]न चेर्ष्या नैव च क्रोधो नासूया न प्रसादनम्[4] ॥३२५॥
[5]दिव्यानां दृश्यते पुंसां शृङ्गारे योषितां तथा[6] ।
ये भावा मानुषाणां स्युर्यदङ्गं यच्च चेष्टितम् ॥३२६॥
[7]सर्वं तदेव कर्तव्यं दिव्यैर्मानुषसङ्गमे ।
[यदा मानुषसंभोगो [8]दिव्यानां योषिता भवेत् ॥३२७॥
[9]तदा सर्वाः प्रकर्तव्या [10]ये भावा मानुषाश्रयाः]
[11]शापभ्रंशात्तु दिव्यानां तथा चापत्यलिप्सया[12] ॥३२८॥
[13]कार्यो मानुषसंयोगः शृङ्गाररससंश्रयः[14] ।

एवमिति प्रीत्या कोपेन वा, यदा **वाच्यवचनं** स्यात् **तत्राप्येष** एव वचन **क्रमः । पुरुषसंबन्धमिति** प्रत्यक्षपुरुषयुक्तमित्यर्थः । दिव्यवेश्याङ्गनाभिस्तु राज्ञां भवति संभोग इति तत्र सामान्याभिनयमाह नित्यमेवेत्यादि । अत्र श्लोकद्वये यद्यपीत्यध्याहारेण **ये भावा** इत्यत्र च तथापीत्यध्याहारेण सङ्गतिः कार्या ।

---

1. NS. सुखकालः सदा नित्यं ।
2. KSS., NS. देवीनां ।
3. NS. ईर्ष्या लिप्सा न च क्रोधो ।
4. NS. प्रसाधनम् ।
5. KSS., NS. दृश्यते दिव्यपुंसां हि ।
6. KSS., NS. प्रनि ।
7. तत्सर्वं मानुषीं प्राप्य कार्यं दिव्यैरपि द्विजाः ।
8. KSS., NS. संयोगो ।
9. NS. सर्व एव तदा कार्याः ।
10. NS. भावा मानुषसंश्रयाः ।
11. KSS. शापाद् भ्रंशस्तु ।
12. KSS., NS. अङ्गनानां यदा भवेत् ।
13. NS. मानुषैः सहसंयोगः ।
14. KSS. तथाचैवोपसर्पणम् ।

पुष्पैर्भूषणजैः शब्दैरदृश्यापि प्रलोभयेत् ॥३२९॥
पुनः संदर्शनं दत्वा क्षणादन्तरिता[1] भवेत् ।
[2]वस्त्राभरणमाल्याद्यैर्लेखसंप्रेषणैरपि ॥३३०॥
ईदृशैरुपचारैस्तु[3] [4]समुन्माद्यस्तु नायकः ।
उन्मादनात्समुद्भूतः [5]कामो रतिकरो भवेत् ॥३३१॥
स्वभावोपगतो यस्तु नासावत्यर्थभाविकः[6] ।
एवं राजोपचारो हि कर्तव्योऽभ्यन्तराश्रयः ॥३३२॥
बाह्यमप्युपचारं तु [7]प्रवक्ष्याम्यथ वैशिके ।

इति भरतीये नाट्यशास्त्रे सामान्याभिनयो
नामाध्यायो द्वाविंशः[8] ।

विप्रलम्भो हि जीवितेऽभिमान इति भावः । समुन्माद्य इत्यत्र हेतुमाह उन्मादनादिति एतच्च विक्रमोर्वश्यां स्फुटमेव दृश्यतां इति शिवम् ।

सामान्याभिनयः सोऽयं ग्रन्थिस्थानेषु सङ्गतः ।
कृतोऽभिनवगुप्तेन शिवस्मरणशालिना ॥

इति महामाहेश्वराभिनवगुप्तविरचितायां
नाट्यवेदवृत्तावभिनवभारत्यां
सामान्याभिनयो द्वाविंशः ।

---

1. KSS. अदृश्यात्रापि या भवेत् ।
2. KSS., NS. अन्तर्हिता ।
3. KSS., NS. अभ्युपगमैः ।
4. KSS., NS. समुन्मादस्तु नाटके ।
5. KSS., KSS. समुत्पन्नः ।
6. KSS., NS. भावकः ।
7. KSS., NS. व्याख्यास्याम्यथ ।
8. KSS. चतुर्विंशोऽध्यायः ।

श्रीः

नाट्यशास्त्रम्

त्रयोविंशोऽध्यायः[1]

— ० —

विशेषयेत्कलाः सर्वा यस्मात्तस्मात्तु वैशिकः ।
वेशोपचारे साधुर्वा वैशिकः परिकीर्तितः ॥१॥
यो हि सर्वकलोपेतः सर्वशिल्पविचक्षणः ।
स्त्रीचित्तग्रहणाभिज्ञो वैशिकः स भवेत्पुमान् ॥२॥

अभिनवभारती—त्रयोविंशोऽध्यायः

पुंसामशक्तापि तदेकभावमादर्शयन्ती बहुभावपूर्णा ।
वेश्यामतिर्निर्वृतिधाम यत्स्था तस्मै नमस्तात्परमेश्वराय ॥

सामान्याभिनयशेष एव वैशिक इत्युपसंहृतं वृत्तपूर्वेऽध्याये—बाह्यमप्युपचारं तु प्रवक्ष्याम्यथ वैशिके—इति, वैशिको वक्तव्य इति सङ्गतिः । तदुपक्रममाणो···माद्येन तावन्निरुक्तमाह—**विशेषये**दिति । विशेषणं जानाति, तेनातिकामयतीति च धात्वर्थो लक्षणमिति हि तद्विदो वैशेषिका (वैशिका ?): । (वैशिकः) वेश्याकामुकः, स च सर्वान् कामान् विशेषयत्यतिवैदग्ध्यात् । अथ व्याकरणोचितमस्य निर्वचनमाह **वेश्योपचारे साधुर्वे**ति । वेशो वेश्या उपचारस्तत्रभव इत्यर्थः । भवार्थमेव विभजति साधुरित्यनेन । तस्मादसौ कलासु विशेषज्ञ इत्याह **यो हि सर्वकलोपेत** इति ।

---

1. KSS.. पञ्चविंशः ।
2. NS. वेश्योपचरणाद्वापि KSS. वेशोपचारतो वापि ।
3. KSS., NS. ग्राहकश्चैव ।

गुणास्तस्य तु विज्ञेयाः स्वशरीरसमुत्थिताः[1] ।
आहार्याः सहजाश्चैव त्र्यस्त्रिंशत्समासतः ॥३॥
शास्त्रविच्छिल्पसम्पन्नो रूपवान् प्रियदर्शनः ।
विक्रान्तो धृतिमांश्चैव वयोवेषकुलान्वितः ॥४॥
सुरभिर्मधुरस्त्यागी सहिष्णुरविकत्थनः ।
[2]अशङ्कितः प्रियाभाषी चतुरः शुभदः [3]शुचिः ॥५॥
कामोपचारकुशलो दक्षिणो देशकालवित् ।
[4]अदीनवाक्यः स्मितवान् वाग्मी दक्षः प्रियंवदः ॥६॥
[5]स्त्रीलुब्धः संविभागी च श्रद्धधानो दृढस्मृतिः[6] ।
गम्यासु चाप्यविस्रम्भी मानी चेति [7]हि वैशिकः ॥७॥
[8]अनुयुक्तः शुचिर्दक्षो[9] दक्षिणः प्रतिपत्तिमान् ।
भवेच्चि[10]त्राभिधायी च [11]वयस्यस्तस्य तद्गुणः ॥८॥
[12]विज्ञानगुणसम्पन्ना कथिनी लिङ्गिनी तथा ।

आहार्याः शास्त्रज्ञतादयः । सहजा रूपलावण्यादयः । **गम्यासु चाप्यविस्रम्भीति** सहसैव नाभियुक्तः, अपि तु स्फुटभावमन्वेष्यति । **भवेत् चित्राभिधायीति** वक्रोक्तिकुशलः । **तस्येति** वैशिकस्य । कथिनी बृहत्कथादिलम्भ(न)कथनाकर्णनकुशला । लिङ्गिनी चित्रकरी । प्रातिवेश्या

1. KSS., NS. समुद्भवाः ।
2. KSS., NS. आशंकितः ।
3. KSS., NS. सुभगः ।
4. NS. अदीन ।
5. KSS., NS. अलुब्धः ।
6. KSS., NS. व्रतः ।
7. KSS., NS. स ।
8. KSS., NS. अनुरक्तः ।
9. KSS., NS. दान्तः ।
10. KSS., NS. छिद्राभिज्ञायी ।
11. KSS., NS. वयस्यास्तस्य षड्गुणाः ।
12. NS. does not read.

[1]प्रातिवेश्या सखी दासी कुमारी कारुशिल्पिनी[2] ॥९॥

धात्री पाषण्डिनी चैव तथा रङ्गोपजीविनी[3] ।

प्रोत्साहनेऽथ[4]कुशला मधुरकथा दक्षिणाथ[5]कालज्ञा ॥१०॥

लडहा संवृतमन्त्रा दूती त्वेभिर्गुणैः कार्या ।

तयाप्युत्साहनं[6] कार्यं [7]नानादर्शितकारणम् ॥११॥

यथोक्तकथनं चैव तथा भावप्रदर्शनम् ।

[8]न जडं रूपसम्पन्नं नार्थवन्तं न चातुरम् ॥१२॥

निकटावसथस्था । पाषण्डिनी व्रतिनी । रङ्गोपजीविनी रजकस्त्री चारणस्त्री । **प्रोत्साहने कुशले**त्यादीनि सर्वासां विशेषणानि । उनः सह प्रोत्साहः प्रोत्साहनमिति द्वौ णिचौ । प्रोत्साहयति नायिका तु नायकस्तया प्रोत्साहयति संमुखीकारयतीत्यर्थः ।

तस्या व्यापारान्तरमाह—**यथोक्ते**ति संमुखीकरणं सन्देशार्पणं कार्याय भावपरीक्षणं चेति द्वितयमनया कार्यमित्यर्थः । जडः करणीयं न शक्नोति कर्तुं प्रत्युत्पन्नमतिसाध्यानि कृत्यानीत्याह । रूपेणार्थेन वा युक्तः स्वार्थंतामाहरेत् । आतुरो हि दृश्यमान एव जुगुप्सां जनयति, स च रतेर्निरपेक्ष इत्यातुरो न कामदूतः । नानादर्शितकारणं कृत्वा प्रोत्साहनमित्युक्तं तानि

---

1. KSS., NS. प्रतिवेश्या ।
2. KSS., NS. दारुशिल्पिका ।
3. KSS., NS. दूत्यस्त्वीक्षणिकास्तथा ।
4. KSS., NS. प्रोत्साहनेषु ।
5. KSS., NS. च ।
6. KSS., NS. प्रोत्साहनं ।
7. KSS., NS. नानादर्शनं ।
8. KSS., NS. do not read it.

दूतं[1] वाप्यथवा दूतीं बुधः कुर्यात्कदाचन ।
कुलभोगधनाधिक्यैः कृत्वाऽधिकविकत्थनम्[1] ॥१३॥
दूती निवेदयेत्[3]कामममर्थाश्चैवानुवर्णयेत्[4] ।
[5]न चाकामप्रवृत्तायाः क्रुद्धाया [6]वापि सङ्गमः ॥१४॥
[7]नानुपायः प्रकर्तव्यो दूत्या हि पुरुषाश्रयः ।
उत्सवे रात्रिसञ्चार उद्याने [8]मित्रवेश्मनि ॥१५॥
[9]धात्रीगृहेषु सख्या वा तथा चैव निमन्त्रणे ।
व्याधितव्यपदेशेन शून्यागारनिवेशने[10] ॥१६॥
[11]कार्यः समागमो नृणां स्त्रीभिः प्रथमसङ्गमे ।
एवं समागमं कृत्वा [12]सोपायं विधिपूर्वकम् ।।१७।।
[[13]अनुरक्तां विरक्तां वा लिङ्गाकारैस्तु लक्षयेत् ।]

कारणान्याह कुलभोगेत्यादि उत्सव इति स्वगृह एव रात्रिचारप्रधानो य उत्सवः । प्रथमसङ्गम इति गान्धर्वविवाहे वेश्यापुनर्भूसङ्गमे चेत्यर्थः ।

---

1. KSS., NS. वापि हि दूतीं वा ।
2. KSS., NS. आधिक्यं कार्यं चैव विकत्थनम् ।
3. NS. निवेदनं ।
4. KSS., NS. कार्यमर्थानां चैव भाषणम् ।
5. KSS. नवकाम ।
6. KSS. वा समागमः ।
7. KSS., NS. नानोपायैः ।
8. KSS., NS. ज्ञाति ।
9. KSS., NS. धातृगृहे सखीगेहे ।
10. KSS., NS. समाश्रये ।
11. KSS., NS. एवं समागमः कार्यो नृणाम् ।
12. KSS., NS. नानोपायविधानजम् ।
13. NS does not read.
KSS. अनुरक्तां विरक्तां वा चिह्नैः समुपलक्षयेत् ।

स्वभावभावातिशयैर्नारी या मदनाश्रया[1] ।।१८।।

करोति निभृता[2] लीलां नित्यं[3] सा मदनातुरा ।

[4]सखीमध्ये गुणान् ब्रूते स्वधनं च प्रयच्छति[5] ।।१९।।

[6]पूजयत्यस्य मित्राणि द्वेष्टि शत्रुजनं सदा[7] ।

[8]सभागमे सखीनां या हृष्टा भवति चाधिकम् ।।२०।।

[9]तुष्यत्यस्य कथाभिस्तु सस्नेहं च निरीक्षते ।

सुप्ते तु पश्चात् [10]स्वपिति चुम्बिता प्रतिचुम्बति ।।२१।।

[11]उत्तिष्ठत्यपि पूर्वं च तथा क्लेशसहापि च ।

उत्सवे मुदिता या च व्यसने या च दुःखिता ।।२२।।

एवंविधैर्गुणैर्युक्ता त्वनुरक्ता तु सा स्मृता[12] ।

विरक्तायास्तु [13]चिह्नानि चुम्बिता नाभिचुम्बति ।।२३।।

(स्वभावेति) स्वभावे भावे सुरते येऽतिशया नखरदनसहिष्णुतादयस्तै-रूपलक्षिता अनुरक्तेति संबन्धः । **मित्राणि शत्रुजनमिति** नायकस्येति शेषः पश्चात्संवेशनं पूर्वमभ्युत्थानं च । तेन विना किमत्र सुखमिति दर्शयति **उत्सवे**

1. KSS., NS. या नारी मदनार्दिता ।
2. KSS., NS. अनिभृतं ।
3. KSS., NS. ज्ञेया ।
4. KSS., NS. गुणान् सखीनामाख्याति ।
5. KSS., NS. प्रददाति च ।
6. KSS., NS. संपूजयति ।
7. KSS., NS. तथा ।
8. KSS., NS. समागमं प्रार्थयते दृष्टा हृष्यति चाधिकम् ।
9. KSS. तुष्यन् यस्य ।
10. KSS. झटिति ।
11. KSS., NS. परिक्लेशांश्च सहते चुम्बिता प्रतिचुम्बति ।
12. KSS., NS. यानुरक्ता तु सा भवेत् ।
13. KSS., NS. लिङ्गानि चुम्बितास्यं प्रमार्जति ।

अनिष्टां च कथां ब्रूते प्रियमुक्तापि कुप्यति ।
[1]प्रद्वेष्टि चास्य मित्राणि भजतेऽरिजनं तथा ॥२४॥
शेते पराङ्मुखी [2]चापि शयने पूर्वशायिनी ।
सुमहत्यु[3]पकारेऽपि न तोषमुपयाति च ॥२५॥
क्लेशं न सहते चापि तथा कुप्यत्यकारणात्[4] ।
[5]या स्यादेवंप्रकारा तु विरक्ता तां विनिर्दिशेत् ॥२६॥
[6]हृदयग्रहणोपायमस्या व्यापारचेष्टितम् ।
अर्थप्रदर्शनं चैव [7]उपदानं पुनर्भवेत् ॥२७॥
[8]अकारणमुपन्यासस्तथैव व्याधितापि च ।

व्यसन इति नायकस्य । **अनिष्टां कथां ब्रूते** इति पर्वतादपि (पूर्वकृतारिति?) । हृदयं गृह्यते यैरुपायैः अस्य इति रक्ताया **व्यापारचेष्टित**मिति तदीय हृदयग्रहणव्यापारतात्पर्यत्वं कामतन्त्रे चेष्टितम् । अर्थस्य प्रदर्शनमिदं ममास्तीति । **उपन्यासः** (उपदानं ?) अर्थस्य, दास्यामीति । **उपन्यासः** अन्यमुखेन काचिदनुरक्तस्याङ्गनास्तीति कथनम् । (**व्याधितेति**) विचित्रा आधयो यस्य तस्य भावः । ततो हेतोरसेवनम् । विचित्राभिप्रायदर्शनव्याजेन तन्निकटादपसर्पणम् इति

---

1. NS. मित्राणि चास्य प्रद्वेष्टि **शत्रुपक्षं** प्रशंसति (तस्य शत्रुं) ।
2. KSS. चैव शय्यायां (स्था) ।
3. KSS., NS. चारेऽपि न तुष्यति कथंचन ।
4. KSS., NS. अकारणे ।
5. KSS. यस्यामेवं विकारास्तु (NS. प्रकारास्तु) ।
6. KSS., NS. हृदयग्रहणानि स्युः **व्यापारस्य विचेष्टितम्** ।
7. KSS. NS. तथा सद्भावदर्शनम् ।
8. KSS., NS. अर्थोपन्यास एवं स्यादुपन्यासस्तथैव हि ।

[1]व्याजात्त्यागोऽथ निकटाद्भावोपक्षेप एव च ॥२८॥
दारिद्र्याद्व्याधितो[2] दुखात्पारुष्याद्दुःश्रवा[3]त्तथा ।
प्रवासगमनादेव[4] ह्यातिलोभादतिक्रमात् ॥२९॥
[5]अतीवाभिगमाच्चापि तथा विप्रियकारणात्[6] ।
एभिः स्त्री पुरुषो वापि कारणैस्तु विरज्यते ॥३०॥
भावग्राहीणि नारीणां कार्याणि मदनाश्रये ।
[7]तुष्टिमेति यथा नारी प्राप्यते पुरुषैरथ ॥३१॥
लुब्धामर्थप्रदानेन कलाज्ञानेन पण्डिताम् ।
चतुरां लडहत्वेन[8]ह्यनुवृत्त्या च मानिनीम् ॥३२॥
[[9]भूषणग्रहणाच्चापि शृङ्गारमुखरो [10]भवेत्] ।
पुरुषद्वेषिणीमिष्टैः[11] कथायोगैरुपक्रमैः[12] ॥३३॥

यावत् (**व्याजात्परित्याग** इति) । एषोऽन्यत्र रागीत्यन्यमुखेनाभिधानं भावोपक्षेपः । रक्ताया अप्येतानि विरागकारणानीत्याह—**दारिद्र्यादि**त्यादिभ्यः, अपत्यमरणादेः, अश्राव्यत्वं यद्वचनं पारुष्यं ततो यत एवं तेनास्यापि रागं रक्षेदिति **भावग्राहीणी**ति । **प्राप्यत** इति सेव्यत इति यावत् । **पुरुषै**रिति कुशलैरिति भावः ।

---

1. KSS. व्याधितानां परित्यागो भावोपक्षेप एव च (NS. व्याधितो यः) ।
2. NS. व्याधितात् ।
3. KSS., NS. दश्रुतात् ।
4. KSS. गमनन्मानाद (NS. गमनो) ।
5. KSS. अतिवेलागमत्वाच्च ।
6. KSS., NS. सेवनात् ।
7. KSS. या न च प्रीयते । NS. यैर्न कुप्यति या नारी क्रुद्धो वापि प्रसीदति ।
8. KSS. क्रीडनत्वेन NS. चैव चातुर्यैरनुवृत्त्या तु भामिनीम् ।
9. NS. does not read ।
10. KSS. मुखतो ।
11. KSS. चेष्टकथाभिः परिसान्त्वयेत् ।
12. NS. उपक्रमेत् ।

[1]उपक्रीडनकैर्बालां [2]भीरुमाश्वासनेन च ।
गर्वितां नीचसेवाभिरुदात्तां शिल्पदर्शनैः ।।३४।।
सर्वासामेव नारीणां त्रिविधा प्रकृतिः स्मृता[3] ।
उत्तमा मध्यमा [4]नीचा वेश्यानां तु स्वभावजाः ।।३५।।
या विप्रियेऽपि [5]तिष्ठन्तं प्रियं वदति नाप्रियम् ।
[6]न दीर्घरोषा च तथा कलासु च विचक्षणा ।।३६।।
[7]शीलशोभाकुलाधिक्यैः पुरुषैर्या च काम्यते ।
कुशला कामतन्त्रेषु दक्षिणा रूपशालिनी[8] ।।३७।।
गृह्णाति कारणाद्रोषं [9]विगतेर्ष्या ब्रवीति च ।
कार्यकालविशेषज्ञा [10]सुरूपा सा स्मृतोत्तमा ।।३८।।
[11]पुरुषैः काम्यते या तु तथा कामयते च तान् ।
कामोपचारकुशला प्रतिपक्षाभ्यसूयिनी[12] ।।३९।।

अस्याः कथं तुष्टिरित्याह लुब्धामित्यादि । पण्डितामिति कलाविदाम् । लडहत्वेन प्रागल्भ्येन ।

---

1. NS. बालां तामपि क्रीडन् वै भीरुमाश्वासचाटुभिः ।
2. KSS. भीतां ।
3. KSS. यता ।
4. KSS., NS. चैव तृतीया चाधमा स्मृता ।
5. KSS., NS. निष्टम्भं न वदत्यप्रियं प्रियम् ।
6. NS. न चिरं क्रोधमायाति दोषं प्रच्छादयत्यपि अदीर्घरोषा च तथा कलाशिल्पविचक्षणा ।
7. KSS. काम्यते पुरुषैर्या तु कुलभोगधनाधिकैः (शोभा) ।
8. NS. धारिणी ।
9. KSS., NS. गतेर्ष्या प्रब्रवीति ।
10. KSS., NS. सुभगा ।
11. KSS., NS. पुंसः कामयते या तु पुरुषैर्या च काम्यते ।
12. KSS. ,NS. अत्यसूयिका ।

ईर्ष्यातुरा त्वनिभृता [1]क्षीणक्रोधाति गर्विता।
[2]क्षणप्रसादा या चैव सा नारी मध्यमा स्मृता ॥४०॥
[3]अस्थानकोपना या तु [4]दुष्टशीलातिमानिनी।
चपला परुषा चैव[5] दीर्घरोषाधमा स्मृता ॥४१॥
सर्वासां नारीणां यौवन[6]भेदाः स्मृतास्तु चत्वारः।
नैपथ्यरूप[7]चेष्टागुणेन शृङ्गारमासाद्य ॥४२॥
पीनोरुगण्डज[8]घनाधरस्तनं कर्कशं रतिमनोज्ञम्।
[9]शृङ्गारसमुत्साहं प्रथमं तद्यौवनं ज्ञेयम् ॥४३॥
गात्रं पूर्णावयवं पीनौ च पयोधरौ नतं[10] मध्यम्।
कामस्य सारभूतं यौवनमेतद् द्वितीयं तु ॥४४॥
सर्वश्री[11] संयुक्तं रतिकरणोत्पादनं रतिगुणाढ्यम्।
कामाप्यायितशोभं यौवनमेतत्तृतीयं[12] तु ॥४५॥

नीचसेवाभिरिति पादस्पर्शनादिभिः। शिल्पदर्शनैरिति विस्मयहेतुभिरित्यर्थः। प्रतिपदमुक्तयो भेदसंग्रह इत्याशयेनाह—सर्वासामेवेति उत्तममध्यमाधमानां प्रत्येकमिति यावत्।

---

1. KSS. क्षणक्रोधाभिगर्विता। NS. क्षणक्रोधा च गर्विता।
2. KSS., NS. क्षणं प्रसाद्यते या च।
3. NS. अस्थाने कोपमायाति।
4. KSS., NS. दुःशीला चाति।
5. NS. परुषा प्रतिकूला च।
6. NS. लाभा भवन्ति KSS. लीलाश्चतस्रः स्युः।
7. NS. वेषैर्गुणैः KSS. चेष्टागुणैः।
8. NS. जघनस्तनाधरं।
9. KSS., NS. सुरतं प्रति सोत्साहं प्रथमं तद्यौवनं विद्यात् (ज्ञेयम्)।
11. KSS. कृशं।
12. KSS., NS. सम्पूर्णरतिकरमुन्मादनं बहुगुणाढ्यम्।

नवयौवने व्यतीते तथा द्वितीये तृतीयके वापि ।
शृंगारशत्रुभूतं यौवनमेतच्चतुर्थं तु ॥४६॥
[1]अम्लानगण्डजघ[2]नाधरस्तनं [3]किञ्चिदूनलावण्यम् ।
[4]कामं प्रति नोच्छ्वासं यौवनमेतच्चतुर्थं तु ॥४७॥
नात्यर्थं क्लेशसहा न कुप्यति न हृष्यति स्त्रीभ्यः[5] ।
[6]सौख्यगुणेष्ववसक्ता नारी नवयौवना ज्ञेया ॥४८॥
किंचित्करोति मानं किंचित्क्रोधं च मत्सरं चैव ।
क्रोधे च भवति तूष्णीं यौवनभेदे द्वितीये तु ॥४९॥
रतिसंभोगे दक्षा प्रतिपक्षासूयिनी[7] रतिगुणाढया ।
अनिभृतगर्वितचेष्टा नारी ज्ञेया तृतीये तु ॥५०॥
[8]चित्तग्रहणसमर्था कामाभिज्ञा [9]त्वमत्सरोपेता ।
[10]अविरहितमिच्छति सदा पुरुषं नारी चतुर्थे तु ॥५१॥

(सर्वासामिति) प्रथमं यौवनं यावद्विंशति । एवं त्रिंशच्चत्वारिंशत्पञ्चाशदिति विभागः । अन्ये तु षोडशपञ्चविंशतिपञ्चत्रिंशत्पञ्चचत्वारिंशदिति विभागमाहुः ।

---

1. NS. निर्मांस ।
2. KSS., जघनाधरस्तनशेषगात्रलावण्यम् ।
3. NS. शुष्कलम्बितकपोलम् ।
4. KSS., NS. कामे च निरुत्साहं ।
5. KSS., NS. प्रति स्त्रीषु ।
6. KSS. सौम्यगुणेष्वासक्ता ।
7. KSS. प्रतिपन्नासूयिनी ।
8. KSS., NS. पुरुषग्रहण ।
9. KSS., NS. हि ।
10. KSS., NS. अविरहमिच्छति नित्यं नारी ज्ञेया चतुर्थे तु ।

यौवन[1]भेदास्त्वेते विज्ञेया नाटकेषु चत्वारः ।
पुनरेव [2]तु पुरुषाणां च कामतन्त्रे प्रवक्ष्यामि ॥५२॥
[3]चतुरोत्तमौ तु मध्यस्तथा[4] च नीचः प्रवृत्तकश्चैव ।
[5]स्त्रीसंप्रयोगविषये [6]ज्ञेयाः पुरुषास्त्वमी पञ्च ॥५३॥
[7]समदुःखक्लेशसहः प्रणयक्रोधप्रसादने कुशलः ।
[8]योऽर्थी नात्मच्छन्दो दक्षश्चतुरः स बोद्धव्यः ॥५४॥
यो विप्रियं न कुरुते [9]नार्याः किंचिद्विरागसंज्ञातम् ।
[10]अज्ञातेप्सितहृदयः स्मृतिमान्धृतिमान् स तु ज्येष्ठः ॥५५॥
मधुरस्त्यागी रागं न याति मदनस्य [11]चापि वशमेति ।
अवमानितश्च नार्या विरज्यते चोत्तमः स पुमान्[12] ॥५६॥
[13]सर्वार्थैर्मध्यस्थो भावग्रहणं करोति यो नार्याः[14] ।
किंचिद्दोषं दृष्ट्वा विरज्यते मध्यमः स भवेत्[15] ॥५७॥

एषूपचारभेदमाह—नात्यर्थमिति क्लेशः दशनादिकृत्यं नातीव सहते । **रतिगुणाढ्या** कामतन्त्रप्रयोगप्रगल्भेत्यर्थः । **अविरहितमिति** भावैस्त्रिभिरपि ।

---

1. KSS., NS. लम्भा ह्येते ।
2. KSS., NS. च पुरुषगुणान् कामिततन्त्रे ।
3. NS. चतुरोन्तमौ ।
४. KSS., NS. तथाऽधमः संप्रवृत्तकः ।
5. KSS., NS. स्त्रीणां प्रयोग ।
6. KSS. विज्ञेया पुरुषास्त्विमे ।
7. NS. दुःखक्लेशसहिष्णुः प्रियवदनः ।
8. KSS., NS. रत्युपचारे निपुणो ।
9. KSS., NS. धीरोदात्तः प्रियंवदो मानी ।
10. KSS., NS. अज्ञातहृदयतत्त्वो ज्ञेयः स्मृतिमान् ।
11. KSS., NS. नापि ।
12. KSS., NS. स च भवेज्ज्येष्ठः ।
13. NS. सर्वार्थै ।
14. NS. नारीणाम् ।
14. NS. मध्यमध्यमोऽयमिति । KSS. मध्यम पुरुषः ।

[1]काले दाता ह्यवमानितोऽपि न क्रोधमतितरामेति ।
दृष्ट्वा व्यलीकमात्रं विरज्यते मध्यमोऽयमपि ॥५८॥
[2]अवमानितोऽपि नार्या [3]निर्लज्जतयाभ्युपैत्यविकृतास्यः ।
[[4]अन्यतरं संक्रान्ता स्नेहपरावृत्तभावश्च] ॥५९॥
अभिनवकृते व्यलीके प्रत्यक्षं रज्यते दृढतरं यः ।
[5]मित्त्रैर्निवार्यमाणो विज्ञेयः सोऽधमः पुरुषः[6] ॥६०॥
अविगणितभयामर्षो मूर्खप्रकृतिः प्रसक्तहासश्च[7] ।
[8]एकान्तदृढग्राही निर्लज्जः कामतन्त्रेषु ॥६१॥
रतिकलहसंप्रहारेष्वकर्कशः[9] क्रीडनीयकः स्त्रीणाम् ।
एवंविधस्तु[10]तज्ज्ञैर्विज्ञेयः संप्रवृत्तस्तु ॥६२॥

उपचारार्थं पुरुषभेदो ज्ञेय इत्याशयेनाह—**चतुरोत्तमावित्यादि** । **पञ्च** क्रमेण लक्षयति **समदुःख** इति । **अज्ञातेप्सितहृदय** इति गम्भीर इत्यर्थः । **ज्येष्ठ** इति यावत् । नन्वन्यदीयं कार्यवशात्संक्रामेदित्याह— **स्नेहेति** अन्यदीयेन स्नेहेन प्रेम्णा परावृत्तः तद्विषयो भावोऽभिप्रायो यस्याः ।

---

1. अयंश्लोको NS. पुस्तके नास्ति ।
2. NS. अपमानितोऽपि ।
3. NS. निर्लज्जः समुपसर्पपति तथैव KSS. उपसर्पति य एनाम् ।
4. KSS. संक्रान्तान्तरमन्य...... ।
5. NS. सुहृदापि ।
6. KSS., NS. नाम ।
7. KSS. प्रकृष्टभावश्च ।
8. NS. एकान्तदृढता ।
9. KSS., NS. हारेषु कर्कशः ।
10. KSS. विधिज्ञैः विज्ञेयः सम्प्रवृद्ध स्यात् । NS. प्रवृत्तकोयमपि ज्ञेयः ।

नानाशीलाः[1] स्त्रियो ज्ञेया गूढार्थहृदयेप्सिताः[2] ।

विज्ञाय तु यथा[3]सत्त्वमुपसर्पेत्तथैव ताः[4] ॥६३॥

भावाभावौ विदित्वाऽथ तत्र[5] तैस्तैरुपक्रमैः ।

पुमानुपचरेन्नारीं कामतन्त्रं समीक्ष्य तु ॥६४॥

साम [6]चोपप्रदानं च भेदो दण्डस्तथैव च ।

उपेक्षा चैव कर्तव्या नारीणां विषयं प्रति ॥६५॥

तवास्मि मम चैवासि[7] दासोऽहं त्वं च मे प्रिया ।

आत्मोपक्षेपणकृतं [8]यत्तत्सामेति कीर्तितम् ॥६६॥

काले काले प्रदातव्यं धनं विभवमात्रया ।

[9]यन्निमित्तान्तरकृतं प्रदानं नाम तत्स्मृतम् ॥६७॥

ननु किमनेन स्त्रीणां भावज्ञानेनेत्याह—**नानाशीला** इति अर्थनमर्थः अभिप्रायः गूढाभिप्रायं हृदयमासाम् । **यथासत्त्वमिति** यथाशयम् । **भावाभावा**विति अनुरागविरागौ **नारीणां विषये** बन्धनं स्वीकारः तं प्रतीति तस्मिन्साध्ये सामादयः उपेक्षान्ताः पञ्चोपाया इत्यर्थः । तान् क्रमेण व्याचष्टे **तवा**स्मीत्यादि । **आत्मन उपक्षेपो** निजभावप्रदर्शनम्, **काले** दिवसे **दातव्यमिति**

1, KSS. लीलाः ।

2. KSS., NS. गूढार्थहृदयाश्च ताः ।

3. NS. तत्त्वं ।

4. NS. ततश्च ताः KSS. तु ताः ।

5. KSS., NS ततः ।

6. KSS. चैव NS. योग्य ।

7. KSS., NS. चैव त्वं ।

8. NS. तत्सामेति हि संज्ञितम् । KSS. तत्सामेत्यभिधीयते ।

9. NS. निमित्तान्तरसंभूतं । KSS. सनिमित्तान्तर ।

भेदः स्यात्तत्प्रियस्ये[1] सोपायं दोषदर्शनम् ।
बन्धनं ताडनं [2]चापि दण्ड इत्यभिधीयते ।।६८।।
मध्यस्था मानयेत्साम्ना [3]लुब्धां चोपप्रदानतः ।
अन्यावबद्धभावां च भेदेन प्रतिपादयेत् ।।६९।।
दुष्टाचारे समारब्धे [4]त्वन्यभावसमुत्थिते ।
दण्डः पातयितव्यस्तु [5]मृदुताडनबन्धनैः ।।७०।।
[[6]नायकः पुरुषो वाच्यो नायिकां ताडयेच्च ताम् ।
ताडयेत्तां बुधो नारीं रज्ज्वा वेणुदलेन वा ।।] ७१।।
सामादीनां प्रयोगे तु परिक्षीणे यथाक्रमम् ।
न स्याद्या च समापन्ना तामुपेक्षेत बुद्धिमान् ।।७२।।

नियमे न सति निमित्तविशेषकृतेन प्रमोदव्यसनादिनिबन्धनेन दानेन वर्तयतीत्यर्थः । तस्या योऽन्यः प्रियः तस्य दोषास्तथा दृश्यन्ते यथा तया सत्यत्वेन प्रतीयेरन्निति भेदः तदाह—**सोपायमिति** । चतुर्णामुपायानां स्वं स्वं विषयमाह—**मध्यस्थामिति** किञ्चित् स्निह्यन्तीमित्यर्थः । **आनयेत्** स्वीकुर्यात् । **प्रतिपादयेदिति** आत्मनि संमुखीभावं गमयेत् । **दुष्टाचार** इति देशात्पलायनं पुरुषान्तरगृह एव वास इत्यादिके । तत्रापि च स्त्रीषु निरपेक्षः स्यादिति **मृदुताडनबन्धनै**रिति । उपेक्षाया विषयमाह **सामादीना**मिति दण्डेनापि हि तत्साम्मुख्यं त्यजति या तस्याः

1. NS. प्रदानं कोपदर्शनम् ।
2. NS., KSS. वाऽपि ।
3. KSS. लुब्धामर्थ (NS. लुब्धायां) च) ।
4. KSS., NS. मध्यभावे ।
5. KSS., KS. हि ।
6. अयं KSS. NS. पुस्तकयोः न दृश्यते ।
7. NS. भवेद्वशमापन्ना KSS. भवेद्वशगा या तु ।

मुखरागेण नेत्राभ्यां विज्ञेयो [1]भावचेष्टितैः ।
द्वेष्यो वापि प्रियो वापि मध्यस्थो वापि योषिताम् ।।७३।।
अर्थहेतोस्तु वेश्यानां प्रियो वा यदि वाप्रिया ।
[2]गम्य एव नरो नित्यं मुक्त्वा दिव्यनृपस्त्रियः ।।७४।।
द्वेष्यं तु प्रियमित्याहुः प्रियं प्रियतरं[3] तथा ।
सुशीलमिति दुश्शीलं गुणाढ्यमिति निर्गुणम्[4] ।।७५।।
[5]प्रहसन्ती च नेत्राभ्यां यं दृष्ट्वोत्फुल्लतारका ।
प्रसन्नमुखरागाच्च लक्ष्यते भावरूपणैः ।।७६।।
[6][भावाभावौ विदित्वैव निरस्तैस्तैरुपक्रमैः ।
यत्नादुपचरेन्नारीं कामतन्त्रं प्रतीक्ष्य तु] ।।७७।।

किञ्चिदुपेक्षेत बुद्धिमानित्युक्तम् । किं संबुध्यत इत्याह—मुखरागेणेत्यादि । वेश्याचित्तं तु दुर्लक्षमिति प्रयत्नपरीक्ष्यमित्याशयेनाह अर्थहेतोस्त्विति । किं सर्वासां वेश्यानामयं विधिः नेत्याह—मुक्त्वा दिव्यनृपस्त्रिय इति । ननु वचने वेश्याहृदयमुपलक्षेतेत्याह—द्वेष्ये तु प्रिय इत्याहुरिति । तुरप्यर्थे ।

ननु किमस्वकार्यहृदया एव ताः, नेत्याह—उपचारबलत्वादिति अर्थकाममयादित्यर्थः माध्ये वा नो सेवया (?) ननु यद्येवंभूताः कथं ताः काम्यन्ते

1. KSS., NS. त्वङ्ग ।
2. KSS. गम्यो हि पुरुषो नित्यं ।
3. KSS. अप्यप्रियं ।
4. KSS., NS. निर्गुणं गुणवानिति ।
5. NS. अहसन्ती ।
6. KSS. does not read ।

उपचार[1]बलत्वाच्च विप्रलम्भात्तथैव च ।
तासु निष्पद्यते कामः काष्ठादग्निरिवोत्थितः ।।७८।।
योषितामुपचारोऽयं यथोक्तो वैशिकाश्रयः ।
कार्यः प्रकरणे [2]सम्यग्यथायोगं च नाटके ।।७९।।
एवं [3]वेश्योपचारोऽयं तज्ज्ञैः कार्यो द्विजोत्तमाः ।
अत ऊर्ध्वं[4] प्रवक्ष्यामि प्रकृतीनां तु लक्षणम्[5] ।।८०।।

इति भरतीये नाट्यशास्त्रे त्रयोविंशोऽध्यायः[6] ।

जनैरित्याशङ्क्याक्त्यैतदेवाह—**उपचारबलत्वाच्चेति** । यतो हृदयग्रहणोचितमुपचारं निन्दती मध्ये च विप्रलम्भयन्ती तस्मात् काम उत्सुको भवति । कामाभिनिवेशी स इत्युक्तम् । काष्ठादग्निरिति प्रत्युत दुश्चिकित्स इत्यर्थः ।

वैशिकपुरुषाधिकारे प्रवृत्तमध्यायं प्रकृते उपयोजयति **योषितामिति** । **नाटक** इति दिव्यवेश्यानां तत्र भावात् पताकानायकादिगतत्वेन चेति शिवम् ।

अध्यायो वैशिकः सोऽयं त्रयोविंशतिपूरणः ।
कृतोऽभिनवगुप्तेन भद्रग्रन्थिपदक्रमः ।।

इति श्रीमहामाहेश्वराचार्याभिनवगुप्तविरचितायां
नाट्यवेदवृत्तावभिनवभारत्यां
वैशिकस्त्रयोविंशोऽध्यायः ।।

---

1. KSS., NS. फलत्वाच्च ।
2. NS. वापि KSS. चापि
3. NS. विशेषा ।
4. KSS. परं ।
5. KSS. चित्रस्याभिनयं प्रति ।
6. बाह्योपचारो नाम पञ्चविंशः ।

श्रीः

नाट्यशास्त्रम्

चतुर्विंशोऽध्याय*

— ० —

समासतस्तु प्रकृतिस्त्रिविधा परिकीर्तिता ।

पुरुषाणामथ स्त्रीणामुत्तमाधममध्यमा ॥१॥

अभिनवभारती—चतुर्विंशोऽध्यायः

त्रिधा विकल्पनं यस्यां पुमान् यत्रोपचर्यते ।

तां वन्दे प्रकृतिं शम्भोः शक्तित्रयविजृम्भणात् ॥

इह कामोपचारः पूर्वं दर्शितः कामश्च स्त्रीपुरुषहेतुक इत्युक्तम् । स्त्रीणां च पुंसां च यद्यपि विचित्रः स्वभावास्तथापि ते प्रतिपदमशक्यकलना इति प्रकृतित्रयेण ते सर्वे शक्यसंग्रहा इति प्रकृतित्रयं वक्तव्यम् । तथा चाह **समासत** इति कामोपचारश्च शृङ्गारपर्यवसायी नायकविशेष एवेति नायकभेदा वक्तव्याः । तस्य च नायकस्यान्तःपुरो बहिर्वा किन्नामधेयः कियान्वा परिवार इति सर्वं कविना ज्ञातव्यं नटेन च । तदेवं प्रकृतिनायकपरिवारभेदानभिधाय कोऽयमध्यायोऽस्याभिचारमारभ्यते प्रकृत्यादिभेदोपचारो हि स्त्रीणां नपुंसकस्य

---

* अस्याध्यायस्य पाठक्रमो बहुधा भिद्यते । अत्र गायकेवाड-ओरियन्टल-सीरिजमुद्रित-पुस्तकानुसारमेवात्र दीयते । काशीमुद्रितपुस्तकेऽपि अयं चतुस्त्रिंशत्तमोध्यायः ।

अत ऊर्ध्वं प्रवक्ष्यामि प्रकृतीनां च लक्षणम् ।

नायकानां च सर्वेषां चतुर्णामपि तत्त्वतः ॥ इत्यधिको मुद्रितपुस्तके पाठः ।

जितेन्द्रियज्ञानवती नानाशिल्पविचक्षणा ।
दक्षिणाधमहालक्ष्या [1]भीतानां परिसान्त्वनी ॥२॥
नानाशास्त्रार्थसंपन्ना गाम्भीर्यौदार्यशालिनी ।
स्थैर्यत्यागगुणोपेता ज्ञेया प्रकृतिरुत्तमा ॥३॥
लोकोपचारचतुरा शिल्पशास्त्रविशारदा ।
विज्ञानमाधुर्ययुता मध्यमा प्रकृतिः स्मृता ॥४॥
[2]रूक्षवाचोऽथ दुःशीलाः कुसत्त्वाः[3] स्थलबुद्धयः ।
क्रोधना घातकाश्चैव मित्रघ्नाश्छिद्रमानिनः[4] ॥५॥
पिशुनास्तूद्धतै[5]र्वाक्यैरकृतज्ञास्तथालसाः ।
मान्यामान्या[6] विशेषज्ञा स्त्रीलोलाः कलहप्रियाः ॥६॥

(काम) विरहत्वादुपचारः स्नेहव्यवहार इत्यध्यायसङ्गतिः । तत्र प्रकृतिव्यवहारं तावदाह—समासतस्त्विति । तुर्व्यतिरेके—पूर्वं विस्तरेण स्वभावो दर्शितोऽधुना तु संक्षेपत इति ।

(लोकोपचारेति) । लोकोपचारो व्यवहार (रतस्मिन् च तु) पतत्यव-श्यम्) । कृतमुपकारं ये विस्मरन्त्यकृतज्ञास्ते । मान्यामान्ययोरविशेषज्ञा इति समासः ।

---

1. KSS. दीनानां ।
2. KSS. रूक्षाः वचसि ।
3. KSS. स्वल्पबुद्धिका ।
4. KSS. चित्रघातकाः ।
5. KSS. उद्धता ।
6. KSS. मान ।

सूचकाः पापकर्माणः परद्रव्यापहारिणः ।
एभिर्दोषैस्तु संपन्ना भवन्तीहाधमा नराः ॥७॥
एवं [1]तु शीलतो नृणां प्रकृतिस्त्रिविधा स्मृता[2] ।
स्त्रीणां पुनश्च प्रकृतिं व्याख्यास्याम्यनुपूर्वशः ॥८॥
मृदुभावा [3]चाचपला स्मित[4]भाषिण्यनिष्ठुरा ।
गुरूणां वचने दक्षा सलज्जा विनयान्विता ॥९॥
रूपाभिजनमाधुर्यैर्गुणैः स्वाभाविकैर्युता[5] ।
गाम्भीर्यधैर्यसंपन्ना विज्ञेया[6] प्रमदोत्तमा ॥१०॥
नात्युत्कृष्टैर[7]निखिलैरेभिरेवान्विता गुणैः ।
अल्पदोषानुविद्धा च मध्यमा प्रकृतिः स्मृता ॥११॥

पुनःश्चेति पूर्वं यद्यप्युक्ता तथापीत्यर्थः । तत्र हि कामोपचाराभिप्रायेण प्रकृतित्रैविध्यं व्याख्यातम् । इह तु सर्वव्यवहारविषयमिति विशेषो दृश्यते । (तत्र तु) विपयभेदादुत्तमादित्वं (सत्त्वसमुद्भवत्वात् रस्याः स्निग्धा इत्यादय आहाराः सात्त्विकस्य प्रिया इत्युच्यन्ते । तत्र हि सत्त्वमाहारविषयमेव सहधूमाभ्यवहारादिति । कृतकटुकाहारव्रतो मुनिर्न सात्त्विक इति नापि चोरो (?) घृतगुड (प) योन्नभोजी सात्त्विक इति । **वचने दक्षा**सती **गुरूणां** विषये **सलज्जा** । **नात्युत्कृष्टै**रतिश्रेष्ठताहीनैः, अनिखिलैः असमग्रैः । **सङ्कीर्ण**

---

1. KSS. च ।
2. KSS. स्त्रियः ।
3. KSS. त्वचपला ।
4. KSS. भाविन्य ।
5. KSS. स्मृता ।
6. KSS. सा ज्ञेया ।
7. KSS. शिथिलैरेभिरेव वृता ।

अधमा प्रकृतिर्या तु पुरुषाणां प्रकीर्तिता ।
विज्ञेया सैव नारीणामधमानां समासतः ॥१२॥
नपुंसकस्तु विज्ञेयः संकीर्णोऽधम एव च ।
[1]प्रेष्यादिरपि विज्ञेया संकीर्णा प्रकृतिर्द्विजाः ॥१३॥
[2]शकारश्च विटश्चैव ये चान्येऽप्येवमादयः ।
संकीर्णास्ते[3]ऽपि विज्ञेया ह्यधमा नाटके बुधैः ॥१४॥
एता ज्ञेयाः प्रकृतयः पुरुषस्त्रीनपुंसकैः[4] ।
आसां तु संप्रवक्ष्यामि विधानं शीलसंश्रयम् ॥१५॥
[5]अत्र चत्वार एव स्युर्नायकाः परिकीर्तिताः ।
मध्यमोत्तमप्रकृतौ नानालक्षणलक्षिताः ॥१६॥
धीरोद्धता धीरललिता धीरोदात्तास्तथैव च ।
धीरप्रशान्तकाश्चैव नायकाः परिकीर्तिताः ॥१७॥
देवा धीरोद्धता ज्ञेयाः [6]स्युर्धीरललिता नृपाः ।
सेनापतिरमात्यश्च धीरोदात्तौ प्रकीर्तितौ ॥१८॥

इति । कश्चिन्मिश्रप्रकृतिः कश्चिदधमप्रकृतिरेव । **प्रेष्याँश्च संकीर्णा** इति स्वामिचित्तानुरोधात् । विटोऽप्येवं शकरोऽप्य (नुभूत) विभवत्वादुत्तममध्यमचेष्टितमाचरति सङ्कीर्णः । परमार्थतस्तु प्रेष्यविटशकारा अधमा एव ।

प्रकृतिभेदमभिधाय नायकभेदमाह **अत्र चत्वार** इति । सुरतविषये संबन्धिग्रहणे । विग्रहं वा सन्धिना दूषयतीति विदूषकः विप्रलम्भनत्वे (कथा)

1. KSS. चेट्यादि ।
2. KSS. विदूषकः शकारश्च ।
3. KSS. नाटके ज्ञेयास्ते तज्ज्ञैः ।
4. KSS. नपुंसकाः ।
5. KSS. तत्र ।
6. KSS. ललितास्तु नृपाः स्मृताः ।

धीरप्रशान्ता विज्ञेया ब्राह्मणा वणिजस्तथा ।
एतेषां तु पुनर्ज्ञेयाश्चत्वारस्तु विदूषका: ॥१६॥
[1]लिंगी द्विजो राजजीवी शिष्यश्चेति यथाक्रमम् ।
देवक्षितिभृतामात्यब्राह्मणानां प्रयोजयेत् ॥२०॥
विप्रलंभसुहृदोमी संकथालापपेशला: ।
व्यसनी प्राप्य दु:खं वा युज्यतेऽ[2]भ्युदयेन य: ॥२१॥
तथा पुरुष[3]माहुस्तं प्रधानं नायकं बुधा: ।
[4]यत्रानेकस्य भवतो व्यसनाभ्युदयौ पुन: ॥२२॥
सपुष्टौ यत्र तौ स्यातां न भवेत्तत्र नायक: ।
[दिव्या च नृपपत्नी च कुलस्त्री गणिका तथा ॥]२३॥
एतास्तु नायिका ज्ञेया नानाप्रकृतिलक्षणा: ।
धीरा च ललिता च स्यादुदात्ता निभृता तथा ॥२४॥

विनोदने (नै:) दूषयन्ति विस्मारयन्ति । **यथाक्रममिति** क्रमिकमौचित्यमत्र यथोचितं योजना, तद्यथा लिङ्गी ऋषि: देवानाम्, **द्विजो** वीर: सेनापते, राजा जीवी राज्ञ:, शिष्यो ब्राह्मणस्य । तेषां व्यापारमाह—विप्रलम्भसुहृद इति विदूषक: ।

नन्वेकपुरुषसंभव इतिवृत्ते को नायक इत्याह—**व्यसनीति** । **प्राप्य दुखं** चेति । पूर्वमेव न व्यसनपतितो व्यसनी वा अयमपि तु सुखीभूत्वा दुखं प्राप्त: ।

नन्वेतल्लक्षणमात्रेतिवृत्तेऽनेकस्यापि रामचरित इव सुग्रीवविभीषणयोरपीत्याह **यत्रानेकस्येति** । एवं नायकभेदं निरूप्य नायिकाभेदमाह **दिव्या-**

---

1. KSS. लिङ्गानि ते वरजवा ।
2. KSS. भूमिपेन सा ।
3. KSS. बाहुल्यप्रधानो नायक: स्मृत: ।
4. KSS. तत्र ।

[1]दिव्या राजांगनाश्चैव गुणैर्युक्ता भवन्ति हि।
उदात्ता निस्सृता चैव भवेत्तु कुलजांगना ॥२५॥
ललिते चाभ्युदात्ते च गणिकाशिल्पकारिके।
[प्रकृतीनां तु सर्वासामुपचाराद् द्विधा स्मृताः ॥२६॥
बाह्यश्चाभ्यन्तरश्चैव तयोर्वक्ष्यामि लक्षणम्।
तत्र राजोपचारो यो भवेदाभ्यन्तरो हि सः ॥२७॥
ततो [2]वाक्योपचारस्तु यस्य बाह्यः स उच्यते।
[अथ राजोपचारे च राज्ञामन्तःपुराश्रितम् ॥]२८॥
स्त्रीविभागं प्रवक्ष्यामि विभक्तमुपचारतः।]
राजोपचारं वक्ष्यामि ह्यन्तःपुरसमाश्रयम् ॥२९॥
महादेवी तथा देव्यः स्वामिन्यः स्थापिता अपि।
भोगिन्यः शिल्पकारिण्यो नाटकीयाः सनर्तकाः ॥३०॥
अनुचारिकाश्च विज्ञेयास्तथा च परिचारिकाः।
तथा संचारिकाश्चैव तथा प्रेषणकारिकाः ॥३१॥
महत्तर्यः प्रतीहार्यः कुमार्यः स्थविरा अपि।
आयुक्तिकाश्च नृपतेरयमन्तःपुरो जनः ॥३२॥

चेति। अथ परिवारभेदमाह—राजोपचारमित्यादि। महादेवीप्रभृत्यायुक्तिकान्तः सप्तदशकः स्त्रीगणः, नपुंसकादिवर्गोऽष्टादश। अत एव वक्ष्यति एतदष्टादशविधं प्रोक्तमन्तःपुरमिति, तद्विषयः परिवार इत्यर्थः। महादेवीत्येकत्वं-

---

1. KSS. दिव्यात्तं जातयस्तैस्तैः।
2. KSS. बाह्य।

[1]अत्र मूर्धाभिषिक्ता या कुलशीलसमन्विता ।
गुणैर्युक्ता वयस्स्था च मध्यस्था क्रोधना तथा ॥३३॥
मुक्तेर्ष्या नृपशीलज्ञा सुखदुःखसहा समा[2] ।
शान्तिस्वस्त्ययनैर्भर्त्तुस्सततं मङ्गलैषिणी ॥३४॥
शान्ता पतिव्रता धीरा अन्तःपुरहिते रता ।
एभिर्गुणैस्तु संयुक्ता महादेवीत्युदाहृता ॥३५॥
एभिरेव गुणैर्युक्तास्तत्संस्कारविवर्जिताः ।
गर्विताश्चातिसौभाग्याः पतिसंभोगतत्पराः ॥३६॥
शुचिनित्योज्ज्वलाकाराः पतिपक्षाभ्यसूयकाः ।
वयोरूपगुणाढ्या यास्ता देव्य इति भाषिताः ॥३७॥
सेनापतेरमात्यानां भृत्यानामथवा पुनः ।
भवेयुस्तनया यास्तु प्रतिसम्मानवर्जिताः ॥३८॥
शीलरूपगुणैर्यास्तु संपन्ना नृपतेर्हिताः[3] ।
स्वगुणैर्लब्धसम्माना[4]स्वामिन्य इति ताः स्मृताः ॥३९॥

विवक्षितम् । महादेवीनां क्रमेण लक्षणान्याह अत्र मूर्धाभिषिक्तेत्यादि । सर्वेषां मूर्धनि प्रधानस्थानेत्यभिषिक्ता । वयसि मध्यमे तिष्ठतीति मध्यस्था । (अन्तःपुरेति) अन्तःपुरिके बाह्ये च वर्गे अन्तःपुराय हितं कौशल्यसंपादनम् । देव्य इति । महादेवी तु शृङ्गारोचिता नातीव भवति साभिमुख्यमभिप्रयातीत्याशयेन वासवदत्तादिषु कवयो देवी वाचोयुक्त्या व्यवहरन्ति ।

---

1. KSS. तत्र ।
2. KSS. समम् ।
3. KSS. नृपवल्लभाः ।
4. KSS. माहात्म्या ।

रूपयौवनशालिन्यः कर्कशा विभ्रमान्विताः ।
[1]रतिसंभोगकुशलाः प्रतिपक्षाभ्यसूयिकाः ॥४०॥
दक्षा भर्तुश्च चित्तज्ञा [2]गन्धमाल्योज्ज्वलास्सदा ।
नृपतेश्छन्दवर्त्तिन्यो न ह्रीर्ष्यामानगर्विताः ॥४१॥
उत्थिताश्च प्रमत्ताश्च त्यक्तालस्या न निष्ठुराः ।
मान्यामान्यविशेषज्ञाः स्थापिता इति ताः स्मृताः ॥४२॥
कुलशीललब्धपूजामृदवो नातिचोद्धटाः ।
मध्यस्था निभृताः क्षान्ता भोगिन्य इति ताः स्मृताः ॥४३॥
नानाकलाविशेषज्ञा नानाशिल्पविचक्षणाः ।
गन्धपुष्पविभागज्ञा लेख्यालेख्यविकल्पिकाः ॥४४॥
शयनासन[3]भागज्ञाश्चतुरा मधुरास्तथा ।
दक्षाः सौम्याः स्फुटाः श्लिष्टा निभृताः शिल्पकारिकाः ॥४५॥
ग्रहमोक्षलयज्ञा या रसभावविकल्पिकाः ।
चतुरा नाट्यकुशलाश्चोहापोहविचक्षणाः ॥४६॥

(स्वगुणैरिति समानं) लम्भिता गुणैर्योजिता (कलाशीलव) योभिः । कर्कशा सौभाग्यगर्वेण !

---

1. KSS. अति ।
2. KSS. लेख्यालेख्यविचक्षणाः ।
3. KSS. भोग ।
4. KSS. स्वरताललयज्ञाश्च तथाचार्योपसेविताः ।

रूपयौवनसंपन्ना नाटकीयास्तु[1] ताः स्मृताः ।
हेलाभावविशेषाढया[2]सत्त्वेनाभिनयेन च ॥४७॥
माधुर्येण च संपन्ना ह्यातोद्यकुशला तथा ।
अङ्गप्रत्यङ्गसंपन्ना चतुष्षष्ठिकलान्विता ॥४८॥
चतुराः प्रश्रयोपेताः स्त्रीदोषैश्च विवर्जिताः ।
सदा प्रगल्भा च तथा त्यक्तालस्या जितश्रमा ॥४९॥
नानाशिल्पप्रयोगज्ञा नृत्तगीतविचक्षणा ।
[3]अथ रूपगुणौदार्यधैर्यसौभाग्य[4]शीलसंपन्ना ॥५०॥
पेशलमधुरस्निग्धानुनादिकलचित्रकण्ठा च[5] ।
समागतासु नारीषु रूपयौवनकान्तिभिः ॥५१॥
न दृश्यते गुणैस्तुल्या यस्याः सा नर्तकी स्मृता ।
सर्वावस्थोपचारेषु या न मुञ्चति पार्थिवम् ॥५२॥
विज्ञेया दक्षिणा दक्षा नाट्यज्ञैरनुचारिका[6] ।
शय्यापाली छत्रधारी तथा व्यजनधारिणी ॥५३॥
संवाहिका गन्धयोक्त्री तथा चैव प्रसाधिका ।
तथाभरणयोक्त्री च माल्यसंयोजिका तथा ॥५४॥

---

1. KSS. च नर्तकी ।
2. KSS. विशेषज्ञा ।
3. KSS. अर्ध ।
4. KSS. वीर्य ।
5. KSS. चित्रकर्म कुशला च ।
6. KSS. शय्यापाली तथाच्युता ।
रसव्यञ्जनधारिणी संवाहिनी गन्धयोक्त्री तथा ।

एवं विधा भवेयुर्याः ताः ज्ञेयाः परिचारिकाः ।
नानाकक्ष्या विचारिण्यः तथोपवनसंचराः ॥५५॥
देवतायतनक्रीडा प्रासादपरिचारिकाः ।
यामकिन्यस्तथा चैव याश्चैवं लक्षणाः स्त्रियः ॥५६॥
संचारिकास्तु विज्ञेया नाट्यज्ञैः समुदाहृताः[1] ।
[2]प्रेषणेऽकामसंयुक्ते गूह्यागुह्यसमुत्थिते ॥५७॥
[3]नृपैर्यास्तु नियुज्यन्ते ताः ज्ञेयाः परिचारिकाः ।
सर्वान्तःपुररक्षासु स्तुतिस्वस्त्ययनेन च ॥५८॥
या वृद्धिमभिनन्दन्ति ता विज्ञेया महत्तराः[4] ।
सन्धिविग्रहसंबद्धनानाचार[5]समुत्थितम् ॥५९॥
निवेदयन्ति याः कार्यं प्रतिहार्यस्तु ताः स्मृताः ।
अप्राप्तरससंभोगा न संभ्रान्ता न चोद्भटाः ॥६०॥
निभृताश्च सलज्जाश्च कुमार्यो बालिकाः स्मृताः ।
पूर्व[6]राजनयज्ञा याः पूर्वराजा[7]भिपूजिताः ॥६१॥
[8]पूर्वराजानुचरितास्ता वृद्धा इति सुज्ञिताः[9]।

अथेत्यपिचेत्यर्थः। यामकिन्यः प्रतिदहरं जाग्रति याः ।

---

1. KSS. भोगवारिताः ।
2. KSS. प्रेक्षणैः कामसंयुक्तैः युक्ता गुह्यसमुत्थितैः ।
3. KSS. प्रेक्षणीया नृपैर्यास्तु ।
4. KSS. महत्तर्यस्तु ताः स्मृतः ।
5. KSS. रङ्ग ।
6. KSS. राज्ञा सर्वराजतु ।
7. NS., KSS. सर्वानुचरितज्ञाश्च ता वृद्धा इति संज्ञिताः ।
8. NS. कार्यं··· ।
9. NS. संचरा ।

भाण्डागारेष्वधिकृता[1]श्चायुधाधिकृतास्तथा ॥६२॥

फलमूलौषधीनां च तथा चैवान्ववेक्षिकी[2]।

गन्धाभरणवस्त्राणां माल्यानां चैव चिन्तिका ॥६३॥

बह्वाश्रये तथा युक्ता ज्ञेया ह्यायुक्तिकास्तु ताः[3]।

इत्यन्तःपुरचारिण्यः स्त्रियः प्रोक्ताः समासतः ॥६४॥

विशेषणविशेषेण तासां वक्ष्यामि वै द्विजाः।

अनुरक्ताश्च भक्ताश्च नानापार्श्वसमुत्थिताः ॥६५॥

या नियुक्ता नियोगेषु कार्येषु विविधेषु च[4]।

[5]न चोद्भटा असंभ्रान्ता न लुब्धा नापि निष्ठुराः ॥६६॥

दान्ताः क्षान्ताः प्रसन्नाश्च जितक्रोधा जितेन्द्रियाः।

अकामा लोभहीनाश्च[6]स्त्रीदोषैश्च विवर्जिताः ॥६७॥

सा त्वन्तःपुरसंचारे योज्या पार्थिववेश्मनि।

कारुकाः कञ्चुकीयाश्च तथा वर्षवराः पुनः ॥६८॥

विशेषणमिति विशेषमन्याभ्यः, आयुक्तिकानां वक्ष्यामीत्यर्थः। **आकाम्य** इति परस्य कामयितुमनर्हा अशक्याश्च कामिता हि। सर्वे शंसन्ति **आयोजनेष्विति**।

---

1. KSS. सायुधा विकृताः।
2. KSS. चैवान्नवीक्षणाः।
3. KSS. विज्ञेया युक्तिका स्मृताः।
4. KSS. प्रयोगेषु न चोद्भटाः।
5. KSS. न चोद्भ्रान्ता न लुब्धा च नातिनिष्ठुरमानसाः।
6. KSS. पूज्याश्च।

औपस्थायिकनिर्मुण्डा स्त्रीणां प्रेषणकर्मणि ।
रक्षणं च कुमारीणां बालिकानां प्रयोजयेत् ॥६९॥
अन्तःपुराधिकारेषु[1] राजचर्यानुवर्त्तिनाम् ।
सर्ववृत्तान्त[2]संवाहाः पत्यागारे नियोजयेत् ॥७०॥
विनीताः स्वल्पसत्त्वा ये क्लीबा वै स्त्रीस्वभाविकाः ।
जात्या न [3]दोषिणश्चैव ते वै वर्षवराः स्मृताः ॥७१॥
ब्राह्मणाः कुशला वृद्धाः कामदोषविवर्जिताः ।
प्रयोजनेषु देवीनां [4]प्रयोक्तव्या नृपैः सदा ॥७२॥
एतदष्टादशविधं प्रोक्तमन्तःपुरं मया ।
अतः परं प्रवक्ष्यामि बाह्यं पुरुषसंभवम् ॥७३॥
राजा सेनापतिश्चैव पुरोधा मन्त्रिणस्तथा ।
सचिवाः प्राड्विवाकाश्च कुमाराधिकृतास्तथा ॥७४॥
एके चान्ये च बहवो मान्या ज्ञेया नृपस्य तु ।
विशेषमेषां वक्ष्यामि लक्षणेन निबोधत ॥७५॥
बलवान् बुद्धिसंपन्नः सत्यवादी जितेन्द्रियः ।
दक्षः प्रगल्भो धृतिमान् विक्रान्तो मतिमांञ्छुचिः ॥७६॥

अथ बाह्यपरिवारमाह राजेति । युवराजोऽत्र राजशब्देनोक्तः । (अमात्य-

---

1. KSS. अधिकारो हि राजभार्यानुवर्तनम् ।
2. KSS. योगज्ञं नाट्यागारे निवेशयेत् ।
3. KSS. भाषिणः ।
4. KSS. नियोक्तव्या ।

दीर्घदर्शी महोत्साहः कृतज्ञः प्रियवाङ् मृदुः ।
लोकपालव्रतधरः कर्ममार्गविशारदः ॥७७॥
उत्थितश्चाप्रमत्तश्च [1]वृद्धसेव्यर्थशास्त्रवित् ।
परभावेङ्गिताभिज्ञः शूरो रक्षासमन्वितः ॥७८॥
[2]ऊहापोहविचारी च नानाशिल्पप्रयोजकः ।
[नीतिशास्त्रार्थकुशलस्तथा चैवानुरागवान् ॥]७९॥
[3]धर्मज्ञोऽव्यसनी चैव गुणैरेतैर्भवेन्नृपः ।
[कुलीना बुद्धिसंपन्ना नानाशास्त्रविपश्चिताः ॥८०॥
स्निग्धाः परैरहार्यश्च न प्रमत्ताश्च देशजाः ।
अलुब्धाश्च विनीताश्च शुचयो धार्मिकास्तथा ॥८१॥
पुरोधो मन्त्रिणस्त्वेभिर्गुणैर्युक्ता भवन्ति हि ।
[4]बुद्धिमान्नीतिसंपन्नस्त्यक्तालस्यः प्रियंवदः ॥८२॥
पररन्ध्रविधिज्ञश्च यात्राकालविशेषवित् ।]

इति) अमेति सहार्थे सहभवाः सहचारिणोऽमात्या इत्येकोऽर्थः । **अनुरागवानिति** प्रजासु, प्रजास्त्वयत्नानुरक्ताः, अनुरागोऽहि सार्वगुण्यमिति कौटल्यः अव्यसनिभिः स्त्रीमद्यमृगयाक्षादावसक्ताः । (**अर्थशास्त्रस्येति**) अर्थशास्त्रस्य योऽर्थं एकवाक्य-तात्पर्यादिना तज्जानाति । **परैरहार्या** इति अभेद्याः । **ज्ञानं** अर्थशास्त्रय, (तस्य) विधौ (ज्ञानं) विज्ञानं तदधिष्ठानकौशलं लक्ष्यलक्षणाज्ञा इति यावत् । (**प्राड्विवाक** इति) पृच्छति विवादपदे निर्णयमिति प्रायो विवदितारस्तेषां विवेक

---

1. KSS., NS. वृद्धः स्मृत्यर्थशास्त्रवित् ।
2. NS. नानाशास्त्रार्थतत्वज्ञः ।
3. NS. कृतज्ञः ।
4. NS. शीलवान् सत्वसम्पन्नः ।

अर्थशास्त्रार्थकुशलो ह्यनुरक्तः कुलोद्भवः[1] ॥८३॥

[2]देशवित्कालविच्चैव कर्तव्यः क्षितिपैः सदा ।

व्यवहारार्थतत्त्वज्ञा बुद्धिमन्तो बहुश्रुताः ॥८४॥

मध्यस्था[3]धार्मिका धीराः कार्याकार्यविवेकिनः[4] ।

क्षान्ता दान्ता जितक्रोधा [5]सर्वत्र समदर्शिनः ॥८५॥

ईदृशः प्राड्विवाकास्तु स्थाप्या [6]धर्मासने द्विजाः ।

उत्थिताश्चाप्रमत्ताश्च त्यक्तालस्या जितश्रमाः ॥८६॥

उच्यते यैस्तैः प्राड्विवाकः, पृच्छेः क्विबचीति क्विपि दीर्घे प्राडिति रूपम् । विपूर्वस्य ब्रूतेर्घञि विवाक इति । नयोऽत्रार्थशास्त्रं नयहेतुत्वात् । एवं विनयोऽत्र धर्मशास्त्रम् । कुमाराणां राजपुत्राणां रक्षार्थमधिकृताः ।

एतच्चैषां संक्षेपेण स्वरूपमुक्तं वितत्य तु तत्प्रधानेभ्य एव शास्त्रेभ्योऽवधारयेदिति दर्शयति **बृहस्पतिमता**दिति बार्हस्पत्यौशनसादेरित्यर्थः । **एषा**मिति राजसेनापत्यादीनां कुमाराधिकृतपर्यन्तानां यदेतैर्ज्ञातव्यमुपहरणीयं वा संपाद्य तदपि बार्हस्पत्यादेरभिलक्षयेदिति संबन्धः ।

ननु कियन्तः प्राड्विवाका इत्याह **सभ्यानां** चेति । तन्मतादेव जानीयादित्यर्थः । प्रजानां मात्स्यन्यायाद्रक्षितुं राज्ञोऽधिकारः, मात्स्यो न्यायश्च विवादनिर्णयेन रक्ष्यते । तत्र च प्राड्विवाका एव प्रधानम् । तथा च प्राड्विवाको राजस्थानीय इति लोके प्रसिद्धम् । प्रधाने च व्यपदेशं कुर्वन्नुपसंहरति **इत्येष वो मया प्रोक्तः** प्राड्विवाकविनिर्णयं इति । राजोपयोगीति बाह्याभ्यन्तरपरिवारनिर्णय इति यावत् ।

---

1. NS. कुलेवृतः KSS. प्रजासु च ।
2. KSS. यो धार्मिकस्तथामात्याः कर्त्तव्याः भूमिपैः सदा । (NS. भवेत्सेनापतिर्गुणैः)
3. KSS. धार्मिकधियः ।
4. KSS., NS. विचक्षणाः ।
5. KSS. नोद्धता ।
6. KSS. धर्मपरैः नृपैः । NS. धर्मासनेष्वथ ।

स्निग्धाः क्षान्ता विनीताश्च मध्यस्था निपुणास्तथा ।
नयज्ञा विनयज्ञाश्च ऊहापोहविचक्षणाः[1] ॥८७॥
[2]सर्वशास्त्रार्थसंपन्नाः [3]कुमाराधिकृतास्तथा ।
बृहस्पतिमतादेषां गुणांश्चाभिकांक्षयेत्[4] ॥८८॥
विज्ञेयं [5]चोपहार्यं च सभ्यानां च विकल्पनम् ।
इत्येष वो मया प्रोक्तः [6]प्राड्विवाकविनिर्णयः ॥८९॥
अत ऊर्ध्वं प्रवक्ष्यामि चित्राभिनयनं पुनः[8] ॥९०॥

इति भरतीये नाट्यशास्त्रे
पुंस्त्र्युपचारो नामाध्याय-
श्चतुर्विंशः ॥

अध्यायान्तरमासूत्रयति अत ऊर्ध्वमिति । पुनः पुनरयमभिप्रायो यद्यपि सामान्याभिनये चित्राभिनयोऽस्ति तथापि रसस्वभावविशेषो दर्शितः । शृङ्गार-तद्व्यभिचार्यादीनां हि प्राधान्यं पूर्वमेव दर्शितम् । चित्राभिनये तु रसाद्युपयो-गिबाह्यवस्तुविषयमेवाभिनयानां भावनारूपं मिश्रीकरणात्मकं समानीकरण-मुच्यते । तेन चित्राभिनयः सामान्याभिनयविशेषभूत एवेति शिवम् ॥

चतुर्विंशोऽयमध्यायः किञ्चित्कृतविवेचनः ।
मयाभिनवगुप्तेन शिवदास्यैकशालिना ॥

इति श्रीमहामाहेश्वराचार्याभिनवगुप्तविरचितायां
नाट्यवेदवृत्तावभिनवभारत्यां स्त्रीपुंसोपचारोऽध्यायश्चतुर्विंशः

---

1. KSS. विशारदाः ।
2. NS. नानारूपैः समायुक्ताः गुणैरेते भवन्ति हि ।
3. KSS. कामाद्यविकृताः ।
4. KSS. अभिलक्षयेत् ।
5. KSS. चापधूर्यं च समास्तारविकल्पनम् NS. गुणानां प्रविभागकम् । वाचि कर्मज्ञैः········विकत्थनम्
6. NS. प्राग्विधोकादिनिर्णयम् ।
7. KSS. लक्षणं भूमिकास्वपि ।
8. NS. चित्राभिनयनं मुने ।

श्रीः

नाट्यशास्त्रम्

पञ्चविंशोऽध्यायः

— ० —

[1]अंगाद्यभिनयस्यैव यो विशेषः क्वचित्-क्वचित् ।

अनुक्त उच्यते चित्रः[2] स चित्राभिनयस्स्मृतः ॥१॥

अथ पञ्चविंशोऽध्यायः

वागङ्गसत्त्वचेष्टाचित्राभिनयप्रयोगरचनचणः ।

संसारनाट्यनायकपुरुषाकारः शिवो जयति ॥

सामान्याभिनयस्य चित्राभिनयः शेष इत्युक्तम् । केवलसामान्याध्याये रसात्मकप्रधानं पदार्थविशेषमभिनयानां समानीकरणम् । इह तु तदुपयोगी विभावादिविषयम् । किञ्चैक एवाभिनयः पूर्वं यो निरूपितः स एव कार्यान्तरालाभे तद्विरुद्धमर्थमभिनयतीति चित्र उच्यते । तद्वैदग्ध्यमध्याये निरूप्यत इति सङ्गतिः । तदेतदाह अङ्गाद्यभिनयस्यैवेति । अङ्गमिति करणाङ्गहारास्तेषामभिनयत्वं नोक्तम् । तर्हि वक्ष्यते—

शिखिसारसहंसाद्या स्थले ये च स्वभावतः ।

रेचकै रङ्गहारैश्च तेषामभिनयः······—॥ इत्यादि ।

आदिग्रहणे विभावादि विभावोऽपि विभावस्याभिनय इति वक्ष्यते । अभिनीयतेऽनेनेत्यभिनयः । तस्य च विशेषः उत्तमोत्तमेत्यादिना वक्ष्यते । अभिनीयत इति चाभिनयः । यो ह्यन्येनाभिनय उक्तः स इहाभिनयान्तरस्याप्यभिनयत्वेनोक्तो यथा "अलपद्मकपीडाभिः सर्वार्थग्रहण" मिति। अङ्गाभिनयस्येति समाहारे वृत्तिस्तस्य विशेषो य उच्यत इति संबन्धः । क्वचिदिति । न सर्वत्र ।

1. KSS. अङ्गाभिनयनस्येह ।
2. KSS. यस्मात ।

उत्तानौ तु करौ कृत्वा [1]स्वस्तिकौ पार्श्वसंस्थितौ ।
उद्वाहितेन शिरसा तथा चोर्ध्वनिरीक्षणात्[2] ॥२॥
प्रभातं गगनं रात्रिः[3] प्रदोषं दिवसं तथा ।
[4]ऋतून् घनान् वनान्तांश्च विस्तीर्णांश्च जलाशयान् ॥३॥
दिशो ग्रहान् सनक्षत्रान् [5]किञ्चित् स्वस्थं च यद्भवेत् ।
[6]तस्य त्वभिनयः कार्यो नानादृष्टिसमन्वितः ॥४॥
एभिरेव करैर्भुयस्तेनैव शिरसा पुनः ।
अधो निरीक्षणेनाथ [7]भूमिस्थान् संप्रदर्शयेत् ॥५॥
स्पर्शस्य [8]ग्रहणेनैव तथोल्लुकसनेन च ।
चन्द्रज्योत्स्ना सुखं वायुं रसं गन्धं च निर्दिशेत् ॥६॥

अत्राभेदतः अस्मात्क्वचिदनुक्तोऽसौ विशेषः क्वचित्तूक्त एव "स्वस्तिकविच्युतिकरणा" (१-२१) दित्यादि । य एवासावधिको विशेषः तदेव चित्रमभिनयम् । यतः संपादयति तत उपचारात् । चित्राभिनयस्तत्र तत्र प्रभातादयः सर्वलोकसाधारणा इति तद्विषयस्याभिनयस्य सहकारियोगेन चित्रत्वं दर्शयितुमाह उत्तानौ तु करौ कृत्वेति । (९-१३६) "स्वस्तिकविच्युतिकरणाद्दिशो घनाः खं वनं समुद्राश्च । ऋतवो महीतलोच्चं विस्तीर्ण चाभिनेयं स्या" दित्युक्तम् । संयुक्तहस्ते स्वस्तिके । अत्रोत्तानत्वं पार्श्वस्थता शिरसो उद्वाहनं दृष्टेरूर्ध्वता इत्यादिर्विशेष उच्यते । एवमुत्तरत्र योज्यम् । नानादृष्टीति । कदाचिद्विस्मिता क्वचिच्च विहीनेत्यादिक्रमेण ऊर्ध्वं स्वविरुद्धमधस्स्थं त्वित्थमाभिनेयमित्याह अधोनिरीक्षणेनेति । स्वस्थमित्युक्तं गगने च मृगाङ्कादयः पदार्थास्ते कथमभिनेया इत्याह स्पर्शस्य ग्रहणेनैवेति ।

---

1. KSS. पताके स्वस्तिकं तथा ।
2. KSS. निरीक्षितैः ।
3. KSS., NS. रात्रिम् ।
4. KSS. ऋतुन् घनान्धकारांश्च NS. जन्तून् व्यस्तान्समस्तांश्च ।
5. NS. दृष्टयश्च भवेदिह ।
6. NS. तान्येवमभितो (ने) यानि नानाभावरसार्थतः ।
7. NS. भूयिष्ठं सम्प्रयोजयेत् ।
8. KSS. ग्रहणं चैव तथोत्सुकधनेन च ।

[1]वस्त्रावकुण्ठनात्सूर्यं रजोधूमानिलां[2]स्तथा ।
भूमितापमथोष्णं[3] च कुर्याच्छायाभिलाषतः ॥७॥
[4]ऊर्ध्वाकेकरदृष्टिस्तु मध्याह्ने सूर्यमादिशेत् ।
उदयास्तगतं[5]चैव विस्मयार्थैः प्रदर्शयेत् ॥८॥
यानि सौम्यार्थयुक्तानि सुखभावकृतानि च ।
गात्रस्पर्शैस्सरोमाञ्चैस्तेषामभिनयो भवेत् ॥९॥
यानि स्युस्तीक्ष्णरूपाणि तानि चाभिनयेत्सुधीः[6] ।
[7]असंस्पर्शैस्तथोद्वेगैस्तथा मुखविकुण्ठनैः[8] ॥१०॥
गम्भीरोदात्तसंयुक्तान[9]र्थानभिनयेद्बुधः[10] ।
साटोपैश्च सगर्वैश्च गात्रैः सौष्ठवसंयुतैः ॥११॥

"किञ्चिदाकुञ्चिते नेत्रे कृत्वा भ्रूक्षेपमेव च ।
तथांसगण्डयोः स्पर्शादिति ॥" (२२-२८) उलूकवदंसना यस्योर्ध्वं विधूननं । रज इति धूलिः । उदयास्तमयोः पूर्वपश्चिमपर्वतयोः गतं सूर्यं समयोऽभिनयोऽर्थोऽभिनयत्वेन प्रयोजनं येषामिति विस्मयाभिनयैर्निदर्शयेदिति यावत् । सर्वग्राहकं लक्षणमाह—**यानि सौम्यार्थयुक्तानीति** । सौम्यं येषां प्रयोजनं एतदेव स्फुटयति सुखप्रधानस्य भावस्य कृतं संपत्तिर्येभ्यः सुखप्रधानो भावः सोम इव सौम्यसुखायेत्वाद्यः । विकुण्ठनैः सङ्कोचनैः । गम्भीरोदात्तसंयुक्तानिति भावप्रधानो निर्देशः । तेन यद्विषयां गांभीर्यमुदायुक्तत्वं च । आदावत्र शाखात्रिस्तरः गन्धर्व इत्यात्मनिर्देशादिगम्भीरोदात्तप्रसंगाद्राजोचितहाराभिनय·········पर्यातदेशस्थमरालमिति । आद्या धनुर्नताकुञ्चितोंऽगुष्ठकः शेष·

---

1. KSS. वक्त्रावगुण्ठनात् ।
2. KSS., अनलान् NS. अनिलौ ।
3. KSS. तथा चोष्णं ।
4. NS. ऊर्ध्वा······ ।
5. NS. गता ।
6. KSS., NS. नरः ।
7. NS. अस्पर्शनमगुद्वेगैः ।
8. NS. विकूणनैः KSS. विघूर्णनैः ।
9. KSS. एतान् ।
10. NS. पुनः ।

यज्ञोपवीत[1]देशस्थमरालं हासमादिशेत् ।
स्वस्तिकौ [2]विच्युतौ हारस्रग्दामार्थान् निदर्शयेत् ॥१२॥
[3]भ्रमणेन प्रदेशिन्या दृष्टेः परिगमेन च ।
[4]अलपद्मकपीडायाः सर्वार्थग्रहणं भवेत् ॥१३॥
[5]श्रव्यं श्रवणयोगेन दृश्यं दृष्टिविलोकनैः[6] ।
[7]आत्मस्थं परसंस्थं वा मध्यस्थं वा विनिर्दिशेत् ॥१४॥
विद्युदुल्का[8]घनरवाविष्फुलिंगार्चिषस्तथा ।
[9]त्रस्तांगाक्षिनिमेषैश्च[10] तेऽभिनेयाः प्रयोक्तृभिः ॥१५॥

भिन्नोर्ध्ववलिना ह्यन्तराले भारो देहस्य भूयगनरहारो वक्षसः पुनरपि तमेव गत्या सर्वग्रहणं तथैव लोकस्येति कर्नोक्तं सूचीमुखस्य तादृशः परितो भ्रमणेन गमनविशेषमाह । भ्रमणेन प्रदेशिन्याः दृष्टेः सर्वार्थेऽभिनयेऽभिनयान्तरमप्याह अलपद्मकपीडादिरिति । अलपद्मकशब्देन तदङ्गुल्यः पीडा करतलेन तासां संयोगः, तत्र च बहुत्वं विवक्षितं तेनायमर्थः "आवर्तिन्यः करतल" (९-९१) इति यः अलपल्लव उक्तस्तस्य क्रमेण कनीयः स्यादिति कांगुलीति हस्ततलेन संयोजयेदिति । सर्वार्थाभिनयः । एतच्च रूपमलपद्मस्य प्राङ्नोक्तम् । अथ यदा कात्स्न्र्येन सर्वशब्दः प्रवर्तते । तद्यथा सर्वः शब्द इत्यादौ तदा विशेषसहकारिणमाह—श्रव्यं श्रवणयोगेनेति । (२२-७६) "कृत्वा सानीकृत्वा तां दृष्टिं शिरःपार्श्वानतमित्याश्रवणयोगः तत्सहितशब्दविषयः सर्वाभिनयः विद्युदादिविषये येऽभिनया उक्ताः । तद्यथा "सूची विरलांगुली विद्युति चक्रं च तटिल्लता" (९-६६) इत्युक्तत्वात् । तेषां विशेषमाह—त्रस्तेति । वस्तुत्रासाभिनयोऽङ्गानामक्ष्णोश्च

---

1. KSS., NS. देशे तु कृत्वारालौ करावुभौ ।
2. KSS. विच्युतौ हस्तौ रञ्चयामानि निर्दिशेत ।
3. NS. भ्रमणाद्य······ ।
4. KSS., अलपल्लवपीडातः । NS. पीडानाच्चालपद्मस्य··· ।
5. KSS. श्राव्यं ।
6. NS. विचारणैः ।
7. KSS., NS. आत्मस्थं वा परस्थं वा ।
8. KSS., घनरवौ NS. घनरवो ।
9. KSS. त्रस्ताङ्गा ।
10. NS. दर्शनीयानि योक्तृभिः ।

उद्वेष्टितपरावृत्तौ करौ कृत्वा नतं शिरः ।
[1]असंस्पर्शे तथानिष्टे जिह्मदृष्टेन[2] कारयेत् ॥१६॥
वायुमुष्णं तमस्तेजो मुख[3]प्रच्छादनेन च ।
रेणुतोय[4]पतंगांश्च भ्रमरांश्च निवारयेत् ॥१७॥
कृत्वा स्वस्तिकसंस्थानौ पद्मकोशावधोमुखौ ।
सिंहर्क्षवानरव्याघ्रश्वापदांश्च निरूपयेत्[5] ॥१८॥
स्वस्तिकौ त्रिपताकौ तु गुरूणां पादवन्दने ।
[6]खटकस्वस्तिकौ चापि प्रतोदग्रहणे स्मृतौ ॥१९॥

निमेषः संकोच इति । विद्युदादिव्यङ्ग्यमप्यभिनयमाह—**उद्वेष्टितपरावृत्ता**विति । परावृत्तौ समन्तादुद्वेष्टितौ क्रमात् मुक्तकनीयस्वाङ्गुलिगुणावित्येवं प्राग्भावे मुष्टिः पश्चाद्भागे तु पराङ्मुखोऽरालो इति । तत्रा सादितुः स्थितमेवात्र जिह्मदृष्टेनेति । जिह्मया दृष्ट्या "लंबिता कुञ्चितपुटा शनैस्तिर्यङ्निरीक्षणैः निगूढा गूढतारा च जिह्मा दृष्टि"(८-८३)रिति "सिंहव्याघ्रे ष्वभिनय" (९-१२१) इत्यूर्णनाभस्य कर्मोक्तम् । तत्र विशेषमाह—**कृत्वा स्वस्तिकसंस्थाना**विति । पद्मकोशावित्यत्रोत्तराभावे चोक्ते एतत्प्रकृतत्वात् "पद्मकोशस्य हस्ताङ्गुल्यः कुञ्चिता" इत्यूर्णनाभः । अन्ये पद्मकोशस्यैव तमनुक्तं कर्मेत्याहुः । त्रिपताकस्यानुक्तं कर्म दर्शयति—स्वस्तिकौ त्रिपताकौ च गुरूणां पादवन्दन इति । खटकामुखस्य कर्मोक्तं "मन्थानशरापकर्षणपुष्पापचयप्रतोदकार्याणीति" (९-६३) । तत्र प्रतोदकृत्ये विशेषमाह—खटकस्वस्तिकौ चापि प्रतोदग्रहण इति ॥

1. NS. असंस्पर्शेन वानिष्टं ।
2. KSS. चिह्नदृष्टेन ।
3. NS. संछादनेन ।
4. KSS., NS. पतङ्गानां भ्रमराणां च वारणम् ।
5. NS. स्वापदानां निरूपणम् ।
6. NS. स्वस्तिकौ खेटकास्यौ तु प्रतोदप्रग्रहादिषु । KSS. केटकास्यौ ।

एकं द्वि त्रीणि चत्वारि पञ्च षट् सप्त चाष्टधा[1] ।
[2]नव वा दश वापि स्युर्गणनांगुलिभिर्भवेत् ॥२०॥
[3]दशाख्याश्च शताख्याश्च सहस्राख्यास्तथैव च ।
पताकाभ्यां तु हस्ताभ्यां प्रयोज्यास्ता:[4] प्रयोक्तृभि: ॥२१॥
[5]दशाख्यगणनायास्तु परतो या भवेदिह ।
वाक्यार्थेनैव साध्यासौ[6] परोक्षाभिनयेन च ॥२२॥
[7]छत्रध्वजप[8]ताकाश्च निर्देश्या दण्डधारणात्[9] ।
नानाप्रहरणं चाथ निर्देश्यं धारणाश्रयम्[10] ॥२३॥

अथ सर्वव्यवहारोपयोगिसंख्याभिनयं प्रदर्शयन्नुक्तपूर्वाणामेव हस्ताना-मनुक्तं कर्म दर्शयति । एतदुक्तं भवति "सूचीमुखप्रदेशिन्या त्रिपताकांगुलिकां-गुलांगुलिविधौ ऊर्ध्वलताष्टकांगुलिचतुष्केण मुकुलहस्तविकासतया चैकादितया पञ्चता संख्या, षडादिका तु द्वाभ्यां यथा मुकुले सूच्यास्येन षट् यावन्मुकुले यौ दशपर्यन्ता गणना यावतीति दशपर्यन्ता गणना यावत् ततः परन्तु बहुत्वा-भिनय एवेत्याह—दशा इत्यादि । दशभिराख्या येषां तेऽत्र विंशत्यादय: विंशेति हि विंशति तस्मादत्र पताकाभ्यामभिनय इत्याह दशाख्येति । आख्या-शब्दोऽवधिवाची । आख्यति प्रतते भावा यावतीनि । दशपर्यन्ता गणना यावतीति दशपर्यन्ता गणना यावर्तत: परा सा संक्षेपेणाभिनेया बहुत्वमात्रेण वाक्यार्थशब्दोऽत्र संक्षिप्तमुपलक्षयति । पदार्था हि तत्र संक्षिप्यन्ते । एतच्च परोक्षाभिनये । प्रत्यक्षे त्वेकैकस्य निर्देशेनैव गणनेनि यावत् । आयतदण्ड-ग्रहणमिति(९-६२) । खटकामुखस्य सामान्येन कर्मोक्तम् । तद्विशेष्यं दर्शयितुमाह

---

1. KSS., NS. वा ।
2. KSS. नव वा दश वा चैव गणानाङ्गुलिर्भवेत् ।
3. NS. दससंख्या ।
4. KSS., NS. अभिनेया: ।
5. NS. दशम्ये (भ्यो) ।
6. KSS. सा ।
7. KSS. चित्र ।
8. NS. पताकासु निर्देश्यं दण्डधारणम् ।
9. KSS. दण्डधारणै: ।
10. NS. वाप्यनेकधा ।

[1]एकचित्तो ह्यधोदृष्टिः किञ्चिन्नतशिरास्तथा[2] ।
[3]सव्यहस्तश्च सन्दंशः स्मृते ध्याने वितर्किते ॥२४॥
उद्वाहितं शिरः कृत्वा [4]हंसपक्षौ प्रदक्षिणौ ।
[अपत्यरूपणे कार्याविछ्रयौ च प्रयोक्तृभिः ॥]२५॥
उद्वाहितं शिरः कृत्वा हंसवक्त्रं तथोर्ध्वगम् ।
[6][प्रसादयच्च यं मानं दीर्घसत्वं च निर्दिशेत् ॥]२६॥
अरालं च शिरस्स्थाने समुद्वाह्य तु वामकम् ।
गते निवृत्ते ध्वस्ते च [7]श्रान्तवाक्ये च योजयेत् ॥२७॥
सर्वेन्द्रियस्वस्थतया प्रसन्नवदनस्तथा[8] ।
विचित्र[9]भूतलालोकैः शरदन्तु विनिर्दिशेत् ॥२८॥
गात्र[10]संकोचनाच्चापि सूर्याग्निपटुसेवनात्[11] ।
हेमन्तस्त्व[12]भिनेतव्यः पुरुषैर्मध्यमाधमैः ॥२९॥

छत्रध्वजपताकाश्चेति । दण्डधारणे एव तत्प्रकारमन्तर्भूतमित्यर्थः । चकारेणाभिनयान्तरमप्यत्र सूचयति । अथशब्दे च । तद्यथा शिरस उपर्यधोमुखः पताकछत्रे पञ्चाँगुल्यूर्ध्वध्वजे सूचीमुख्यांगुलिपताकायां मुष्टिशिखरकपित्थमृगशीर्षाद्या यथायोगं प्रहरणेषु योगध्याने श्लोक इति (९-११४)क्वचिद्विस्मिता अपूर्वशान्तिसंदर्शनात् क्वचित् "ग्लानाभीष्टादर्शना" दित्यादि दृष्टिभेदादि चाद्यो व्यसनसंभवस्तत्सन्निमित्ता यावस्थान्तरप्राप्तिः तता हेतोरिति संबन्धः । रूक्षस्येति । उद्वेजनस्य प्रावृङ्वर्षारात्रस्य यथा प्रथमे भागे वर्षितु प्रावृङ्मेघा-

1. NS. एकचित्ते ।
2. KSS. शिरः ।
3. KSS., NS. कुर्वीत हस्तसंदशं स्मृतेध्यानिवितर्किते ।
4. NS. हंसपक्षं तथोर्ध्वगम् ।
5. NS. does not read.
6. NS. प्रासादमुच्छ्रयामानं दीर्घं गर्वं च निर्दिशेत् । KSS. does not read.
7. KSS. श्रुते ।
8. KSS., NS. दिक्प्रसन्नतया तथा ।
9. KSS., NS. कुसुम ।
10. KSS. संकोचेनेनापि ।
11. KSS., NS. पटवेशनात् ।
12. KSS. स्त्वभिनेयः स्यात् पुरुषैर्मध्यमोत्तमैः ।

शिरोदन्तोष्ठकम्पेन गात्रसंकोचनेन च ।
कूजितैश्च सशीत्कारैरधमश्शीतमादिशेत्[1] ॥३०॥
अवस्थान्तर[2]मासाद्य कदाचित्तूत्तमैरपि ।
[3]शीताभिनयनं [4]कुर्याद्दैवाद्व्यसनसंभवम् ॥३१॥
[5]ऋतुजानां तु पुष्पाणां गन्धाघ्राणैस्तथैव च ।
रूक्षस्य वायोः स्पर्शाच्च शिशिरं रूपयेद्बुधः ॥३२॥
प्रमोदजननारम्भैरुपभोगैः पृथग्विधैः[6] ।
वसन्तस्त्वभिनेतव्यो नानापुष्पप्रदर्शनात् ॥३३॥
[7]स्वेदप्रमार्जनैश्चैव भूमितापैः सवीजनैः[8] ।
[9]उष्णस्य वायोः स्पर्शेन ग्रीष्मं त्वभिनयेद्बुधः ॥३४॥
कदम्बनीपकुटपैः[10] शाद्वलैः सेन्द्रगोपकैः ।
[11]मेघवातैः सुखस्पर्शैः प्रावृट्कालं प्रदर्शयेत् ॥३४॥

यत्रेति । निर्घातः आकाशस्फोटः शब्दो गर्जितादन्य एव चिह्नमिति पुष्प-पुष्पादिशेषषड्विशेष इति । तत्कालोचितो वस्त्वाभरणप्रसाधनादिः यस्मिन्निति वक्तव्ये संबन्धमात्रापेक्षया षष्ठी कर्मेति क्वचिद्रूपानुसरणमित्यादिरूपं यथा क्वचिदातपः क्वचिच्चन्द्रोद्योतः । भावानां विभावैरभिनयो यथा क्रोधस्य परस्थस्य सूचिमुखांगुल्यादिपरः सन्निर्दिश्यते तद्द्वारेण क्रोधः । अनेन च

---

1. NS. कूजितैः श्वासशीत्कारैः शीतं हीनो विनिर्दिशेत् ।
2. KSS. सम्प्राप्तैरुत्तमैश्च कदाचन ।
3. NS. शीतातपाभिनयनं ।
4. NS. कार्यं व्यसनसम्भवम् । KSS. कार्यं दैवव्यसनसम्भवे ।
5. KSS. मधुदानात्तु । NS. reads this verse as.—
   रुक्षस्य वायोः स्पर्शेन समाघ्राणेन चैव हि
   ऋतुजानां तु पुष्पाणां शिशिरं दर्शयेन्नरः ।
6. KSS. तथोत्सवैः ।
7. KSS. स्वेदाप्रमार्जनाच्चापि ।
8. KSS. सुवीजनैः ।
9. KSS. उष्णाश्च वायोः स्पर्शाश्च ।
10. KSS., NS. निम्बकुटजैः ।
11. KSS. कदम्बकैर्मयूराणां प्रावृषं सन्निरूपयेत् ।

मेघोघ[1]नादैर्गम्भीरै[2]र्धाराप्रपतनैस्तदा ।
विद्युन्निर्घातघोषैश्च [3]वर्षारात्रं समादिशेत् ।।३६।।
[4]यद्यस्य चिह्नं वेषो वा कर्म वा रूपमेव वा ।
[5]निर्देश्यः स ऋतुस्तेन इष्टानिष्टार्थदर्शनात् ।।३७।।
एतानृतूनर्थवशाद्दर्शयेद्धि रसानुगान्[6] ।
[7]सुखिनस्तु [8]सुखोपेतान् दुःखार्थान् दुःखसंयुतान् ।।३८।।
[9][यो येन भावेनाविष्टः सुखदेनेतरेण वा ।
स तदाहितसंस्कारः सर्वं पश्यति तन्मयम्] ।।३९।।
भावाभिनयनं कुर्याद्विभावानां निदर्शनैः ।
तथैव चानुभावानां भावसिद्धिः प्रवर्तिता[10] ।।४०।।
विभावेनाहृतं कार्यमनुभावेन नीयते[11] ।

सहाध्याये यदुक्तं तत्राभिप्रायविशेषो दर्शितः । तत्र ह्युक्तं 'रिपुर्देशे तथैव क्रोध'' (२२-अध्या) इति ।। एवं स्त्रेहाख्यपद्यरूपकेन हंसपक्षेणानुभावानां भावसिद्धया प्रवर्त्तितमभिनयं कुर्यादिति संबन्धः।······णोऽभिनयः शोकोचितेन मुखविकूणनादिना । ननु विभावः कथमभिनय इत्याशंक्याह—**विभावेनाहृतं कार्य**मिति । विभावः करणत्वाद्गमक इति यावत् । विभावेन हि कार्यमाहृतः । सामग्री हि कार्यं व्यभिचरन्ती गमयत्येव ।

---

1. KSS., NS. नाद ।
2. KSS. गम्भीर ।
3. KSS. वर्षरात्रं त्रिनिर्दिशेत् । NS. वर्षारम्भं समादिशेत् ।
4. KSS. यद् यच्च ।
5. KSS. ऋतुः स तेन निर्देश्यः । NS. निर्देशा सहितस्तेन ।
6, KSS. प्रयुञ्जीत यथा रसम् । NS. दर्शयेद्धिरहानुगान् ।
7. KSS. सुखितेषु सुखोपेतां दुखार्तौ दुःखसंयुताम् ।
8. NS. सुखोत्पन्नान् दुःखितान् ।
9. KSS. does not read. ।
10. KSS. भावस्यानुगमेन च ।
11. KSS. रूप्यते ।

[1]आत्मानुभवनं भावो विभावः परदर्शनम् ॥४१॥
गुरुर्मित्रं सखा स्निग्धः संबन्धी बन्धुरेव वा ।
आवेद्यते हि यः प्राप्तः स विभाव इति स्मृतः[2] ॥४२॥
यत्त्वस्य संभ्रमोत्थानैरर्घ्यपाद्यासनादिभिः[3] ।
पूजनं क्रियते [4]भक्त्या सोऽनुभावः प्रकीर्तितः[5] ॥४३॥
एवमन्येष्वपि [6]ज्ञेयो नानाकार्यप्रदर्शनात् ।

ननु भावः कथमनुभावस्य गमक इत्याह—**अनुभावेनेति** । अनुभवान्तरे साहचर्यानुभवात् गमकमित्येतदमुत्र तत्त्वम् । यदुक्तं भावसिद्धिप्रवर्तितमनुभावानामभिनयं कुर्यादिति । अथ विस्मरणशीलान् प्रति शृंगग्राहिकया भावविभावानुभावस्वरूपं दर्शयति आत्मानुभवनं भाव इत्यादि । आत्मविश्रान्तं यदनुभवनं सुखदुःखसंविद्रूपं स भाव इत्यर्थः । आत्मग्रहणात् घटाद्यनुभवनं न भाव इत्युक्तं भवति । णिचमन्ये पठन्ति । तत्रार्थः आत्मानुभाव्यते येन न च तादृगर्थस्तदस्तीति प्रकर्षो गम्यते । तेन यल्लब्धसत्तार्थकं चेत् तदवश्यमनुभूयते सुखादिरूपम् । तदेव भाव इत्युक्तं भवति ।

यत्तु व्यतिरिक्तवस्तुज्ञानं तत्सर्वं सुखादिजनकत्वाद्विभावः । तदाह विभावः परदर्शनमिति । तदुदाहरति गुरुर्मित्रमित्यादि । गुरुदर्शने सति विनयग्रहणे आदावुत्साह एव मित्रादेर्यथोचितं हर्षादनुविभावत्वं योज्यम् । मित्रं कार्यवशान् समानख्यातियोयगत्वात् सखा सहपांसुक्रीडनापरिचितः आवेद्यत इत्यनेन दर्शनविषयस्येव भावतेति । प्राप्त इत्यनेन चित्तवृत्तिजन्मनि गुर्वादेरन्वयव्यतिरेकौ सूचयन् कारणमाह । यत्त्वस्येति गुर्वादेः संभ्रमेण यदुत्थानं प्रत्युद्गमनं बहुवचनाद्यततं सूचकौ यथोचितं भावे संग्रहालिङ्गनादिवचनेनेत्यर्थः । उदाहरणमात्रमेतदिति दर्शयति एवमन्येष्वपीति । रसेषु शृङ्गारादिष्विति भाव. एकेन वा ग्रहणे-

---

1. KSS., NS. आत्माभिनयनं ।
2. KSS. स तु संज्ञितः ।
3. KSS. स्थानमर्घ्यासनपरिग्रहः ।
4. KSS. वाचा ।
5. NS. इति स्मृतः ।
6. NS. तथा नानाकार्यार्थदर्शनात् (KSS. कार्यत्व) ।

विभावो वापि भावो वा विज्ञेयोऽर्थवशाद्बुधैः ॥४४॥

यस्त्वपि प्रतिसंदेशो दूतस्येह प्रदीयते ।

[1]सोऽनुभाव इति ज्ञेयः प्रतिसन्देशदर्शितः[2] ॥४५॥

एवं भावो विभावो वाप्यनुभावश्च कीर्तितः[3] ।

पुरुषैरभिनेयः स्यात्प्रमदाभिरथापि वा ॥४६॥

स्वभावाभिनये स्थानं पुंसां कार्यं तु वैष्णवम् ।

आयतं वावहित्थं वा स्त्रीणां कार्यं स्वभावतः ॥४७॥

[4][प्रयोजनवशाच्चैव [5]शेषाण्यपि भवन्ति हि ।

नानाभावाभिनयनैः प्रयोगैश्च पृथग्विधैः] ॥४८॥

नानुभावः सूचितः । द्वितीयो विकल्पार्थः अपिशब्देन स्थायिव्यभिचारिरूपतां समुच्चिनोति । अर्थवशादिति प्रयोजनवशात् ।

ननु नियमेनायमस्याश्चित्तवृत्तौ विभाव इति शक्यं वक्तुम् । प्रयोजनान्तरयोगे तस्यैवान्यत्र विभावत्वदर्शनात् । न केवलं प्रत्यक्षेण दृश्य एवानुभवश्चित्तवृत्तिं गमयति । यावत्प्रमाणान्तरेण शब्दादिनाप्यविदित इति दर्शयितुमाह **यस्त्वपि प्रतिसन्देश** इति । एतच्चानुमानस्याप्युपलक्षणम् । सन्तमसे हि गद्गदगुरुसज्जनवचनानुमेयात् । वाष्पार्दापि हि भवति शोकावगमः । एतदुपसंहरति एवमित्यादि । पुरुषैः प्रमदाभिर्वेत्युक्तं तत्रानावेश्यादेषां स्थानमावेदयति । गतिं च दर्शयति स्वभावाभिनय इत्यादिना । शेषाणीति । स्थानान्तराण्यपीति यावत् । यदुक्तम्—

---

1. NS. अनुभावैस्तु विज्ञेयः ।
2. KSS., NS. दर्शनात् ।
3. NS. एवं विभावो भावो वाप्यनुभावोऽथवा पुनः ।
4. KSS. does not read it .
5. NS. स्थानान्यन्यानि योजयेत् ।

[1]धैर्यलीलांगसंपन्नं पुरुषाणां विचेष्टितम् ।
[2]मृदुलीलांगहारैश्च स्त्रीणां कार्यं तु चेष्टितम् ॥४६॥
[3]करपादांगसञ्चारास्स्त्रीणां [4]तु ललिताः स्मृताः ।
[5]सुधीरश्चोद्धतश्चैव पुरुषाणां प्रयोक्तृभिः[6] ॥५०॥
[7]यथा रसं यथाभावं स्त्रीणां भावप्रदर्शनम् ।
नराणां प्रमदानां च [8]भावाभिनयनं पृथक् ॥५१॥
भावानुभावनं युक्तं[9] व्याख्यास्याम्यनुपूर्वशः ।
आलिंगनेन गात्राणां सस्मितेन च चक्षुषा ॥५२॥
[10]तथोल्लुकसनाच्चापि हर्षं सन्दर्शयेन्नरः ।
क्षिप्रसञ्जातरोमाञ्चात्[11] बाष्पेणावृतलोचना ॥५३॥
कुर्वीत नर्तकी हर्षं प्रीत्या वाक्यैश्च सस्मितैः ।
उद्वृत्तरक्तनेत्रश्च [12]सन्दष्टाधर एव च ॥५४॥

धैर्यलीलाङ्गसंपन्नं कृत्वा पुरुषचेष्टितम् ।
प्रयोक्तृभिः प्रयोक्तव्यं स्त्रीणां चेष्टितमन्यथा ॥

मार्दवलीलाप्रधानैरङ्गविक्षेपैरिति तत्र तथा सिद्धत्वं हेतुमाह—**करपादाङ्गसञ्चार** इति । तुर्हेतौ । आलिङ्गनेन गात्राणामिति । स्वात्मीयानामेवान्योन्यमासे…… णेत्यर्थः । क्रोधस्त्वभिनयेदिति व्यभिचरितः प्राप्तमिति मन्तव्यम् । रसेषु हि

1. NS. धैर्यलीलाङ्गहारं स्यात्पुरुषाणां तु चेष्टितम् ।
2. NS. हारं च ।
3. NS. करपादाङ्गसंचारः ।
4. NS. सललितो भवेत् । KSS. तु ललितो भवेत् ।
5. NS. सुधीरस्तु ततोऽपि स्याद्व्यापारः पुरुषाश्रयः ।
6. KSS. प्रकीर्तितः ।
7. KSS. does not read.
8. KSS. शब्दार्थाभिनयः ।
9. KSS., NS. भावसंयुक्तं ।
10. KSS. तथाल्पकथनाच्चापि हर्षं संयोजयेत् बुधः ।
11. KSS., NS. क्षिप्रं सञ्जातरोमाञ्चा ।
12. KSS. नेत्रं च ।

निश्वासकम्पितांगश्च क्रोधं चाभिनयेन्नरः[1] ।
[2]नेत्राभ्यां बाष्पपूर्णाभ्यां चिबुकौष्ठप्रकम्पनात् ॥५५॥
[3]शिरसः कम्पनाच्चैव भ्रुकुटीकरणेन[4] च ।
मौनेनागुलिभगेन[5] माल्याभरणवर्जनात् ॥५६॥
आयतस्थानकस्थाया ईर्ष्या क्रोधे[6] भवेत्स्त्रियाः ।
निश्वासोच्छ्वासबहुलैरधोमुखविचिन्तनैः ॥५७॥
[7]आकाशवचनाच्चापि दुःखं पुंसां तु योजयेत् ।
रुदितैः [8]श्वसितैश्चैव शिरोभिर्हननेन च ॥५८॥
[9]भूमिपाताभिघातैश्च दुःखं स्त्रीषु प्रयोजयेत् ।
[10]आनन्दजं चार्तिजं वा ईर्ष्यासंभूतमेव वा ॥५९॥
[11]यत्पूर्वमुक्तं रुदितं तत्स्त्रीनीचेषु योजयेत् ।
[12]संभ्रमावेगचेष्टाभिश्शस्त्रसंपातनेन च ॥६०॥
पुरुषाणां भयं कार्यं धैर्यविगबलादिभिः[13] ।
चलतारकनेत्रत्वाद्गात्रैः स्फुरितकम्पितैः ॥६१॥

सामान्याभिनयः श्रृङ्गारद्वारेण दर्शितः अत्र तु व्यभिचारिषु दर्श्यते । दुःखमिति शोकः भूम्यां हस्ताभ्यां च ये घाता हस्तताडनानि तथाभूतैर्हस्ताभ्यां घातास्तैराकाशस्येति शून्योऽप्यवलम्बनप्रवृत्तेत्यर्थः । विलग्नं कलासंकथितानि

---

1. KSS. बुधः ।
2. KSS. बाष्पपूर्णैः क्षणच्चैव ।
3. NS., शिरः कम्पाद्भृकुट्या च नेत्रस्याञ्जनेन च ।
4. KSS. भ्रुकुटीदर्शनेन ।
5. KSS. भागेन ।
6. NS. ईर्ष्याकोपो ।
7. KSS. आकाशवीक्षणात् । NS. आकार्यवाञ्छनाच्चापि ।
8. KSS. स्मितैश्चैव उरोभिहननेन ।
9. KSS. भूमिघाताभिघातैश्च । NS. भूमिहस्ताभिस्वेदु(?)देवं ।
10. KSS. आनन्दाश्रु समुत्पन्नं ईर्ष्यासम्भव एव वा । NS. आनन्दं चार्तिरभवमीर्ष्यासंभवमेव च ।
11. NS. मूर्ख्रमुक्तं रुदितं । KSS. यत्पूर्वमुक्तं सहितं ।
12. NS. भ्रंशमावेगचेष्टाभिः ।
13. NS. धैर्याय शबलादिभिः । KSS. धैर्योद्विगबलादिभिः ।

सन्त्रस्तहृदयत्वाच्च [1]पार्श्वाभ्यामवलोकनैः ।
[2]भर्तुरन्वेषणाच्चैवमुच्चैराक्रन्दनादपि[3] ॥६२॥
[4]प्रियस्यालिंगनाच्चैव भयं कार्यं भवेत्स्त्रियाः ।
[5]मदा येऽभिहिताः पूर्वं ते स्त्रीनीचेषु योजयेत् ॥६३॥
मृदुभिः [6]स्खलितैर्नित्य[7]माकाशस्यावलंबनात् ।
नेत्रावघूर्णनैश्चैव [8]सालस्यैः कथितैस्तथा ॥६४॥
गात्राणां कम्पनैश्चैव मदः कार्यो भवेत्स्त्रियाः ।
अनेन विधिना कार्यः प्रयोगाः [9]कारणोत्थिताः ॥६५॥
पौरुषः स्त्रीकृतो वापि भावा ह्यभिनयं प्रति ।
सर्वे सललिता भावास्स्त्रीभिः कार्याः प्रयत्नतः[10] ॥६६॥
[11]धैर्यमाधुर्यसंपन्ना भावाः कार्यास्तु पौरुषाः ।
त्रिपताकांगुलीभ्यां तु [12]वलिताभ्यां प्रयोजयेत् ॥६७॥
[13]शुकाश्च शारिकाश्चैव सूक्ष्मा ये चापि पक्षिणः ।
[14]शिखिसारसहंसाद्याः स्थूला येऽपि स्वभावतः ॥६८॥

चलिताभ्यामिति मन्थरं चरं चरन्तीत्यारेचितकैरङ्गहारैरिति तुर्याध्यायनिरूपितैर्गतिप्रचारैरिति तदुचितैरेव शिरोग्रीवादिकर्मभिः भयोद्वेगौ स्त्रीनीचानां

---

1. NS. पार्श्वाभ्यां तु ।
2. KSS. त्रातुः NS. शत्रु ।
3. KSS., NS. क्रोशनात् ।
4. KSS., NS. पुरुष ।
5. NS. मया ।
6. KSS. ललितैः कार्य ।
7. KSS., NS. आकारस्य ।
8. NS. विलग्नैः । KSS. विलापकदितैः ।
9. KSS. करणोत्थितः ।
10. NS. स्त्रीणां कार्याः प्रयोक्तृभिः (प्रयोगतः) ।
11. NS. वीर्य ।
12. NS. मिलिताभ्यां KSS. चलिताभ्यां ।
13. NS. शुकसारिकानुष्ठानान्सूक्ष्मानन्यांश्च पक्षिणः ।
14. NS. शिखिनः सारसा हंसाः स्थूला येन्ये च पक्षिणः

[1]रेचकैरंगहारैश्च तेषामभिनयो भवेत् ।
[2]खरोष्ट्राश्वतरासिंहव्याघ्रगोमहिषादयः ॥६९॥
[3]गतिप्रचारैरंगैश्च तेऽभिनेयाः प्रयोक्तृभिः ।
भूताः पिशाचा यक्षाश्च दानवाः सहराक्षसैः ॥७०॥
अंगहारैर्विनिर्देश्या [4]नामसंकीर्तनादपि ।
अंगहारैर्विनिर्देश्या अप्रत्यक्षा भवन्ति ये ॥७१॥
प्रत्यक्षास्त्वभिनेतव्या भयोद्वेगैः सविस्मयैः ।
[5]देवाश्च चिह्नैश्च प्रणामकरणैर्भावैश्च विचेष्टितैः ॥७२॥
[6]अभिनेयो ह्यर्थवशादप्रत्यक्षाः प्रयोगज्ञैः[7] ।
[8]सव्योत्थितेन हस्तेन ह्यरालेन शिरः स्पृशेत् ॥७३॥
[9]नरेऽभिवादनं ह्येतदप्रत्यक्षे विधीयते ।
खटकावर्धमानेन [10]कपोताख्येन वा पुनः ॥७४॥
[11]दैवतानि गुरूंश्चैव प्रमदाश्चाभिवादयेत् ।
दिवौकसश्च ये पूज्याः [12]प्रत्यक्षाश्च भवन्ति ये ॥७५॥

राक्षसादिदर्शने विस्मयस्तूत्तमानाम् । अत्र च भावादिगता अनुभावाः.........दिशब्दैरुक्ता भावैः.........यथा गदतो रुद्रस्य रौद्राभिनयस्य चेष्टितानि यथा

1. NS. पक्षाङ्गहारैर्विविधैस्तेऽभिनेयाः प्रयोक्तृभिः ।
2. KSS. खरोष्ट्राश्चेभसिंहाश्च । NS. खरोष्ट्रगोश्वाश्वतरान् सिंह-व्याघ्रगजादिकान् ।
3. NS. महापशूनङ्गहारैर्गतिभिश्च प्रयोजयेत् ।
4. KSS., NS. कर्म ।
5. KSS. देवाः प्रमाणकरणैर्भावैश्चापि विचेष्टितैः NS. देवाः प्रमाण-करणैर्भावैश्च विचेष्टितैश्च ललितैश्च ।
6. KSS. चिह्नैरभिनेया NS. अर्थवशादभिनेया ।
7. NS. प्रयोगेषु ।
8. KSS. पार्श्वोत्थितेन NS. भयोत्थितेन ।
9. KSS. नराभिवादनं ।
10. NS. नखटाख्येन ।
11. KSS. देवताभिर्गुरुंश्चैव प्रमदाभिश्च वादयेत् ।
12. NS. अप्रत्यक्षाश्च ।

[1]तान् प्रमाणैः प्रभावैश्च गम्भीरार्थैश्च योजयेत् ।
महाजनं [2]सखीवर्गं विटधूर्तजनं तथा ॥७६॥
परिमण्डलसंस्थेन[3] हस्तेनाभिनयेन्नरः ।
पर्वतान् प्रांशुयोगेन वृक्षांश्चैव समुच्छ्रितान् ॥७७॥
प्रसारिताभ्यां बाहुभ्यामुत्क्षिप्ताभ्यां प्रयोजयेत् ।
समूहसागरं सेनां बहुविस्तीर्णमेव च ॥७८॥
पताकाभ्यां तु हस्ताभ्यामुत्क्षिप्ताभ्यां[4] प्रदर्शयेत् ।
[5]शौर्यं धैर्यं च गर्वं च दर्पमौदार्यमुच्छ्रयम् ॥७९॥
ललाटदेश[6]स्थानेन त्वरालेनाभिदर्शयेत् ।
वक्षोदेशादपाविद्धौ[7] करौ तु मृगशीर्षकौ ॥८०॥
[8]विस्तीर्णप्रद्रुतोत्क्षेपौ योज्यौ यत्स्यादपावृतम् ।
अधोमुखोत्तानतलौ हस्तौ किञ्चित्प्रसारितौ[9] ॥८१॥
कृत्वा त्वभिनयेद्वेलां बिलद्वारं गृहं गुहाम् ।
[11]कामं शापग्रहग्रस्तान् ज्वरोपहतचेतसः[12] ॥८२॥
[13]एतेषां चेष्टितं कुर्यादंगाद्यैः सदृशैर्बुधैः ।

रुद्रस्य संचिह्नानि यथास्य त्रिशूलं परिमण्डलत्वेन सम्यग् ज्ञातं यस्येति प्रकरणादत्र पताक एव विशेषो मन्तव्यः। अङ्गाद्यैरिति। आदिग्रहणाददृष्टि-सात्त्विकपरिग्रहः। सदृशैरिति डोलाहस्तादिरूपैः। विलोलनैरिति चञ्चलैरिति

1. NS. प्रणामैश्च प्रभावैश्च गभीरार्थे प्रयोजयेत् ।
2. KSS., NS. सखिजनं ।
3. KSS., NS. संज्ञेन ।
4. KSS., NS. विक्षिप्ताभ्यां ।
5. KSS. ततः शौर्यञ्च दर्पञ्च । NS, धैर्यं शौर्यं च दर्पं ।
6. KSS. संस्थेन हस्तौ किंचित् प्रसारितौ। NS. संस्थेन ह्यरालेन विनिर्दिशेत् ।
7. NS. अपावृत्तौ KSS. does not read वक्षोदेशाद्······प्रसारितौ ।
8. KSS., NS. विस्तीर्णाय द्रुतक्षिप्तौ ।
9. NS. प्रदर्शयेत् ।
10. KSS. कृत्वा निदर्शयेत्तत्तद् गृहध्वान्तं बिलं गुहाम् (NS. प्रदर्शयेत्तद्वत्) ।
11. KSS. कामपाशगृहग्रस्ता ।
12. KSS., NS. मानसाः ।
13. KSS. तेषामभिनयः कार्यो मुखमात्रविचेष्टितैः। NS. एवंविधा नरा ये च तेषां कार्यं विचेष्टितैः।

दोलाभिनयनं कुर्याद्दोलायास्तु विलोलनैः[1] ॥८३॥
संक्षोभेण च गात्राणां रज्ज्वश्वाग्रहणेन च[2] ।
[3]यदा चांगवती डोला [4]प्रत्यक्षा पुस्तजा भवेत् ॥८४॥
[5]आसनेषु प्रविष्टानां कर्तव्यं तत्र डोलनम् ।
आकाशवचनानीह वक्ष्याम्यात्मगतानि च ॥८५॥
अपवारितकं चैव जनान्तिकमथापि च ।
[6]दूरस्थाभाषणं यत्स्यादशरीरनिवेदनम्[7] ॥८६॥
परोक्षान्तरितं वाक्य[8]माकाशवचनं तु तत् ।
तत्रोत्तरकृतैर्वाक्यैः संलापं संप्रयोजयेत् ॥८७॥
नानाकारणसंयुक्तैः [9]काव्यभावसमुत्थितैः ।
[10]हृदयस्य वचो यत्तु तदात्मगतमिष्यते ॥८८॥
[11]सवितर्कं च तद्योज्यं प्रायशो नाटकादिषु ।

भावः । अथ वाचिकप्रसंगाच्चित्राभिनयं वक्तुं प्रतिजानीते आकाशवचनानी-त्यादि । दूरस्थेन रङ्गमप्रविष्टेनैव पात्रेण सहाभाषणमत एवाह अशरीरं यन्नि-वेदनमिति । परोक्तेन प्रविष्टपात्रसंबन्धिन्यान्तर्हितं व्यवहितम् । नन्वप्रविष्टस्य संबन्धिवचनं केनोदीर्यत इत्याशंक्याह—तत्रोत्तरकृतैरिति । उत्तरत्वेन यानि कृतानि वाक्यानि "मैवं ब्रवीषि" इति तैः प्रयोजयेदिति प्राक् प्रविष्टस्यैव पात्रस्य कर्तृत्वं परक्तवचनमनुभाषणच्छायाप्रविष्ट एवं ब्रूयादिति तात्पर्यम् ।

---

1. NS. दोलानां त्ववदोलनैः ।
2. KSS. रज्ज्वाः प्रग्रहेण च । NS. रज्जुप्रग्रहणेन च ।
3. KSS. तदा कम्पवती दोला ।
4. KSS., NS. भवेत् प्रत्यक्षसंश्रया ।
5. NS. आसनैरूपविष्टानां कार्यं तत्रापि दोलनन् ।
6. NS. दूरस्थान्वेषणं ।
7. NS. निवेशनम् ।
8. NS. यच्चापि ।
9. NS. रस ।
10. NS. हृदयस्थं स वै ।
11. KSS., NS. do not read

निगूढभावसंयुक्त[1]मपवारितकं स्मृतम् ॥८९॥
कार्यवशादश्रवणं पार्श्वगतैर्यज्जनान्तिकं तत्स्यात् ।
हृदयस्थं सविकल्पं भावस्थं चात्मगतमेव ॥९०॥
[2]इति गूढार्थयुक्तानि वचनानीह नाटके ।
[3]जनान्तिकानि कर्णे तु तानि योज्यानि योक्तृभिः ॥९१॥
[4]पूर्ववृत्तं तु यत्कार्यं भूयः कथ्यं तु कारणात् ।
[5]कर्णप्रदेशे तद्वाच्यं मागात्तत्पुनरुक्तताम् ॥९२॥
अव्यभिचारेण[6] पठेदाकाशजनान्तिकात्मगतपाठ्यम् ।
प्रत्यक्षपरोक्षकृतानात्मसमुत्थान् परकृतांश्च ॥९३॥
हस्तमन्तरितं कृत्वा त्रिपताकं प्रयोक्तृभिः ।
जनान्तिकं प्रयोक्तव्यमपवारितकं तथा[7] ॥९४॥
[8]स्वप्नायितवाक्यार्थस्त्वभिनेयो न खलु हस्तसंचारैः ।
[9]सुप्ताभिहितैरेव तु वाक्यार्थैः सोऽभिनेयः स्यात् ॥९५॥

निगूढभावो निगूढनं सर्वेषां यन्निगूह्यते एक एव श्रृणुयादिति तदपवारितं जनान्तिकं एकान्तिकत्वं चैकस्यैव निगूह्यत इति विशेषः ॥

अन्ये त्वाहुः । उभयमित्येतज्जनान्तिकमेव । यावतो हि जनस्य तद्वक्तव्यं तावतोऽन्तिके सामीप्ये तदुच्यते । अपवारितकं तु तदुच्यते यत्र तूहात्पर-मुद्दिश्य नोच्यते । अथ च परः श्रुणोत्वित्ययमेवाशयो वचने तदपवारितकं तेन

1. KSS. संसक्तं ।
2. KSS., NS. यानि गुह्यार्थं ।
3. KSS. कर्णे निवेद्यमेवमेवमित्यभिधाय च ।
4. NS. सकृदुक्तं तु यत्कार्यं भूयः कस्मात् ।
5. NS. तत्कर्णे श्रावयेच्चेन न याति पुनरुक्तताम् ।
6. KSS., पदैराकाशजनान्तिकात्मगतवाक्यैः NS. यावदाकाशजनं निका-गत्मगतपाठात् ।
7. इतोऽग्रे श्लोकपञ्चकं KSS., NS. पुस्तकयोरधिकं दृश्यते ।
8. KSS. स्वप्नायितेषु भावाः कर्त्तव्याः ।
9. KSS. सत्त्वाभिनयेनैन वाक्यार्थेनैव ते साध्याः ।

मन्दस्वरसञ्चारैर्व्यक्ताव्यक्तं [1]पुनरुक्तवचनार्थम् ।
पूर्वानुस्मरणकृतं कार्यं स्वप्नाञ्चिते पाठ्यम् ॥९६॥
प्रशिथिलगुरुकरुणाक्षरघण्टानुस्वरितवाक्यगद्गदजैः ।
[2]हिक्काश्वासोपेतां काकुं कुर्यान्मरणकाले ॥९७॥
हिक्काश्वासोपेतां [3]मूर्च्छोपगमे मरणवत्कथयेत् ।
अतिमत्तेष्वपि कार्यं तद्वत्स्वप्नायिते यथा पाठ्यम् ॥९८॥
वृद्धानां योजयेत्पाठ्यं गद्गदस्खलिताक्षरम्[4] ।
[5]असमाप्ताक्षरं चैव बालानां तु कलस्वनम् ॥९९॥
[6]नानाभावोपगतं मरणाभिनये बहुकीर्तितं तु ।
विक्षिप्तहस्तपादैर्निभृतैः सन्नैस्तथा कार्यम्[7] ॥१००॥
व्याधिप्लुते च मरणं निषण्णगात्रैस्तु संप्रयोक्तव्यम् ।
हिक्काश्वासोपेतं [8]तथा पराधीनमात्रसंचारम् ॥१०१॥

निगूढेन भावेनाशयेन संयुक्तमव्यभिचारेणेत्युक्तपूर्वं कालादिसर्वमत्रानुसरेदिति यावत् । न खल्विति । न तत्र हस्ताभिनय इत्यर्थः । सुप्ताभिहितैरित्युक्तं तानि लक्षणतः कथयति **मन्दस्वरसंचारै**रित्यादि । पूर्वानुस्मरणेन कृतं प्रयुक्तं प्रशिथिलानि स्वस्थानतो भ्रंशमानानि गुरूणि स्वकर्माण्यचतुराणि यानि जिह्वाग्रोपाग्रमध्यमूलानि तेषां संबन्धीनि यान्यक्षराणि तथा ते चलद्घण्टावदनुकरणं प्रधानं यद्वाक्यं तत्र यो गद्गदस्वरभेदः ततो ये जातास्तारमन्द्रादयः उदात्तानुदात्तादयश्च तैरुपलक्षितां मरणकाले काकुं कुर्यादिति संबन्धः । कलस्वनमिति मधुरस्वरम् ।

---

1. KSS., NS. द्विरुक्तं ।
2. NS. कास ।
3. KSS. मनवेक्षितमूर्च्छनं मरणम् ।
4. NS. सलिलाक्षरम् ।
5. NS. अस्पष्टवर्णसंयुक्तं ।
6. KSS कथनीयो नानाभावतो ।
7. KSS. गात्रैः ।
8. KSS. मनवेक्षितगात्रसंचारम् ।

[1]विषपीतेऽपि च मरणं कार्यं विक्षिप्तगात्रकरचरणम्[2] ।
विषवेगसंप्रयुक्तं विस्फुरितांगक्रियोपेतम् ॥१०२॥
प्रथमे [3]वेगेकार्श्यं त्वभिनेये वेपथुर्द्वितीये तु ।
दाहस्तथा तृतीये विलल्लिका स्याच्चतुर्थे तु ॥१०३॥
फेनस्तु पञ्चमस्थे तु ग्रीवा षष्ठे तु भज्यते ।
[4]जडता सप्तमे तु स्यान्मरणं त्वष्टमे भवेत् ॥१०४॥
तत्र प्रथमवेगे तु क्षामवक्त्रकपोलता ।
कृशत्वेऽभिनयः कार्यो वाक्यानामल्पभाषणम् ॥१०५॥
सर्वांगवेपथुं च कण्डूयनं तथागानाम्[5] ।
विक्षिप्तहस्तगात्रं दाहं चैवाप्यभिनयेत्तु[6] ॥१०६॥
उद्वृत्तनिमेषत्वादुद्गारच्छर्दनैस्तथाक्षेपैः ।
अव्यक्ताक्षरकथनैः विलल्लिकामभिनयेदेवम् ॥१०७॥
[7]उद्गारवमनयोगैः शिरसश्च विलोलनैरनेकविधैः ।
[[8]फेनस्त्वभिनेतव्यो निःसंज्ञतया निमेषैश्च ॥१०८॥

एवमाकाशभाषितमात्मगतमपवारितं जनान्तिकं कर्णोक्तं स्वप्नायितोक्तम्-रणमूर्छामदभाषितं वृद्धबालोक्तमिति वचनगतं चित्राभिनयमुक्त्वा मरणप्रसङ्गेन तद्गतमपि कथयितुमाह—**नानाभावोपगत**मिति । विषं पीतमनेनेति विषपीतः । तत्रैतस्य दष्टकस्याप्युपलक्षणम् । विषस्य वेगाक्रमणेन धातुषु रसादिष्वोजः-पर्यन्तेषु सञ्चरणं प्रथमे वेगे यत्कृशत्वमत्राभिनयः कार्य इति संबन्धः । चलति कामिला छर्दिः प्रारम्भ इवान्तरो दाह्नं वार्युद्रेकः अंसयोः कपोलाभ्यां स्पर्श-

---

1. NS. विषवेगे ।
2. NS. गात्रकरणं च ।
3. NS. योगे कार्यं ।
4. KSS. जडतां तु सप्तमे वै प्रोक्तं मरणं तथाष्टमे चैव ।
5. KSS., NS. warries absolutely.
6. NS. दाहं नाट्ये प्रयुञ्जीत ।
7. NS. वमनोद्गारनिपातैः ।
8. KSS. does not read.

[1]अंसकपोलस्पर्शः शिरसोऽथ विनामनं शिरोऽपांगः ।]
[2]सर्वेन्द्रियसंमोहाज्जडतामेवं त्वभिनयेत्तु[3] ॥१०९॥
संमीलितनेत्रत्वात् व्याधिविवृद्धौ भुजंगदशनाद्वा[4] ।
एवं हि[5]नाट्यधर्मे मरणानि बुधैः प्रयोज्यानि ॥११०॥
[6][संभ्रमेष्वथ रोषेषु शोकावेशकृतेषु च ।
यानि वाक्यानि युज्यन्ते[7] पुनरुक्तं न तेष्विह ॥१११॥
[8]साध्वहो मां च हेहेति किं त्वं मामावदेति च ।
एवंविधानि कार्याणि द्वित्रिसंख्यानि कारयेत् ॥११२॥
[9]प्रत्यंगहीनं यत्काव्यं विकृतं च प्रयुज्यते ।
न लक्षणकृतस्तत्र कार्यस्त्वभिनयो बुधैः ॥११३॥
भावो यत्रोत्तमानां तु न तं मध्येषु योजयेत् ।
यो भावश्चैव मध्यानां न तं नीचेषु योजयेत् ॥११४॥

संबन्धादित्यर्थः । शिरसो भङ्गो ग्रीवासन्धिविच्युतिस्ततः । पुनरुक्तं न तेष्विति दोषायेति शेषः । तदुदाहरति साध्वहो इत्यादि । तत्र शब्दपुनरुक्तं साधुसाध्वित्यादि । अर्थपुनरुक्तमहो साधु भद्रं चेत्यादि । प्रत्यङ्गहीनमित्यादि । प्रहसनप्रधानतया यथा प्रत्यङ्गेन केनचित्संस्कारांशेनाहीनं कार्यम् । अत एव विकृतत्वाद्धासप्रधानं तत्राप्यभिनयोऽप्यलाक्षणिको हासायैव यथा तथापि ।

1. KSS. does not read.
2. NS· सर्वेन्द्रियमूढतया ।
3. KSS., NS. प्रयुञ्जीत ।
4. KSS. दंशनाद्वा ।
5. NS. नाट्ययोगे ।
6. संभ्रमेष्वथ इत्यारभ्य श्लोकपंचकं KSS. पुस्तके नास्ति ।
7. NS. युञ्जीत ।
8. NS. साध्वनो मुञ्च हा हेति किं किं या या वदेति च । एतानि वचनानीह·········।
9. NS. प्रत्यंगृहीतं ।

पृथक् पृथग्भावरसैरात्मचेष्टासमुत्थितैः ।
ज्येष्ठमध्यमनीचेषु [1]नाट्यं रागं हि गच्छति] ॥११५॥
[2]एतेऽभिनयविशेषाः कर्तव्याः सत्त्वभावसंयुक्ताः[3] ।
अन्ये तु लौकिका ये तु ते सर्वे लोकवत्कार्याः[4] ॥११६॥
नानाविधैर्यथा पुष्पैर्मालां[5] ग्रथ्नाति माल्यकृत् ।
अंगोपांगै रसैर्भावैस्तथा नाट्यं प्रयोजयेत् ॥११७॥
या यस्य लीला नियता गतिश्च
[6]रंगप्रविष्टस्य निधानयुक्तः ।
तामेव कुर्यादविमुक्तसत्त्वो
यावन्नरंगात्प्रतिनिर्वृतः स्यात्[7] ॥११८॥

अथ सर्वानुग्राहकं सामान्यलक्षणमाह—**भावो य उत्तमानामित्यादि** । **रागं गच्छतीति** । सर्वस्य रञ्जकं भवतीति यावत् । सामान्याभिनयशेषत्वं तदुक्तार्थात्तन्मुखेनोपसंहारदिशा चित्राभिनयस्य दर्शयति **एतेऽभिनय-विशेषा इति** । सत्त्वभावसंयुक्ता इत्यनेन सत्त्वातिरिक्तोऽभिनय इत्यादि स्मरति । नानाविधैरित्यभिनयानां समानीकरणं चित्रत्वं च दर्शितम् । क्रमा-त्क्रमं श्रमवशादुपचितत्वपरित्यागः प्रयत्नेन परिरक्ष्य इत्येतत्तात्पर्येण श्लोकं पठति या यस्य लीला नियता गतिश्चेति । विमुक्तसत्त्वो त्यक्तावष्टंभं प्रति निर्वृत इति निर्वृत्तिर्वक्ष्यते इति । वृत्तो विषयाज्जनादेर्निवर्तते । तेन

1. NS. भवेन्नाट्ये तु रागकृत् ।
2. NS. अभिनयपरिशेषाः ।
3. NS. सर्वभावसंयुक्ताः । KSS., सत्त्वभावयुक्ताः स्युः ।
4. KSS., NS. लोकतः साध्याः ।
5. KSS., NS. माल्यं ।
6. NS. रङ्गप्रवृत्तस्य ।
7. KSS., NS. यावन्न रङ्गात्प्रतिनिःसृतः स्यात् ।

एवमेते मया प्रोक्ता [1]नाट्ये चाभिनयाः क्रमात् ।

[2]अन्ये तु लौकिका ये ते लोकाद्ग्राह्याः सदा बुधैः ॥११९॥

लोको वेदस्तथाध्यात्मं प्रमाणं त्रिविधं स्मृतम् ।

[3]वेदाध्यात्मपदार्थेषु प्रायो नाट्यं प्रतिष्ठितम्[4] ॥१२०॥

[5]वेदाध्यात्मोपपन्नं तु शब्दच्छन्दस्समन्वितम् ।

लोकसिद्धं भवेत्सिद्धं नाट्यं लोकात्मकं तथा[6] ॥१२१॥

रङ्गाद्यावन्निर्वृतो निष्क्रान्तः स्यादित्यर्थः । किमेतावानभिनयप्रकारः नेत्याह **अन्ये तु लौकिका** इति । ननु किमत्र लोकः प्रमाणमित्याशंक्याह—**लोको वेदस्तथाध्यात्म**मिति । लोकसिद्धानि प्रत्यक्षानुमानागमप्रमाणानि लोकशब्देनोच्यन्ते । वेद इति तु यथास्वं नियतरूपो लोकप्रसिद्धोऽप्यागमो यथा न्यायेषु धनुर्वेदः स्वरतालादो गान्धर्ववेद इत्यादि । अध्यात्मं तु संस्थं वेदनं वेदाध्यात्माभ्यां प्रमिता ये पदार्थाः तेषु नाट्यं प्रतीतमित्यत्र हेतुमाह वेदाध्यात्मोपपन्नं त्विति । तुर्हेतौ । समन्वितमिति भावे । एतदुक्तं शब्दसमन्वयो व्याकरणाभिधानेनागमेन सिद्धः । छन्दस्समन्वयस्तु स्वसंवेदनेन । श्रव्यता हि तद्विदा स्वसंवित्तिसिद्धावृत्तेषु प्रगीतानामिव रागभाषादीन् नीयते । एतच्चागमस्ववेदनयोः प्रमोपलक्षणमात्रं । अथ लोकं प्रमाणयितुमाह—**यल्लोकसिद्धा**मिति । यल्लोके सिद्धं तत्सिद्धं न । तत्कस्यचिदसिद्धमिति यावत् । न हि लोकप्रसिद्धिमपह्नोति कश्चित्समर्थः । सुविप्रतिपन्नस्यापि तदपह्नवे काष्ठपाषाणतापत्तिप्रसंगात् । तथेति । तत एव प्रकाराद्धेतोर्लोकात्मकं लोकानुकीर्तनरूपं नाट्यमित्युक्तम् ।

---

1. KSS., वागङ्गाभिनयाः क्रमात् । NS. भावाः ह्यभिनयं प्रति ।
2. KSS., नोक्ता ये च मया तत्र लोकाद्ग्राह्यास्तु ते बुधैः । NS. नोक्ता येऽपि तु तेऽप्यत्र लोकादग्राह्यास्तु पण्डितैः ।
3. NS. लोकाध्यात्म······।
4. NS. व्यवस्थितम् ।
5. NS. तदध्यात्माभिसंभूतं ।
6. KSS., लोकस्वभावजम् । NS. लोकात्मकं त्विदम् ।

[1]न च शक्यं हि लोकस्य स्थावरस्य चरस्य च।
शास्त्रेण [2]निर्णयं कर्तुं भावचेष्टाविधिं प्रति ॥१२२॥
नानाशीलाः प्रकृतयः शीले नाट्यं प्रतिष्ठितम्।
तस्माल्लोकप्रमाणं हि [3]विज्ञेयं नाट्ययोक्तृभि[4]: ॥१२३॥
[5]एतान् विधींश्चाभिनयस्य सम्य-
[6]ग्विज्ञाय रंगे मनुजः प्रयुंक्ते।
स नाट्यतत्त्वाभिनयप्रयोक्ता
संमानमग्र्यं लभते हि लोके ॥१२४॥

ननु लोकेन च यत्प्रत्ययं तदागमेनैव प्रमितम्। तत्किं पुनर्लोकेनोक्तेनेत्याशङ्क्याह—**न शक्यो लोकस्येति**। शीलः स्वभावः। प्रकृतनुपसंहरति तस्माल्लोकप्रमाणं हि विज्ञेयमिति। एतान् विधीनिति। सामान्याभिनयात् प्रभृत्येवदध्यायपर्यन्तं ये कर्तव्यतारूपाभिनयानां विधय उक्ताः तान् सम्यग् विज्ञायेति वदन् कोहलादिशास्त्रलक्ष्यप्रवाहसिद्धमपि चित्राभिनयं सूचयति। ततश्चोदाहरणार्थान् दर्शयामो माभूत्सम्प्रदायप्रवाहविच्छेद इति।

मुख्याभ्याशे हंसपक्षात्स्कन्दो वा शक्तिदर्शनात्।
संमुखौ खटकौ पार्श्वद्वये शार्ङ्गिनिरूपणम् ॥

1. इतः पूर्वं देवतानामृषीणां च इत्यादि श्लोकचतुष्टयं क—न पुस्तकयोरधिकं दृश्यते।
2. NS. नियमं कर्तुं नानाचेष्टाविधिं।
3. KSS. कर्त्तव्यं। NS. ज्ञेयं नाट्यं प्रयोक्तृभिः।
4. KSS. reas here an additional verse एवं भावानुकरणे इत्यादि।
5. KSS. येऽभिक्रमैर्योभिनयं तु सम्यक्। NS. नाट्यप्रकाराः कथिता मयैते।
6. विज्ञाय सम्यक् मनुजैः प्रयोज्याः।
नाट्यस्य तत्वानुगतः प्रयोगः संमानमग्र्यं लभते हिरण्यम्।

लीलालोकितसंदंशयुग्मेन कुसुमायुधम् ।
रुद्रवद्रूपयेद्दुर्गां चतुरेण सरस्वतीम् ॥

..................खटकेन तथा श्रिम् ।
गौरीं च दंष्ट्रया देवीं वाराहीमिति मातरः ॥

प्रदर्श्यात्तत्तदुचितब्राहम्यादिगतलक्षणैः ।
सूचीहस्ताङ्गुलिकाद्रिनन्दिनीस्थान्नयोन्नता ॥

तत्प्रोत्तानाधोमुखेन त्रिपताकामुखेन तु ।
गङ्गा तथैव चतुरेणान्या सर्पशिरोद्वयम् ॥

उपर्युपरि डोलं स लेतिर्यग्विलोलितः ।
अरालत्रिपताकौ च पताकद्वयकम्पनम् ॥

अब्धि···पुष्पपुटास्त्रिपताकौ तपस्विनाम् ।
प्रसृतोर्ध्वपराचीनौ शिखरौ बाह्यदन्तरे ॥

कूर्परोर्ध्वस्थितेनापि त्रिपताकेन योषितः ।
पार्श्वेऽर्धकटकेन स्याल्लोकपालास्सलक्ष्मभिः ॥

स्तब्धकार्यो मुक्तहस्तौ जिनं विद्याधरान् प्रजाः ।
अग्निना वाथ रक्षांसि नष्टं या सूचिकामुखात् ॥

विद्यात्तु त्रिपताकाभ्याम्मूर्ध्निराजप्लवङ्गमान् ।
पताकाभ्यामथो सर्पशिरोभ्यां स्वस्तिकस्थितेः ॥

धर्मं सितादिभिश्चाहीनृतवो मणयः पुनः ।
···काङ्गुलेन रिपुन्नाथ ग्रन्थतर्जनिकेऽङ्गना ॥

कूर्पराकुञ्चितां कम्प्रपताकाभ्यां च सारसः ।
प्रसारितं च बाहुभ्यां वृश्चिकस्थलपक्षिषु ॥

श्रृङ्ग्यां च मध्यमाङ्गुष्ठपताकामस्तकोपरि ।
उत्क्षेपादञ्चितस्यांध्रि नतोन्नतकरद्वयात् ॥

[1]एवमेते ह्यभिनया वाङ्नेपथ्यांगसंभवाः ।
प्रयोगज्ञेन कर्तव्या नाटके सिद्धिमिच्छता ॥१२५॥
इति भरतीये नाट्यशास्त्रे चित्राभिनयो नाम
[2]पञ्चविंशोऽध्यायः ॥

गरुडं चतुराभ्यां तु कण्डमूलोभयादधः ।
पताककूर्परे कुञ्च्य चालीढो क्रोधरूपणे ॥
मुखान्तिके तर्जनीं तु विश्लिष्टां वाक्यरूपणे ।
चूडायां मूर्ध्न्युपाङ्गेषु स्त्रीविषादे तथोद्वहम् ॥
वक्षः पार्श्वान्नूर्ध्वतः खं पताकस्वस्तिकेन तु ।]
तथा प्रभातहस्ताभ्यामावेगोद्वर्तिताङ्गुलिः ॥
पराङ्मुखाभ्यां रात्रिर्वा पताकस्वस्तिकादिभिः ।
मुखाच्छादात्खलत्यादौ शलभाधूलिधूम्रकः ॥
पताकेनोरसि सुहृदरालेन सुतादयः ।
निधिमाकुञ्चिते वामकूर्परे भूधरादिषु ॥
उत्तानं च शिरस्तेषां भेदास्तु न निरीक्षणात् ।
वामकस्त्रिपताकः स्यात् कण्ठमूलोऽपरोऽपरः ॥
करिणीं गण्डविचलञ्चतुराभ्यां मदाश्रिताम् ।
पद्मोर्णनाभमुकुलैः स्वस्तिकैर्वृश्चिकेन तु ॥
सिंहगोमायुशरभा यथास्वं दृष्टिभेदतः ।
ललाटे सर्पशिरसा खड्गि श्रवणमूलतः ॥

---

1. KSS. ज्ञेयास्त्वभिनया ह्येते वाङ्नेपथ्याङ्गसंश्रयाः। NS. does not read this.
2. KSS. षड्विंशः ।

खड्गिकास्त्री तथान्यच्च शिखरं स्यात्प्रसारितम् ।
मुष्टिर्मल्लस्य शल्यश्च खटकेन हृदन्तरे ॥
संदंशेन मांतनोभेरुद्यता वक्षसि स्थितिः ।
पल्लवेन स्वमूर्धानं स्पृशता स्वेचरानतिः ॥
पराङ्मुखपताकाभ्यां मुखे स्वस्तिकविच्युते ।
कवाटाभ्यां करिघटान्मोक्षं (?) च करयुग्मतः ॥
मृगशीर्षे कनिष्ठायां निर्देशश्चतुरेण वा ।
चलः सूच्यास्वयुगलं हयसैन्येदृशान्वितम् ॥
शूलपाण्यादिशब्देषु केचिद्वर्तिपदाश्रितम् ।
कुब्जन्त्वभिनयन्त्यन्ये विशेष्येऽन्यद्द्वयाश्रितम् ॥
अव्याहतायां वाक्यार्थप्रतीतौ स्यात्पदेष्वथ ।
स्नानं मूर्ध्नि पताकाभ्यां शकटेऽन्योन्यसंमुखौ ॥
कूर्पराकुञ्चितौ कार्यो त्रिपताककरेण तु ।
अयस्कारादिनिर्देशे खटकः करिविद्रवे ॥
गणेशे मुकुलास्योऽथ विक्षेपात्स्युर्मरीचयः ।
शिरसः पार्श्वयोः——त्रिपताकद्वये जटा ॥
उपर्युपरि युक्ताभ्यां शिखराभ्यां महेश्वरी ।
व्रीह्यादिचतुरेण स्यान्मुष्टिना वाथलेखकाः ॥
खटकेन तथामूकाशशून्योत्तानोपनो (?) क्रमात् ।
अधस्खलितयोगेन चतुरेणापमीलनात् ॥
शिखरे वामकेऽधस्तः पताकस्थेन दक्षिणे ।
सङ्गतौ खटकौ सूर्ये सारथौ पृष्ठपूर्वगौ ॥
प्रमाणो मानपरिमाः सूची संदष्टचरालकैः ।
एलाक्रीडा धनुर्योगात् पुलिन्दाभिनयो मतः ॥

यामाद्यौ खटकारालौ समपादः कपालिनि ।

स्वब्राहूर्ध्वे तु खटकौ पार्श्वक्षेपश्च पादगः ॥

महाभैरवनाथस्य खटकावंसजानुगौ ।

अनूर्ध्वकर्मणः पादः कर्मान्तं यदुदीरितम् ॥

तस्य स्वबुद्धया घटनं चित्राभिनयनं विदुः ।

तस्योदाहरणं किञ्चिदिदमूहाविवृद्धये ॥

मयाभिनवगुप्तेन दर्शितं धीमतः प्रति ।

यथालिखितवस्तूनां प्रतिपत्संस्थितान् प्रति ।

अपि वाचस्पतेर्वाणी कुण्ठा किमुत मादृशाम् ॥

एवं प्रमाणत्रयेणाभिनयान् विज्ञाय योगरङ्गे सभायां प्रयुङ्क्ते स एष च नाट्ये तत्त्वतोऽभिनयान् प्रयुङ्क्ते स च सम्मानं लभत इति योज्यम् । अभिनयशेषभूतोऽयमितिकर्तव्यतारूपः परस्परसंमीलनात्मा प्रयोगस्तेन च विना न काचित् सिद्धिरित्युपसंहारव्याजेनैवमिति श्लोकेनांगीशब्दस्वीकृतसात्त्विकेन दर्शयन् सामान्याभिनयनायकान् सर्वान् दर्शयति सिद्धमिति शिवम् ॥

विचित्राभिनयाध्यायः सोऽयं व्याकृतसारकः ।

कृतोऽभिनवगुप्तेन शिवानुग्रहशालिना ॥

इति श्रीमहामाहेश्वराचार्याभिनवगुप्तविरचितायां नाट्यवेद-

वृत्तावभिनवभारत्यां चित्राभिनयः

पञ्चविंशोऽध्यायः समाप्तः ॥

श्री:

नाट्यशास्त्रम्

[1]षड्विंशोऽध्यायः

— ० —

अनुरूपा विरूपा च तथा रूपानुरूपिणी ।
त्रिप्रकारेह पात्राणां प्रकृतिश्च विभाविता ॥१॥
नानावस्थाक्रियोपेता भूमिका प्रकृतिस्तथा ।
भृशमुद्योतयेन्नाट्यं स्वभावकरणाश्रयम् ॥२॥

॥ अभिनवभारती—षड्विंशोऽध्यायः ॥

यस्मिन् सति प्रकृतिभूमिविकल्प एष
स्त्रैणस्य याति हृदयादरणीयभावः ।
रागः स यस्य महिमा महनीयधाम्नि
भूयात्स नित्यमपि तत्र च रागवन्तः ॥

समानीकरणलक्षणः सामान्येऽभिनयः प्रस्तुतः । तत्र यथाभिनयानामन्योन्यं समानीकरणमुपदेश्य तथाभिनेतुरभिनेयस्य च । एवं सोऽभिनेयद्वारेणाभिनयोऽभिनेत्रा समानीकृतो भवति । तदेतदिति । अभिनेत्रभिनेययोः समानीकरणं सामान्याभिनयरूपमनेन प्रकृत्यध्यायोऽभिधीयते । तदर्थसूचनायैव सङ्गतिप्रदर्शनाभिप्रायो वृत्ताध्यायपरिसमाप्तौ यः प्रयुङ्क्त इति प्रयोक्तेति प्रयोज्ञेति च निरूपितम् । स एव हि प्रयोगं जानाति यः प्रयोज्यप्रयोजकस्वरूपवित् । तत्र कृति

---

1. KSS. चतुस्त्रिंशत्तमः । NS. षड्विंशोऽध्यायः ।
NS. varies absolutely.

बहुबाहूबहुमुखास्तथा च विकृताननाः ।
पशुश्वापदवक्त्राश्च खरोष्ट्राश्च गजाननाः ॥३॥
एते चान्ये च बहवो नानारूपा भवन्ति ये ।
आचार्येण तु ते कार्या मृत्काष्ठजतुचर्मभिः ॥४॥
स्वाभाविकेन रूपेण प्रविशेद्रंगमण्डलम् ।
आत्मरूपमवच्छाद्य वर्णकैर्भूषणैरपि ॥५॥
यादृशं यस्य यद्रूपं प्रकृत्या तत्र तादृशम् ।
वयोवेषानुरूपेण प्रयोज्यं नाट्यकर्मणि ॥६॥
यथा जीवत्स्वभावं हि परित्यज्यान्यदेहिकम् ।
परभावं प्रकुरुते परभावं समाश्रितः ॥७॥
एवं बुधः परं भावं सोऽस्मीति मनसा स्मरन् ।
येषां वागङ्गलीलाभिश्चेष्टाभिस्तु समाचरेत् ॥८॥
सुकुमारप्रयोगो यो राज्ञामामोदसंभवः ।
शृंगाररसमासाद्य तन्नारीषु प्रयोजयेत् ॥९॥
युद्धोद्धताविद्धकृता संरम्भारभटाश्च ये ।
न ते स्त्रीभिः प्रयोक्तव्याः योक्तव्याः पुरुषेषु ते ॥१०॥
अनुद्भटमसंभ्रान्तमनाविद्धांगचेष्टितम् ।

प्रयोज्यानुकरणीयो अनुकीर्तनीय इति पर्यायाः । तत्र प्रयोक्ता प्रयोज्यसदृशो वा भवति विसदृशो वा उभयात्मको वा । तत्र सदृशोऽनुरूपः उभयात्मरूपानुरूपः स्वलक्षणं तेना तदेतौ तवैव (?) सादृश्यं लक्षितम् । आनुरूप्यं सादृश्यात् । तदुभययोगाद्रूपानुरूपा यद्यपि कथंचित् सर्वत्रैव त्रैविध्यं संभवति ; तथाप्युद्रिक्ता सकललोकसंवादिनी अस्मादृशबुद्धिर्यथा पुरुषस्य प्रयोक्तुः पुरुषेण प्रयोज्येन योषितो योषिता तत्र सदृशव्यवहारः । स्त्रिया पुरुषस्य तु कैसादृश्यं । सा सिंहवदनदशवदनादिर्यस्तु प्रयोज्यैरन्यसादृश्यमेव । तदपि प्रकृतित्रैविध्यं दर्शयितु-माह—**अनुरूपेत्यादि** । पात्राणामिति । धीयते रसो यत इत्यनेन नटबुद्धितिरोधानं

लयतालकलापातप्रमाणनियताक्षरम् ॥११॥

सुविभक्तपदालापमनिष्ठुरमकाहलम् ।

ईदृशं यद्भवेन्नाट्यं नारीभिश्च प्रयोजयेत् ॥१२॥

एवं कार्यं प्रयोगज्ञैर्भूमिकाविनिवेशनम् ।

स्त्रियो हि स्त्रीगतो भावः पौरुषः पुरुषस्य च ॥१३॥

यथा वयो यथावस्थमनुरूपेति सा स्मृता ।

पुरुषः स्त्रीकृतं भावं रूपात्प्रकुरुते तु यः ॥१४॥

रूपानुरूपा सा ज्ञेया प्रयोगे प्रकृतिर्बुधः ।

छन्दतः पौरुषीं भूमिं स्त्री कुर्यादनुरूपतः ॥१५॥

न परस्परचेष्टासु कार्यौ स्थविरबालिशौ ।

पाठ्यप्रयोगे पुरुषाः प्रयोक्तव्या हि संस्कृते ॥१६॥

स्त्रीणां स्वभावमधुराः कण्ठाः पुंसां तु बलवन्तः ।

यद्यपि पुरुषो विद्यात् गीतविधानं च लक्षणोपेतम् ॥१७॥

माधुर्यगुणविहीनं शोभां जनयेन्न तद्गीतम् ।

सूचनन्नटबुद्धेरप्यपायतामाह । प्रकर्षेण क्रियते साक्षात्कारकल्पनानुव्यवसाय-गोचरत्वमीयत इति प्रकृतिः । सेयं त्रिप्रकारप्रकृतिप्रविभागेन भाविना सती नाट्यं भृशं द्योतयेदिति ज्ञानस्य प्रयोजनमुक्तम् । कुतः सामान्यं द्योतयेदिति विशेषण-द्वारेण हेतुमाह—स्वभावेति । प्रयोज्यस्त्रभावो हि नाट्यकर्तव्यः । तत्र सुकुमार-स्वभावे पुंसि प्रयोज्ये लालित्यसौकुमार्ये स्त्रीजनस्यायत्नसिद्धे इति स एव तत्र योक्तः युक्तो रूपानुरूपाणि वा सा तस्य प्रकृतिः, उद्धते तु प्रयोज्ये पुमानेव प्रयोक्ता युक्तः सानुरूपा प्रकृतिरूपायां तु प्रकृतौ कथञ्चित् यत्नेन संपाद्यमनु-कीर्तनमिति तत्र सावधानेन प्रतियोक्ता भाव्यम् ।

नन्वनुरूपैव प्रकृतिर्युक्तेत्याशङ्क्याह—नानेति (२८लो)। नानाप्रकाराभिरव-स्थाभिः विलासलालित्यौद्धत्यादिभिर्धर्म्यैः क्रियाभिश्च सुकुमारोद्धतात्मिकाभिरुद्यान-

यत्र स्त्रीणां पाठ्यादगुणैर्नराणां च कण्ठमाधुर्यम् ॥१७॥

प्रकृतिविपर्ययजनितौ विज्ञेयौ तावलंकारौ।

प्रायेण देवपार्थिवसेनापतिमुख्यपुरुषभवनेषु ॥१९॥

स्त्रीजनकृताः प्रयोगा भवन्ति पुरुषस्वभावेन।

रम्भोर्वशीप्रभृतिषु स्वर्गे नाट्यं प्रतिष्ठितम् ॥२०॥

तथैव मानुषे लोके राज्ञामन्तः पुरेष्विह।

उपदेष्टव्यमाचार्यैः प्रयत्नेनांगनाजने ॥२१॥

न स्वयं भूमिकाभ्यासो बुधैः कार्यास्तु नाटके।

स्त्रीषु योज्यः प्रयत्नेन प्रयोगः पुरुषाश्रयः ॥२२॥

यस्मात्स्वभावोपगतौ विलासः स्त्रीषु विद्यते।

तस्मात्स्वभावमधुरमङ्गं सुलभसौष्ठवम् ॥२३॥

ललितं सौष्ठवं यच्च सोऽलंकरः परो मतः।

प्रयोगो द्विविधश्चैव विज्ञेयो नाटकाश्रयः ॥२४॥

गमनयुद्धसन्नाहनादिभिरुपेता तस्मान्नानारूपैव प्रकृतिर्युक्ता। तस्याः प्रकृतेः पर्यायेण स्वरूपं स्पष्टयति भूमिकेति। भूमिरुष्टं स्थानं। यथा च ध्यानपटगते दशभुजपञ्चवक्त्रादिरूप एव भगवति सदाशिवे धिषणानिवेशः क्रियते न तु तत्र तद्देशत्वतत्कालत्वे आदर्तव्यम्। नापि तत्सिन्दूरहरितालादिकृतं तद्द्रव्यं केवलमवष्टम्भस्थानम्। तदेवं रामादयोऽवष्टंभस्थानमात्रम्। एतच्च रसाध्यायादौ वितत्य निरूपितम्। तेन भूमिरिव भूमिका। इवार्थे अण्। अरूपायाः प्रकृतेरसंभाव्यत्वात्। तत्संपाद्यत्वाच्च पूर्वं स्वरूपमाह—बहुबाहु इत्यादि। विकृताधाराः तेष्वप्रावरणादयः पशुवक्ता यथा गोमुखाः अश्वमुखाः श्वापदवक्त्रः तथा सिंहवक्त्राः खरोष्ट्रेत्यादिना सर्ववपुषा तदद्रूपान् कार्य इति। आवश्यकेनेति शेषः। अत्र हेतुमाह—स्वाभाविकेनेति। अनुकीर्तनीयस्य यःस्वभावः तदुचितेन रूपेणेति यावत्। आत्मरूपमिति। नटरूपमपिशब्दात्। मृत्काष्ठादिनिर्मितबाहुवक्त्रादिरपि। अवष्टम्भयोगस्य प्राधान्यं दर्शयितुमेकविंशत्यध्यायोक्तं हेतुं स्मारयति यथा

सुकुमारस्याविद्धो नानाभावरसाश्रयः ।

नाटकं सप्रकरणं भाणो वीथ्यङ्क एव च ॥२५॥

ज्ञेयानि सुकुमाराणि मानुषैराश्रितानि तु ।

सुकुमारप्रयोगोऽयं राज्ञामामोदकारकः ॥२६॥

श्रृंगाररसमासाद्य स्त्रीणां तत्तु प्रयोजयेत् ।

युद्धोद्धताविद्धकृता संरम्भारभटाश्च ये ॥२७॥

न ते स्त्रीणां प्रकर्तव्याः कर्तव्याः पुरुषैर्हि ते ।

यथाविद्धांगहारं तु भेद्यभेद्याहवात्मकम् ॥२८॥

जीवस्वभावमिति। परं भावं रामादिकं वेषादिभिः समाचरेदिति संबन्धः। सोऽस्मीत्यनेन स्वात्मावष्टंभस्यात्याज्यतामाह । अन्यथा लयाद्यनुसरणमशक्यम्। अथ रूपानुरूपिणी प्रकृति क्वेत्याशंक्याह—सुकुमारप्रयोग इति । राज्ञामित्युपलक्षणम् आमोदो विभावपरिपूर्णता । तन्नारीष्विति। प्रयोक्तृषु प्रयोज्यतयात्र विषयत्वेन विवक्षितः। प्रयोजयेदिति । नाट्याचार्यः ।

नन्वेवमनुरूपा पुरुषविषये प्रकृतिः किं नास्तीत्याशंक्याह—**युद्धोद्धताविद्धकृताविति**। प्रयोगा इति शेषः। युद्धोद्धतैराविद्धैश्च कृताः व्याप्ताः अत एव संरम्भप्रधाना आरभटादयः। स्त्रीपुरुषभूमिकेत्यस्यार्थस्य व्यापकत्वमाह अनुद्भटमिति। अनुरूपां प्रकृतिं लक्षयितुमाह—स्त्रिया हीति। प्रयोक्त्र्यानुरूपाननुरूपां लक्षयति पुरुषस्त्रीगतमिति। यत्र पुरुषत्वमालम्ब्य स्त्रीवर्तते यथा सांकृत्यायिनी। न तु सर्वत्रेत्यर्थः। स्त्रीपुरुषं प्रयुक्तमित्यतेत् सर्वत्र युक्तमिति दर्शयति छन्दत इति। स्थविरबालिशाविति। संबन्धिशब्दाः संबन्ध्यन्तरमाक्षिपन्तीति स्थविरो युवभूमिकायां युवा च वृद्धभूमिकायां न योज्यः। बालिशोऽत्र विरूपः स विरूपभूमावायोज्यः। एतच्चोपलक्षणम्। यत्र यत्प्रयोजनो न श्लिष्यति न स तत्र योज्य इत्यर्थः। पाठ्यप्रयोग इति। संस्कृतपाठ्यप्रधाने सुकुमारप्रकृतपाठ्यप्रधाने। गीत इति गीतप्रधाने प्रयोग इत्यर्थः। अत्र हेतुमाह—प्रायः प्रकृतिरिति। बलवन्त इति। रङ्गपूरणोचितगम्भीरस्वरा। ननु पुमांसोऽपि भावयन्त्येव तत्कथमुक्तं स्त्रीणां गेयं प्रकृतिरित्याशंक्याह—**यद्यपि पुरुष इति**।

मायेन्द्रजालबहुलं पुस्तनैपथ्यदीपितम् ।
पुरुषप्रायसंचारमल्पस्त्रीकमथोद्धतम् ॥२९॥
सात्त्वत्यारभटीयुक्तं नाट्यमाविद्धसंज्ञितम् ।
डिमः समवकारश्च व्यायोगेहामृगौ तथा ॥३०॥
एतान्याविद्धसंज्ञानि विज्ञेयानि प्रयोक्तृभिः ।
एषां प्रयोगः कर्तव्यो देवदानवराक्षसैः ॥३१॥
उद्धता ये च पुरुषाः शौर्यवीर्यसमन्विताः ।
योग्यः स च प्रयत्नः कर्तव्यः सततमप्रमादेन ॥३२॥
न हि योग्यया विना भवति च भावरससौष्ठवं किंचित् ।
संगीतपरिक्लेशो नित्यं प्रमदाजनस्य गुण एव ॥३३॥
यन्मधुरकर्कशत्वं लभते नाट्यप्रयोगेण ।
प्रमदाः नाट्यविलासैर्लभते यत् कुसुमैर्विचित्रलावण्यम् ।
कामोपचारकुशला भवति च काम्या विशेषेण ॥३४॥
गीतं नृत्तं तथा वाद्यं प्रस्तारगमनक्रिया ।
शिष्यनिष्पादनं चैव षडाचार्यगुणाः स्मृताः ॥३५॥

ननु विपर्ययोऽपि दृष्ट इत्याशंक्याह—तावलङ्कारावविति । कदाचित्कापीति यावत् । तत्र स्त्रीपुरुषप्रयोगमनुकरोतीत्ययमेव प्रचुरः प्रकार इति दर्शयति । प्रायेणेति । पुरुषस्वभावेन प्रयोज्येनोपलक्षितोऽयं स्त्रीभिः कृताः प्रयोज्याः । अत्रानुवादं दर्शयति रंभोर्वशीप्रभृतिष्विति । अत्र हेतुमाह उपदेष्टव्यमिति । उपदेष्टुं शक्यमित्यर्थः । स्वयमिति पुरुषैः न्यासोऽत्र प्रयोगः ।

ननु पुमानपि भावबुद्धिमाश्रित्याशङ्क्य हेत्वन्तरमाह यस्मादिति । पुरुषसंबन्धिबलितं च यद्वस्तु तदतीवहृद्यं प्रतिभाति । तदाहसोऽलंकार इति । यदुक्तमनुद्भट इत्यादिना युद्धोद्धता इत्यादिना प्रयोगद्वैविध्यं तद्रूपकभेदेन विभजंस्तद्रूपके सप्रयोग उचित इति दर्शयति नाटकमित्यादिना । शौर्यवीर्यसमन्विता इत्यनेन श्लोकसप्तकेन प्रायः प्रकृतिः स्त्रीणां गेयं नृणां तु पाठ्यविधिरित्युक्तम् । तत्रायत्नसिद्धेऽर्थे को नाट्याचार्यप्रवर्तितस्य गुणनिकाभ्यासव्यापार इत्याशंक्याह—संगीतपरिक्लेश इति । मधुरत्वं स्वाभाविक

एतानि पञ्च यो वेत्ति स आचार्यः प्रकीर्तितः ।
ऊहापोहौ मतिश्चैव स्मृतिर्मेधा तथैव च ॥३६॥
मेधास्मृतिर्गुणश्लाघारागः संघर्ष एव च ।
उत्साहश्च षडेवैतान् शिष्यस्यापि गुणान् विदुः ॥३७॥
एवं कार्यं प्रयोगज्ञैर्नानाभूमिविकल्पनम् ।
अत ऊर्ध्वं प्रवक्ष्यामि सिद्धीनामपि लक्षणम् ॥३८॥

इति भरतीये नाट्यशास्त्रे विकृतिविकल्पो
नाम षड्विंशोऽध्यायः ॥

कर्कशत्वं सविघ्नत्वं कलाभ्यासकृतः । अथ नाट्याभ्यासप्रोत्साहनार्थमाह **प्रमदाः नाट्यविलासैरिति ।**

न स्वयं भूमिकान्यासो बुधैः कार्यस्तु नाटके इत्युक्तम् । तत्र नाट्याचार्यः किं वुद्धचते येन बुधा इति संशये स इत्याह गीतं नृत्तमित्यादि । स्वरज्ञोऽग्रहारक्रियापि चतुर्विधातोद्यकुशलस्तालज्ञः लोकोपकारविच्चेत्यर्थः । प्रस्तारोऽत्र तालः । गमने क्रियाङ्कस्य कीदृशी गतिरित्यनेनोपचारकौशलं तद्वक्ष्यते । एतैर्विना नाट्याचार्यनामापि न लभत इत्यर्थः । ऊहादयस्तत्पृष्ठे भवन्तस्तदुत्कृष्टं कुर्वन्तीति ते गुणा इति विभागेनोक्ता । ऊहोऽनुक्तस्य कल्पनमपोहो अनुक्तस्य अनुसरणमिति पूर्वोन्मेषरूपा प्रतिभा स्मृतिरुपदिष्टस्याविस्फुरणं मेधाः उपदिष्टस्य झटिति ग्रहणं शिष्यनिष्पादनं शिष्याशयौचित्यान्नोपदेश्यत्वं गुणप्रख्यानोद्यमः प्रगल्भते इत्यर्थः । राग इति । प्रयोजनानभिसन्धिना तत्र कलायाश्चासंघर्षाभ्यधिकं प्रतिपत्तिः स्पर्धा । एतदुपसंहरन्नध्यायान्तरमासूत्रयति **एवमिति** । अत ऊर्ध्वमिति चेति । सिद्धेर्द्वैविध्येऽप्यवान्तरभेदेन वहुत्वमिति सिद्धीनामित्युक्तमिति शिवम् ॥

प्रकृतिविकल्पाध्याये विषमपदालोचनं समारचितम् ।
अभिनवगुप्तेन मया विषमविलोचनपदाब्जभृङ्गेण ॥

इति श्रीमहामाहेश्वराचार्याभिनवगुप्तेन विरचितायां भारतीयनाट्यवेदवृत्तावभिनवभारत्यां प्रकृतिविकल्पाध्यायः षड्विंशः ॥

श्री:

नाट्यशास्त्रम्

सप्तविंशोऽध्याय:

— ० —

सिद्धीनां तु प्रवक्ष्यामि लक्षणं नाटकाश्रयम् ।
यस्मात्प्रयोग: सर्वोऽयं [1]सिद्ध्यर्थं संप्रदर्शित: ।।१।।
सिद्धिस्तु द्विविधा ज्ञेया[2] वाङ्मनोंगसमुद्भवा ।
[3]दैवी च मानुषी चैव नानाभावसमुत्थिता ।।२।।

अभिनवभारती—सप्तविंशोऽध्याय:

सत्त्वमित्यमलरङ्गमण्डले दैवमानुषविभेदभेदिता ।
सिद्धिमानयति य: स्वविद्यया तं नमामि गिरिजार्धधारिणम् ।।

इह यो यथाभिनये यस्मिन् योक्तव्य: सिद्धिमिच्छतेति सर्वमभिनयानां तावत्सिद्धिपर्यन्तमुक्तम् । अभिनयप्रक्रमेणैवोपाङ्गाभिनयाध्याये सप्तमे । तथाभिनयसमानीकरणात्मकमेलनिका संपादनात्मकस्सामान्याभिनयस्यापि सिद्धिफलत्वमेव दर्शितम् । चित्राभिनयाध्यायान्ते "एवमेते ह्यभिनया वाङ्नैपथ्याङ्गसंभवा: । प्रयोगज्ञेन कर्त्तव्या नाटके सिद्धिमिच्छतेति" श्लोकेन तत एव रसा भावा इत्यत्र सिद्धिरुद्दिष्टा तत्र केयं सिद्धिर्नामेति भवितव्यमधुना जिज्ञासया तदभिप्रायेणानन्तरवृत्तावध्यायपर्यन्ते दर्शित: ।।

---

1. KSS. सिद्ध्यर्थे संप्रतिष्ठित: ।
2. KSS., वाक्सत्त्व । NS. मानुषी दैविका तथा ।
3. NS. वाङ्मन:कायसंभूता नानाभावरसाश्रया ।

दशांगा मानुषी सिद्धिर्दैवी तु द्विविधा स्मृता[1] ।
नानासत्त्वाश्रयकृता वाङ्नैपथ्यशरीरजा[2] ॥३॥
स्मितापहासिनी हासा साध्वहो कष्टमेव च ।
[3]प्रबद्धनादा च तथा सिद्धिर्ज्ञेयाथ वाङ्मयी ॥४॥
पुलकैश्च सरोमाञ्चैरभ्युत्थानैस्तथैव च ।
चेलदानांगुलिक्षेपैः शारीरी सिद्धिरिष्यते ॥५॥
[4]किञ्चिच्छिष्टो रसो हास्यो नृत्यद्भिर्यत्र[5] युज्यते ।
स्मितेन [6]स प्रतिग्राह्यः प्रेक्षकैर्नित्यमेव च ॥६॥
किञ्चिदस्पष्टहास्यं यत्तथा वचनमेव च ।
[7]अर्थहास्येन तद्ग्राह्यं प्रेक्षकैर्नित्यमेव हि ॥७॥

अत ऊर्ध्वं प्रवक्ष्यामि सिद्धीनामपि लक्षणम् ॥ इति । तत्र सिद्धिर्नामासाध्यप्रयोजनसंपत्तिः । सा च नटानां सामाजिकानां च । तत्र कतरा वक्तव्येत्याशंक्याह—

सिद्धीनां तु प्रवक्ष्यामि लक्षणं नाटकाश्रयमिति ।

तुर्व्यतिरेके । यद्यपि सामाजिकाश्रयं नाटकाश्रयं च सिद्धीनां लक्षणं वक्तव्यं तथापि नटाश्रयमेव वक्ष्यामि । नेतरदिति । नाटकोऽत्र नटः नटतीति अपि हि व्युत्पत्तिः । कस्मात्पुनरितरं नोच्यत इत्याशङ्क्याह—

1. KSS. दैविकी द्विविधाश्रया ।
2. KSS., NS. शारीरी वाङ्मयी तथा ।
3. NS. स्मितार्धहासा विज्ञेया । KSS., प्रवृद्धनादा च तथा ज्ञेया सिद्धिस्तु वाङ्मयी । NS. प्रवृद्धनादावक्रुष्टा सिद्धिर्ज्ञेया च ।
4. KSS. किंचित् श्लिष्टो ।
5. KSS. यः ।
6. KSS., सुपरिग्राह्यः । NS. संप्रतिग्राह्यः ।
7. NS. अर्धहास्येन ।

विदूषकोच्छेदकृतं भवेच्छिल्पकृतं च यत् ।
अतिहास्येन तद्ग्राह्यं प्रेक्षकैर्नित्यमेव तु ॥८॥
[1]अहोकारस्तथा कार्यो नृणां प्रकृतिसंभवः ।
[2]यद्धर्मपदसंयुक्तं तथातिशयसंभवम् ॥९॥
तत्र साध्विति यद्वाक्यं प्रयोक्तव्यं हि साधकैः ।
विस्मयाविष्टभावेषु[3] प्रहर्षार्थेषु चैव हि ॥१०॥
[4]करुणेऽपि प्रयोक्तव्यं कष्टं शास्त्रकृतेन तु ।
[5]प्रबद्धनादा च तथा विस्मयार्थेषु नित्यशः ॥११॥
साधिक्षेपेषु वाक्येषु प्रस्पन्दिततनूरुहैः ।
[6]कुतूहलोत्तरावेधैर्बहुमानेन साधयेत् ॥१२॥

यस्मात्प्रयोगः सर्वोऽयं सिद्धयर्थः संप्रदर्शितः ॥ इति ।

सामाजिकानां सिद्धयर्थो यः प्रयोगः स इति विशेषणभागे विश्रान्तिः । दण्डीप्रेषादस्याह लोहितोष्णीषाः प्रचरन्तीति । यथा विधिविवक्तेः तेनायमर्थः । यथा सिद्धर्या प्रयोगः सप्रयोजनः सामाजिकगतया तदुद्देशेनैव नाट्योत्पत्तौ न वेदव्यवहारोऽयं संश्राव्यः शूद्रजातिष्वित्यादेशेषु प्रयोगदर्शित्वात् सा सिद्धिः पूर्वं दर्शितैव । तदुपयोगनान्तरीयकतया क्व परा सिद्धिः । अनेनाध्यायेन दर्श्यते । एतदुक्तं भवति । सामाजिकानां तावदभिसंहितफलाप्तिलक्षणा सिद्धिः । व्रीह्या-

---

1. NS. अहंकारस्तदा ।
2. NS. यद्वर्गपदः ।
3. NS. यादिषु भावेषु KSS. येणु भावेषु शृङ्गाराद्भुतविक्रमैः ।
4. NS. करुणेषु KSS. करुणेति प्रयोक्तव्यं सास्त्रं कष्टेति चैव हि ।
5. NS. प्रवृद्धनादः कर्त्तव्यो विस्मयोत्थो हि सर्वदा ।
6. कुतूहलान्तावेद्यं ।

दीप्तप्रदेशं [1]यत्कार्यं छेद्यभेद्याहवात्मकम् ।
[2]सविद्रवमथोत्फुल्लं तथा युद्धनियुद्धजम् ॥१३॥
[3]प्रकम्पितांसशीर्षं च साश्रं सोत्थानमेव च ।
[4]तत्प्रेक्षकैस्तु कुशलैस्साध्यमेवं विधानतः ॥१४॥
एवं साधयितव्यैषा तज्ज्ञैः सिद्धिरतु मानुषी ।
[5]दैविकीं च [6]पुनः सिद्धिं संप्रवक्ष्यामि तत्त्वतः ॥१५॥
[7]या भावातिशयोपेता [8]सत्त्वयुक्ता तथैव च ।
[9]सा प्रेक्षकैस्तु कर्तव्या दैवी सिद्धिः प्रयोगतः ॥१६॥
न शब्दो यत्र न क्षोभो न चोत्पातनिदर्शनम् ।
सम्पूर्णता च रङ्गस्य [10]दैवी सिद्धिस्तु सा स्मृता ॥१७॥

त्मिका व्रीह्यादिष्वधिगच्छन्तीत्यादौ तत्र स्थाने निरूपितपूर्वैव । सा च मानुषेण सामाजिकेनाभिसंहितत्वात्मानुषीत्युच्यते । तत्रापि तया न संहितोऽसौ यथा निर्विषयस्वकपरमानन्दाविर्भावस्वरूपापत्तिवर्गब्रह्मचारिणी गीतादेर्विषयस्य नाट्यान्तरुपरञ्जकतया निमग्नस्य विषयसमत्वान्नटादेः निह्नुतत्वाद्ग्रामादेस्तुच्छत्वाद्देशकालनिर्यन्त्रणतया एव विषयत्वापादनात्तस्याश्चात्र असंभवस्योपादानात् सोऽप्ययं सिद्ध्यंशो दैवशान्त्याः समस्तरसप्रकृतितां—

1. KSS. काव्यं यद ।
2. KSS. सविद्रवमथोत्पातं तथा लघुनियुद्धजम् ।
3. KSS., सकंपितांसकशिरः सास्त्रं सोच्छ्वासमेव च । NS. प्रकम्पितात्समरसं साश्रमोत्थानमेव च ।
4. KSS. तत्प्रेक्षकैः सकुशलैः ।
5. NS. देवीमपि तथा ।
6. KSS. तथा सिद्धिं कीर्त्यमानां निबोधत ।
7. KSS. सा सत्वातिशया ज्ञेया भावयुक्ता तथैव च ।
8. NS. सत्ययुक्ता ।
9. KSS. नाट्ये संप्रेक्षकैर्ज्ञेया नित्यं सिद्धिस्तु दैविकी ।
10. KSS. NS. सा सिद्धिर्दैविकी स्मृता ।

[1]दैवी च मानुषी चैव सिद्धिरेषा मयोदिता ।
अत ऊर्ध्वं प्रवक्ष्यामि घातान्दैवसमुत्थितान् ॥१८॥
दैवात्मपरसमुत्था त्रिविधा घाता बुधैस्तु विज्ञेया[2] ।
औत्पातिकश्चतुर्थः कदाचिदथ संभवत्येषु ॥१९॥
वाताग्निवर्षकुञ्जरभुजङ्गमण्डपनिपाताः ।
कीटव्यालपिपीलिकपशु[4]प्रवेशनाश्च दैवकक्कृता ॥२०॥
[5][घातानतः परमहं परयुक्तान् संप्रवक्ष्यामि ।
वैवर्ण्यं चाचेष्टं विभ्रमितत्वं स्मृतिप्रमोहश्च ॥२१॥
अन्यवचनं च काव्यं तथांगदोषो विहस्तत्वम् ।
एते त्वात्मसमुत्था घाता ज्ञेया प्रयोगज्ञैः ॥२२॥]
मात्सर्याद्द्वेषाद्वा तत्पक्षत्वात्तथार्थभेदत्वात् ।

"स्वं स्वं निमित्तमासाद्य शान्तादुत्पद्यते रसः" इति बदतामुचित एव स्पष्टतयानुरोधो रहस्यार्थस्यान्यपरत्वाच्च शास्त्रस्य । तदुक्तं भट्टनायकेन—

प्रधाने सिद्धिभागेऽस्य प्रयोगाङ्गत्वमागताः ।
गेयादयस्तथैवैते त्रैधैनं (?) हृद्युपयोगिनः ॥
सोपानपदपङ्क्तद्या च सा च मोक्षस्पृशात्मिका ।
सा तु मोक्ता यतो गुह्यमपयोऽन्यपदे कथम् ॥
शास्त्रे प्रकटयेयुर्हि तालमानक्कते यथा ॥ इति ॥

---

1. KSS. एवं सिद्धिस्तु विज्ञेया प्रेक्षकैर्दिव्यमानुषी ।
2. KSS. घातका बुधैर्ज्ञेयाः ।
3. KSS. कदाचिदपि सम्भवत्येव । NS. कदाचित्कः स विज्ञेयः ।
4. KSS. पशुविशननानी दैविका घाताः । NS. पशुवेशनजास्तथैव ।
5. KSS. does not read.

एते तु परसमुत्था[1] ज्ञेया घाता बुधैर्नित्यम् ॥२३॥
[2]अतिहसितरुदितविस्फोटितान्यथोत्कृष्टनालिकापाताः ।
गोमयलोष्ट[3]पिपीलिकविक्षेपाश्चारिसंभूताः[4] ॥२४॥
औत्पातिकाश्च घाता मत्तोन्मत्तप्रवेशलिङ्गकृतः[5] ।
पुनरात्मसमुत्था ये घातांस्तांस्तान् प्रवक्ष्यामि[6] ॥२५॥
वैलक्षण्यमचेष्टितविभूमिकत्वं स्मृतिप्रमोषश्च[7] ।
अन्यवचनं च काव्यं तथार्तनादो विहस्तत्वम् ॥२६॥
[8]अतिहसितरुदितविस्वरपिपीलिकाकीटपशुविरावाश्च ।
[9]मुकुटाभरणनिपाता पुष्करजाः काव्यदोषाश्च ॥२७॥

यस्तु प्रस्फुटो दैवसिद्धयंशः पुरुषार्थव्युत्पत्तिलक्षणः सोऽपि "धर्मो धर्मप्रवृत्तानां कामं कामोपसेविना" मित्यादिना प्रदर्शित एवेति सामाजिकाश्रया सिद्धिर्न वक्तव्या । लक्षणतस्तदाह—**सम्यक् प्रकर्षेण प्रकटित** इति । नटस्य तु या सम्यक् प्रयोगनिष्पत्तिलक्षणा सिद्धिः मा प्रयोगसिद्धिरुपयोगिनी प्रयोगनिष्पत्या हि विना नाट्यतथैव नेति कुतः सा भवेत्प्रयोगनिष्पत्तिश्च सामान्याभिनयस्यैव सम्यक्तापत्तिः । परमार्थतस्तु परकीयप्रोत्साहनतारतम्योदितप्रकृतिभानप्रत्ययबलेन वा स्वतः प्रतिभानमाहात्म्येन वा तत्र पूर्वा मनुष्यनिष्पादितत्वान्मानुषीत्युच्यते । दृश्यतेऽपि प्रोत्साहनबलेना-

1. KSS., NS. एते परप्रयुक्ताः ।
2. KSS., अभिरटितविस्फोटितानि विक्रुष्टतालिकापाताः । NS. अररितवामतविस्फुरितानाथोकुष्टतालिकापाताः ।
3. KSS., NS. तृणोपलविक्षेपा ।
4. KSS. स्युः चात्मसम्भूताः ।
5. KSS. औत्पातिकास्तथा स्युः क्षितिकम्पोलकादिवातनिर्घाताः ।
6. NS. घाताः लक्ष्या बुधैश्चापि ।
7. KSS. प्रमोक्ष्याः स्युः ।
8. KSS. पुनरात्मसमुत्था ये घातास्तापाद्याः ।
9. NS., उभयचरणनिपातः पुष्करवाताततदोषाश्च । KSS. मुकुटाभरणप्रपतनपुष्करवाग्भीतदोषाश्च ।

अति[1]हसितरुदितहसितानि [2]सिद्धेर्भात्रस्य दूषकाणि स्युः।
कीटपिपीलिकपाता सिद्धिं सर्वात्मना घ्नन्ति ॥२८॥
विस्वरमजाततालं वर्णस्वरसंपदा च परिहीणम्।
अज्ञातस्थानलयं स्वरतगमेवंविधं हंन्यात्[3] ॥२९॥
मुकुटाभरणनिपातः प्रबद्धनादश्च नाशनो भवति।
[4]पशुविशसनं तथा स्याद्बहुवचनघ्नं प्रयोगेषु ॥३०॥
विषमं [5]मानविहीनं विमार्जनं [6]चाकुलप्रहारं च।
अविभक्तग्रहमोक्षं पुष्करगतमीदृशं हन्ति ॥३१॥
पुनरुक्तो ह्यसमासो विभक्तिभेदो विसन्धयोऽपार्थः।
त्रैलिंगजश्च दोषः प्रत्यक्षपरोक्षसंमोहाः ॥३२॥

प्रबोधो हनूमत एव सागरलंघने। तत्र प्रोत्साहनं वाचिकं। पञ्चधा सा त्वहो कण्ठमित्येकं स्थानं शारीरं पञ्चधेति दशधा। अन्ये तु विभागमाहुः। तथा हि प्रोत्साहनं वचसा वा सात्त्विकदर्शनेन वा शरीरव्यापारेण वा। वचनं सप्तधा। तद्यथा मध्यमारूपतत्प्ररोहात्मकं सामान्यवैखर्यात्मकं तत् प्ररोहात्मकं विशेषशब्दात्मकं वैखरीस्वभावम्। आवेशोचितविशेषवैखरीरूपं तत्प्रबन्धं विच्छेदं च। तदाह। स्मितंह्यन्तःसञ्जल्परूपा मध्यमां सूचयति। संविदो हि हासविकासानुपः सुन्दरस्पन्दो यदाहं वृत्रहणं स्मितेनेति। सात्त्विकं तु पुलकादिरूपमेकं चैव। शरीरविकारोऽपि द्विधा। अनभिसन्धिपूर्वक एव यथा झटिति ह्युत्थानः। अभिसन्धानकृतो वा यथा चेलादिप्रक्षेपं चेलाद्य-

---

1. NS. रटित।
2. KSS. सिद्धिवादप्रणामकरणानि।
3. NS. एवंविधन्यायात्।
4. KSS. विशसनमपि ज्ञेयं बाधाजननं प्रयोगस्य।
5. NS., KSS. मार्ग।
6. NS. वहुल KSS. कुलप्रकारं।

छन्दोवृत्तत्यागो गुरुलाघवसङ्करो यतेर्भेदः[1] ।
एतानि यथा स्थूलं घातस्थानानि काव्यस्य ॥३३॥
ज्ञेयौ तु काव्यजातौ[2] द्वौ घातावप्रतिक्रियौ नित्यम् ।
प्रकृतिव्यसनसमुत्थः शेषोदकनालिकत्वं च ॥३४॥
[3]अप्रतिभागं स्खलनं विस्वरमुच्चारणं च काव्यस्य ।
अस्थानभूषणत्वं पतनं मुकुटस्य विभ्रंशः[4] ॥३५॥
[5]वाजिस्यन्दनकुञ्जरखरोष्ट्रशिविकाविमानयानानाम् ।
[6]आरोहणावतरणेष्वनभिज्ञत्वं विहस्तत्वम् ॥३६॥
[7]प्रहरणकवचानामत्य[8]यथाग्रहणं विधारणं चापि ।
[9]अमुकुटभूषणयोगश्चिरप्रवेशोऽथवा रङ्गे ॥३७॥
एभिः स्थानविशेषैर्घाता लक्ष्यास्तु सूरिभिः कुशलैः ।
[10]यूपाग्निचयनदर्भस्त्रग्भाण्डपरिग्रहान्मुक्त्वा ।३८॥

भावे चोर्ध्वांगुलिकरणादिभिस्तेनेयं दशविधा मानुषी सिद्धिः तत्र तत्र प्रयोगौचित्यात्सभेदेन प्रवर्तते । यदाह हास्यं स्मितेनेत्यादि । स्वप्रतिभान-तारतम्यकृता तु सिद्धिर्द्विविधा। कदाचित्तु प्रतिभवन्त्यपि स्वप्नयोगादतीव

1. NS. उत्पातभेदाः ।
2. KSS. युक्तौ ।
3. KSS. अप्रतिभासस्खलितं ।
4. KSS. मुकुटनिपातश्च भूषणग्रहणम् ।
5. NS., व्याप्तिस्पन्दन KSS. भ्रंशं रथनागवाजिकुञ्जर ।
6. KSS. आरोहणवितरणेष्वनभिज्ञातया ।
7. NS. प्रहरणमनेकवचनानम्यग्रहणं ।
8. KSS. यथावद्ग्रहणसाधनं वापि ।
9. NS., अस्फुट·········वाचाङ्गे । KSS. अमुकुट······या रंगे तु-चिरप्रयोगो वा ।
10. NS., रूपाग्निवचनदर्भा KSS, यूपानि चयनदर्भ······।

[1]सिध्द्या मिश्रो घ्रातस्सर्वगतश्चैकदेशजो वापि ।
[2]नाट्यकुशलैः सलेख्या सिद्धिर्वा स्याद्विघातो वा ॥३९॥
[3]नालेख्यो बहुदिनजः सर्वगतोऽव्यक्तलक्षणविशेषः ।
[4]यस्त्वैकदिवसजातस्स प्रत्यवरोऽपि लेख्यस्स्यात् ॥४०॥
[5]जर्जरमोक्षस्यान्ते सिद्धेर्मोक्षस्तु नालिकायास्तु ।
कर्तव्यस्त्विह सततं [6]नाट्यज्ञैः प्राश्निकैर्विधिना ॥४१॥
[7][दैन्ये दीनत्वमायान्ति ते नाट्ये प्रेक्षकाः स्मृताः ।
ये तुष्टौ तुष्टिमायान्ति शोके शोकं ब्रजन्ति च] ॥४२॥

मन्दीभवति । तत्संभाव्यमानमध्यात्मिकाधिदैविकानां शरीरादिगता व्याधिरूपप्रक्षोभबाह्यभूतजनितकलकलशब्दादिभूकम्पवातवर्षादीनां विघ्नानां दैवपरपर्यायादृष्टकृतादृष्टप्रेरितं न पुरुषव्यापारोपनतादपसारणाद्वा भवति । यत्रेदमाह—**न शब्दो यत्र न क्षोभ** इत्यादि । मूलत एव विघ्नानामसंभवाद्वा यदाशयेनाह—**यो भावातिशयोपेतेति** ।

तदेतदाहुर्यन्मुनिराह सिद्धिस्तु द्विविधा ज्ञेयेति । अत एवास्या रसः प्रत्यङ्गत्वान्नाट्याङ्गमध्ये रसा वा इत्यत्र गुणाङ्गयुक्तं सामाजिकाश्रिता तु फलमाहुः ।

यत्तु भट्टनायकेनोक्तं "सिद्धेरपि नटादेरङ्गत्वं व्रजन्त्यास्तत्पक्षेऽयमिति" तेन नाट्याङ्गता समर्थितफलञ्च पुरुषार्थत्वादिति केवलं जैमिनिरनुसृत

---

1. KSS. सिद्धैर्मिश्रो घातः सर्वगतश्चैकदेशोऽपि ।
2. KSS., नाट्यकुशलेन लेख्या नैव हि सिद्धिर्न घातस्य । NS. सिद्धिकुशलैः स लेख्यः सिद्धिर्वास्या विधानो वा ।
3. KSS., सिद्धिर्वा घातो वा सर्वगतो व्यक्तलक्षणो बहुशः । NS. नालेख्या वहुदिनतः सर्वगतो यस्तु लक्षणनिशेषः ।
4. KSS., NS. यस्त्वेकदेशजातं न प्रत्यवरोहि लेख्यस्तु ।
5. KSS. जर्जरमोक्षस्यान्तर्नालीकसिद्धिश्च लेख्यसिद्धिश्च ।
6. KSS. नाट्येऽस्मिन् प्राश्निकैः सम्यक् ।
7. KSS., NS. read this after the verse 54.

योऽन्यस्य [1]महे मूर्धो नांदीश्लोकं पठेद्धि देवस्य[2] ।
[3]स्ववशेन पूर्वरङ्गे सिद्धेर्घातः प्रयोगस्य[4] ॥४३॥
[5]यो देशभावरहितं भाषाकाव्यं प्रयोजयेदबुद्ध्या ।
[6]तस्याप्यभिलेख्यः स्याद्[7]घातो देशः प्रयोगज्ञैः ॥४४॥
कः शक्तो नाट्यविधौ यथावदु[8]पपादनं प्रयोगस्य ।
[9]कर्तुं व्यग्रमना वा यथावदुक्तं परिज्ञातम्[10] ॥४५॥
तस्माद्गम्भीरार्थाः शब्दा ये लोकवेदसंसिद्धाः[11] ।
सर्वजनेन ग्राह्यास्ते योज्या नाटके विधिवत् ॥४६॥

इत्यलमनेन । वाङ्मनोऽगसमुद्भवेति सर्वाभिनयैकीकारसंपत्तिरपीत्यर्थः मनोरूपत्वात् ।

अन्ये तु वाङ्मनोंगसमुद्भवा दशाङ्गा मानुषीति संबन्धयन्ति । तदन्येऽप्यभिनयविषयैवेति दर्शितं नानासत्त्वाश्रयकृता वाङ्मय्यथशरीरजेति । विदूषकच्छेदकृतमिति । च्छेदोऽत्र वचनभङ्गी प्रकम्पितस्कन्धना···श्रयोन्छाटनं च कृत्वा तत्साध्यं प्रोत्साहने बृंहितव्यमिति संबन्धः । अथानेन साभ्युत्थानै-

---

1. NS. महेशमूढो ।
2. KSS. मूढस्य ।
3. NS., स्ववसन······प्रयोक्तव्यः । KSS. दैवस्य पूर्वरङ्गो घातस्तस्या विलेख्यः स्यात् ।
4. इतोऽग्रे KSS. पुस्तके 'योऽन्यस्य' इत्यादिश्लोकद्वयमधिकं वर्तते ।
5. NS., योदेशवेषभाषारहितं काव्यं प्रयोजयेद्दुष्टम् । KSS. यो देशवेशभाषाव्यपेतमपि च प्रयोजयेत्काव्यम् ।
6. KSS. तस्यापि विलेख्यः ।
7. KSS., घातोदेशविधौ तज्ज्ञैः । NS. घातस्तज्ज्ञैरदोषज :।
8. KSS. उपपादने प्रयोगे च ।
9. KSS., धृष्टो । NS. कर्त्तव्यं वाग्रसना ।
10. KSS., NS. परिज्ञातुम् ।
11. NS. ये वेदलोकसंसिद्धाः ।

नच किञ्चिद्गुणहीनं दोषैः [1]परिवर्जितं न चाकिंचित् ।
तस्मान्नाट्यप्रकृतौ दोषा नाट्यार्थतो ग्राह्याः ॥४७॥
[2]न च नादरस्तु कार्यो नटेन [3]वागङ्गसत्त्वनेपथ्ये ।
[4]रसभावयोश्च गीतेष्वातोद्ये लोकयुक्त्यां च ॥४८॥
एवमेतत्तु विज्ञेयं सिद्धीनां लक्षण बुधैः ।
अत ऊर्ध्वं प्रवक्ष्यामि [5]प्राश्निकानां तु लक्षणम् ॥४९॥
[6]चारित्राभिजनोपेताः [7]शान्तवृत्ताः कृतश्रमाः ।
यशोधर्मपराश्चैव मध्यस्थवयसान्विताः ॥५०॥
षडङ्गनाट्यकुशलाः [8]प्रबुद्धाः शुचयः समाः ।
चतुरातोद्यकुशला [9]वृत्तज्ञास्तत्त्वदर्शिनः ॥५१॥
देशभाषाविधानज्ञाः कलाशिल्पप्रयोजकाः[10] ।
[11]चतुर्धाभिनयोपेता रसभावविकल्पकाः ॥५२॥

रिति नवमो भेदो व्याख्यात: । प्रकम्पितं सशीर्षमित्यनेन वचनाङ्गुलि क्षेपात् दशमोऽपि भवेदस्पृष्टो मन्तव्य: । सास्रमिति वदन्नेवं सूचयन्ति ।

---

1. NS. पाठैरवर्जितं ।
2. KSS. नानादरस्तु ।
3. KSS. गौणवागङ्गनेपथ्यैः ।
4. KSS., रसभावनृत्तगीतैरातोद्यैर्लोकयुक्त्या तु । NS. रसभाव-गीतनृत्ये·······।
5. KSS. प्रेक्षणानां तु ।
6. NS. चारित्र्याभिनयोपेता ।
7. NS., श्रान्तवृत्तश्रुतान्विता KSS. शान्तिवृत्त······।
8. NS. अलुब्धाः ।
9. KSS. नेपथ्यज्ञाः सुधार्मिका ।
10. KSS. विचक्षणाः ।
11. KSS., चतुराभिनयज्ञाश्च सूक्ष्मज्ञा रसभावयोः । NS. चतुर्धा-भिनयज्ञाः·········।

शब्दच्छन्दोविधानज्ञा नानाशास्त्रविचक्षणाः ।
एवं विधास्तु कर्तव्याः [1]प्राश्निका दशरूपके ॥५३॥
अव्यग्रैरिन्द्रियैः शुद्ध ऊहापोहविशारदः ।
त्यक्तदोषोऽनुरागी च स नाट्ये प्रेक्षकः स्मृतः ॥५४॥
[2]न चैवैते गुणाः सम्यक् सर्वस्मिन् प्रेक्षके स्मृताः ।
विज्ञेयस्याप्रमेयत्वात्संकीर्णानां च पर्षदि ॥५५॥
[3]यद्यस्य शिल्पं नेपथ्यं कर्मचेष्टितमेव वा ।
तत्तथा तेन कार्यं तु स्वकर्मविषयं प्रति ॥५६॥
नानाशीलाः प्रकृतयः शीले नाट्यं विनिर्मितम् ।
उत्तमाधममध्यानां वृद्धबालिशयोषिताम् ॥५७॥
तुष्यन्ति तरुणाः कामे विदग्धाः समयान्विते ।
अर्थेष्वर्थपराश्चैव मोक्षे चाथ विरागिणः ॥५८॥
शूरास्तु वीररौद्रेषु नियुद्धेष्वाहवेषु च ।
धर्माख्याने पुराणेषु वृद्धास्तुष्यन्ति नित्यशः ॥५९॥
न शक्यमधमैर्ज्ञातुमुत्तमानां विचेष्टितम् ।
तत्त्वभावेषु सर्वेषु तुष्यन्ति सततं बुधाः ॥६०॥

यद्यपि भेदान्तरमप्यत्रानुप्रविष्टं तथापि बाहुल्यादभ्युत्थानेन व्यपदेश इति। एवं भेदात्क्रियते। द्वेषः सहजैवाप्रीतिर्मात्सर्यं तु कार्यार्थमेकद्रव्याभिलाषात् । पिपीलिकानिक्षेपः सुकुमारप्रकृतेः स्त्रीपात्रप्रायस्य त्रासनोत्पानेन सिद्धिविघातः "औत्पातिकाश्च घाताः पशुवेगोन्मत्तलिङ्गकृता इति । अशंकितं

---

1. KSS. प्रेक्षकाः नाट्यदर्शने ।
2. NS., नवैवेते गुणाः सर्वे एकस्मिन् । KSS. न चैते गुणा सर्वं एकस्मिन् ।
3. इतोऽग्रे षष्ठश्लोकेषु पाठक्रमः पाठभेदश्च सर्वथा भिद्यते ।

बाला मूर्खाः स्त्रियश्चैव हास्यनैपथ्ययोः सदा ।
यस्तुष्टो तुष्टिमायाति शोके शोकमुपैति च ॥६१॥
क्रुद्धः क्रोधे भये भीतः स श्रेष्ठः प्रेक्षकः स्मृतः ।
एवं भावानुकरणे[1] यो यस्मिन् प्रविशेन्नरः ॥६२॥
[2]स तत्र प्रेक्षको ज्ञेयो गुणैरेभिरलंकृतः ।
एवं हि प्रेक्षका ज्ञेयाः प्रयोगे दशरूपतः[3] ॥६३॥
संघर्षे तु समुत्पन्ने प्राश्निकान् संनिबोधत ।
यज्ञविन्नर्तकश्चैव छन्दोविच्छब्दवित्तथा ॥६४॥
[4]अस्त्रविच्चित्रकृद्वेश्या गान्धर्वो राजसेवकः ।
[5]यज्ञविद्यज्ञयोगे तु नर्तकोऽभिनये स्मृतः ॥६५॥
छन्दोविद्वृत्तबन्धेषु शब्दवित्पाठ्यविस्तरे ।
[6]इष्वस्त्रवित्सौष्ठवे तु नेपथ्ये चैव चित्रकृत् ॥६६॥
कामोपचारे वेश्या च गान्धर्वः स्वरकर्मणि[7] ।
सेवकस्तूपचारे स्यादेते वै प्राश्निकाः स्मृताः ॥६७॥

पशोः सिंहादेर्वेषं कृत्वा सुकुमारं प्रयोक्तारं भीषयति सामाजिकं वा । एवं मात्सर्यादुन्मत्तलिङ्गमपि कश्चित्करोति हासानयनेन प्रकृतप्रयोगविप्रसंवादनायेति **वैलक्षण्ये** लक्षणविस्मरणमन्यभूमिकोचितसत्त्वस्वीकारोऽपि विभूमिकस्तूष्णीकता । अन्येन पठनीयमन्यः पठतीत्य**न्यवचनं** काव्यमिति बहुव्रीहिः (२२) । **आर्तनाद** इति । इतः प्रभृति परद्वेषप्रयुक्ताः सिद्धिविघाताः । आर्तत्वं हि छद्मना प्रदर्श्य नादं सिद्धिविघातकं करोति । एवं व्याधिदर्शनेन **मकुटाभरण-**

---

1. KSS. करणैः ।
2. KSS. प्रेक्षकस्तु स मन्तव्यो ।
3. KSS. नाट्यसंश्रये ।
4. KSS. इष्वस्यचित्रविद्वेश्या ।
5. NS. does not read. यज्ञविद्·········शुद्धभावैश्च ।
6. KSS. पुस्तके पद्यार्धस्थाने 'विभूतिगुणा' इत्यादि श्लोकद्वयमधिकम् ।
7. KSS. गान्धर्वस्वरतालयोः ।

[1]एभिर्दृष्टान्तसंयुक्तैर्दोषा वाच्यास्तथा गुणाः ।
[2]अशास्त्रज्ञा विवादेषु यथा प्रकृतिकर्मतः ॥६८॥
अथैते प्राश्निका ज्ञेयाः कथिता ये मयानघाः ।
[3]शास्त्रज्ञानाद्यदा तु स्यात्संघर्षः शास्त्रसंश्रयः ॥६९॥
शास्त्रप्रमाणनिर्माणैर्व्यवहारो भवेत्तदा ।
[4]भर्तृनियोगादन्योऽन्यविग्रहात्स्पर्धयापि भरतानाम् ॥७०॥
अर्थपताका हेतोस्संघर्षो नाम संभवति ।
[5]तेषां कार्यं व्यवहारदर्शनं पक्षपातविरहेण ॥७१॥
कृत्वा पणं पताकां व्यवहारः स भवितव्यस्तु[7] ।
[8]सर्वैरनन्यमतिभिः सुखोपविष्टैश्च शुद्धभावैश्च ॥७२॥
यैर्लेखकगभकसहायास्सह सिद्धिभिर्घाताः ।
नात्यासन्नैर्नदूरसंस्थितैः प्रेक्षकैस्तु भवितव्यम् ॥७३॥
तेषामासनयोगो द्वादशहस्तस्थितः कार्यः ।
यानि विहितानि पूर्वं सिद्धिस्थानानि तानि लक्ष्याणि ॥७४॥

निपात इति (२७) नेपथ्यभ्रंशः । अन्यः पुष्करावाहितदोषा इत्यनेनेदमाह न केवलमभिनयानामेव समानीकरणं सामान्याभिनयानां यावदातोद्यगीतयोरप्यन्योन्यमभिनयैश्च समं मीलनं सोऽपि सामान्याभिनयः । अन्यदिति । गीतादि । तच्चाभिनयाश्चेति द्वन्द्वः । समशब्देन कर्मधारयः तत्र भवः प्रयोग इति ।

---

1. KSS. एभिधर्ममभिप्रेक्ष्य ।
2. KSS. अशास्त्रज्ञे विवादो हि यदा भवति कर्मतः ।
3. KSS. शास्त्रज्ञाने ।
4. KSS. निर्माणो ।
5. KSS. स्वाभि (मि ?)·········।
6. KSS. तेषां व्यवहारगतावपक्षपातेन दर्शनं कार्यम् ।
7. KSS. सव्यवहारं गमयितव्यम् ।
8. KSS. तैः सम्भावितमतिभिः ।

***घाताश्च लक्षणीयाः प्रयोगतो नाट्ययोगे तु[1] ।**
[2]दैवाद्धातसमुत्थाः परोत्थिता वा बुधैर्नवैर्लेख्याः ॥७५॥
घाता नाट्यसमुत्था ह्यात्मसमुत्थास्तु लेख्याः स्युः ।
घाता यस्य त्वल्पाः संख्याताः सिद्धयश्च बहुलाः स्युः ॥७६॥
विदितं कृत्वा राज्ञस्तस्मै देया पताका हि ।
सिध्यतिशयात्पताका समसिद्धौ पार्थिवाज्ञया देया ॥७७॥
अथ नरपतिः समः स्यादुभयोरपि सा तदा देया[3] ।
एवं विधिज्ञैर्यष्टव्यो व्यवहारः समञ्जसाम् ॥७८॥
स्वस्थचित्तसुखासीनैः सुविशिष्टैर्गुणार्थिभिः ।
विमृश्य प्रेक्षकैर्ग्राह्यं सर्वरागपराङ्मुखैः ॥७९॥
साधनं दूषणाभासः प्रयोगसमयाश्रितैः ।
समत्वमङ्गमाधुर्यं पाठ्यं प्रकृतयो रसाः ॥८०॥

नन्वञ्जितादिभिः को दोषो जायते इत्याह । भावस्य प्रयोगस्यानुभावादि-रूपस्य दूषणानि तेषु सत्सु तदवस्थावचनात् तत्र सर्वात्मने रसादिदोषाः । प्रथमेऽध्यायेऽत्राह—

त्रासं सञ्जनयन्ति स्म शेषा विघ्नास्तु नृत्यताम् ।

इति तत्र स एव सिद्धिविघाते प्रधानतमत्वेनोक्तः । **विस्वरमजाततालमित्येव** स्पष्टीकृतं **वर्णे**त्यादिना । एतत्स्वरूपं च वितत्य गेयाधिकारे निरूपयिष्याम इतीह नोक्तम् । एवं विधं **स्वरगतं** कर्तृ हन्याद्विहन्ति **प्रयोगं** नाशयन्तीत्यर्थः । एवं पुष्करगतं कर्तृ नियोन्यं विधिप्रयोगं हन्तीत्यकाव्यकृतघातस्य स्थानानिः निमित्तानीत्यर्थः । **काव्यजात**मिति सप्तमी । **प्रकृतिव्यसनेति** । प्रकृतकृतमनौ-चित्यमिति यावत् ।

---

1. NS. वेदेषु ।
2. NS. दैवोत्पातसमुत्थास्तथा परोत्था ।
3. NS. ज्ञेया ।

* अतः परं श्लोकसप्तसु काशीमुद्रित पुस्तके सर्वथैव पाठो भिद्यते अतएवात्र पाठान्तरं तस्मान्न प्रदर्शितः ।

वाद्यं गानं सनेपथ्यमेतज्ज्ञेयं प्रयत्नतः ।
गीतवादित्रतालेन कलान्तरकलासु च ॥८१॥
यदङ्गं क्रियते नाट्यं समन्तात् सममुच्यते ।
अङ्गोपाङ्गसमायुक्तं[1] गीततालयान्वितम् ॥८२॥
[2]गानवाद्यसमत्वं च तद्बुधैः सममुच्यते ।
सनिर्भुग्नमुरः कृत्वा [3]चतुरश्रकृतौ करौ ॥८३॥
ग्रीवाञ्चिता तथा कार्या त्वङ्गमाधुर्यमेव च ।
पूर्वोक्तानीह शेषाणि यानि [4]द्रव्याणि साधकैः ॥८४॥
[5]वाद्यादीनां पुनर्विप्रा लक्षणं सन्निबोधत ।
[6]वाद्यप्रभृतयो गानं वाद्यमाणानि निर्दिशेत् ॥८५॥
यानि स्थानानि सिद्धीनां तैः सिद्धिं तु प्रकाशयेत् ।
हर्षादङ्गसमुद्भूतां नानारससमुत्थिताम् ॥८६॥

तदुक्तम्—

अनौचित्यावृते नान्यद्रसभङ्गस्य कारणम् ॥ इति ।

शेषोदकनालिकया काल उपलक्ष्यते । तस्य शेषत्वमन्यकालव्याप्तियोग्यता तेन यत्र काले यदनुचितं तत्र तन्निबन्धनं । यथा प्रभाते सङ्गीतकदर्शनादि राज्ञः । चकारादेशादौचित्यमपि । तेन देशकालस्वभावकृतं यदनौचित्यं कार्यं तत्सर्वमेव सिद्धिविघातकमिति । **उत्तमव्यतिक्रियामीति** । **स्थानविशेषैरिति** । स्थानविशेषैरिति निमित्तैरित्यर्थः । **यूपाग्निपावनेति** । तच्छिद्रात् नटो दुर्लभश्च तत्र यथात्वं सर्वजनेन सुज्ञातं न च लोकवृत्तोपयोगिनीति भावः । **सर्वगत** इति । सर्वत्र प्रयोग एकदेशज इत्यंशे बहुदिनजा······वरुद्धत्यसौ सिद्धिविघातकः । **अव्यक्त** इति । प्रयोगान्तेऽस्य प्रयोगान्तरेण संबन्धो रङ्गे कार्य इत्यर्थः ।

---

1. NS. समायोगं ।
2. KSS., NS. भाण्डवाद्यं समं चैव यस्मिस्तत्सममुच्यते ।
3. KSS. चतुरश्रयितौ भुजौ ।
4. KSS. साध्यानि NS. प्रेक्ष्याणि ।
5. KSS. NS. do not read.
6. NS. वाद्यं प्रकृतयो गानं वक्ष्यमाणं विनिर्दिशेत् (KSS. वाद्यप्रकृतयोऽङ्गानां) :

[1]वारकालास्तु विज्ञेया नाट्यज्ञैर्विविधाश्रयाः ।
दिवसश्चैव रात्रिश्च [2]तयोर्वारान् निबोधत ॥८७॥
[3][पूर्वाह्णस्त्वथ मध्याह्नस्त्वपराह्णस्तथैव च ।
दिवा समुत्था विज्ञेया नाट्यवाराः प्रयोगतः] ॥८८॥
[4]प्रादोषिकार्धरात्रिश्च तथा प्राभातिकोऽपरः ।
नाट्यवारा भवन्त्येते रात्रावित्यनुपूर्वशः[5] ॥८९॥
एतेषां [6]यत्र यद्योज्यं नाट्यकार्यं रसाश्रयम् ।
तदहं संप्रवक्ष्यामि वारकालसमाश्रयम्[7] ॥९०॥

एकदिवसजात इति । एकप्रयोगो लक्षणं प्रत्यपर इत्यन्वेति । **जर्जरमोज्ञस्यान्त** इति पूर्वरङ्गप्रयोगोऽपि परीक्ष्य इति दर्शयति । नाट्यविधौ यथावदुक्तं ज्ञातुं प्रयोगस्य चोपपादनं कर्तुमशक्तोऽपि व्यग्रमनस्कत्वात् देशवेषाद्यनौचित्येन यो यं प्रयोगं कुर्यात्तस्य सर्वस्य घाताः । नन्वज्ञस्यैवेत्यार्याद्वयस्य योजना दोषप्रत्यर्थं **न ग्नाह्य** इत्युक्ते प्रयोक्तुरवलेपोऽवतरेदित्याशयेनाह **न च नादस्त्विवति । तज्ज्ञै**-रित्युक्तम् । तान् वशीकर्तुमाह **अतः उर्ध्वं प्रवक्ष्यामि प्राश्निकानां** त्विति । प्रश्ने भवा प्रध्यस्थत्वेनाभिनयचतुष्कगीतातोद्ये चेति ।· **षडङ्गत्वान्नाट्यं सन्तोष** इत्यादिना विमलाशयत्वेन सहृदयत्वमेषां परमो गुण इति दर्शयिति **कार्यमिति**। तेन सह विचार्यमित्यर्थः। शीलमेव दर्शयति । **तुष्यन्ति तरुणाः काम** इत्यादिना। **प्रविशेदिति** साधारणीभावमेवं सूचयनि तत्समीपे भवेदिति यावत् । एवं वस्तु-मात्रविचारे विधिरुक्तः । प्रयोध्क्तृणां परस्परकलहहेतुविधिर्वक्तव्यः । स च कदाचिल्लक्ष्यमात्रविषयो भवति । कदाचिल्लक्षणत्रिषयोऽपि पूर्वमधिकृत्याह ।

1. KSS. पदकालश्च विज्ञेयो विविधो नाट्ययोक्तृभिः ।
2. KSS. विशेषाश्चानयोः स्मृताः ।
3. KSS. does not read.
4. NS. प्रदोषिकार्ध्रात्रं । KSS. प्रादोषिकोऽर्धरात्रं च तथा प्राभाति-कोऽपि च ।
5. KSS. रात्रगर्भसमाश्रिताः NS. रात्रिजा ह्यनुपूर्वशः। अतः परं काशीसिरीजपुस्तके "पौर्वाह्णिकस्तथे"त्यादि पद्यमधिकम् ।
6. KSS. तु यथायोग्यं ।
7. KSS. वारं कालसमुत्थितम् ।

यच्छ्रोत्ररमणीयं स्या[1]द्धर्मोत्थानकृतं च यत् ।
[2]पूर्वाह्णे तत्प्रयोक्तव्यं शुद्धं वा विकृतं तथा ॥९१॥
सत्त्वोत्थानगुणैर्युक्तं वाद्यभूयिष्ठमेव च ।
पुष्कलं [3]सत्त्वयुक्तं च अपराह्णे प्रयोजयेत् ॥९२॥
कैशिकीवृत्तिसंयुक्तं शृङ्गाररससंश्रयम् ।
नृत्तवादित्रगीताढ्यं प्रदोषे नाट्यमिष्यते ॥९३॥
[4]यन्नर्महास्यबहुलं करुणप्रायमेव च ।
प्रभातकाले तत्कार्यं नाट्यं निद्राविनाशनम् ॥९४॥
[5]अर्धरात्रे नियुञ्जीत समध्याह्ने तथैव च ।
सन्ध्याभोजनकाले च नाट्यं नैव प्रयोजयेत्[6] ॥९५॥
एवं कालं च देशं [7]समीक्ष्य च बलाबलम् ।
[8]नित्यं नाट्यं प्रयुञ्जीत यथाभावं यथारसम् ॥९६॥

संघर्षेत्विति । **उपचार** इति । राजोचित इति भावः । द्वितीयमधिकृत्याह **शास्त्रज्ञानात्विति** । **भर्तृनियोगादिति** । लेखको लिखति गगकः पिण्डयति । द्वयोरपि यथैकस्य न घातः तेनायमस्याधिकारसिद्धिः । स चेत्याह **सिद्ध्यतिशयात्पताकेति** । यदि तु न कुत्रचिदातिशयः । तदा कथमित्याह । **इति** शब्दोऽध्याहार्यः । तत्तद्रसप्रधानं नाट्यं तत्र तत्र कालेषु रसः संभवतीत्यभिप्रायेणाह

---

1. KSS. धर्माख्यानकृतं तथा ।
2. KSS. तत्पूर्वाह्णे वुधैः कार्यं शुद्धं तु ।
3. NS. सत्वसंयुक्तं KSS. सिद्धियुक्तं तु ।
4. KSS., NS. यत्तु (यत्र) माहात्म्यसंयुक्तं ।
5. NS. न प्रयुञ्जीत मध्याह्ने नार्धरात्रे कथंचन । KSS. **अर्धरात्रे न** युञ्जीत न मध्याह्ने तथैव च ।
6. NS. न नाट्यं सम्प्रयोजयेत् KSS. नाट्यं न च कदाचन ।
7. KSS. 'वर्णनं च' इति भवेत् । प्रसमीक्ष्य ससंश्रयम् । NS. **पर्णदं च** समीक्ष्य तु ।
8. KSS. नाट्यवारं प्रयुञ्जीत ।

अथवा देशकालौ च न परीक्ष्यौ प्रयोक्तृभिः[1] ।
[2]यथैवाज्ञापयेद्भर्ता तदा योज्यमसंशयम् ॥९७॥
[3]तथा समुदिताश्चैव विज्ञेया नाटकाश्रिताः ।
पात्रं प्रयोगमृद्धिश्च विज्ञेयास्तु त्रयो गुणाः ॥९८॥
[4]बुद्धिमत्वं सुरूपत्वं लयतालज्ञता तथा ।
रसभावज्ञता चैव वयस्स्थ[5]त्वं कुतूहलम् ॥९९॥
ग्रहणं धारणं चैव [6]गात्रावैकल्यमेव च ।
निजसाध्वसतोत्साह इति पात्रगतो विधिः ॥१००॥
सुवाद्यता सुगानत्वं सुपाठ्यत्वं तथैव च ।
शास्त्रकर्मसमायोगः प्रयोग इति संज्ञितः[8] ॥१०१॥
[9]शुचिभूषणतायां तु माल्याभरणवाससाम् ।
[10]विचित्ररचना चैव समृद्धिरिति संज्ञिता ॥१०२॥
यदा [11]समुदिताः सर्वे एकीभूता भवन्ति हि ।
अलङ्काराः [12]सकुतपा मन्तव्यो नाटकाश्रयाः ॥१०३॥

देशकालाविति । नेपथ्ये पाठः यत्कर्तुं जानाति **तेन योग** इति **पात्रसंपाद्य**-न्तर्भावोऽस्य । पात्रं हि रसप्रविष्टमेव । **यदा समुदिता** इति सामान्याभिनयत्वमाह । अध्यायपञ्चकेन हि तदेवोक्तम् । नाट्योत्पत्तिरिव पूर्वरङ्गान्तेनेत्युक्तम् ।

1. KSS. कदाचन ।
2. NS. यदा । KSS. यत्र च ।
3. KSS. यथा समुदयश्चैव प्रयोगाश्च समृद्धयः ।
4. KSS. बुद्धिसत्त्वस्वरूपं च । NS. बुद्धिः सत्त्वं सुरूपत्वं ।
5. NS. स्वत्वकुतहूलम् ।
6. KSS. गानं नाट्यकृतं तथा ।
7. KSS. जितसाध्वसतोत्साहाविति । NS. जितसाध्वसतोत्साह ।
8. NS. सम्प्रकीर्तितः KSS. स तु संज्ञितः ।
9. KSS., NS. सुविभूषणता या तु सुमाल्याम्बरता तथा ।
10. KSS. यात्वङ्गरचना चैव NS. विचित्रा रचना चैव⋯⋯स्मृता ।
11. KSS. सर्वे सुमुदिता । NS. समुदयाः सर्वे ।
12. NS. स तु तदा KSS. स तु तदा मन्तव्यो नाट्ययोक्तृभिः ।

[1]एतदुक्तं द्विजश्रेष्ठाः सिद्धीनां लक्षणं मया ।
अत ऊर्ध्वं प्रवक्ष्याम्यातोद्यानां च विकल्पनम्[2] ॥१०४॥

इति भरतीये नाट्यशास्त्रे सिद्धिव्यञ्जको नाम

सप्तविंशोऽध्यायः

वक्ष्यति च अलङ्कार इति शोभापूर्णतायाश्चतुरित्यर्थः ।

वक्तव्यशेषं सूचयति अत ऊर्ध्वमित्यादि । शिवम् ॥

नृसिंहगुप्तापरनामधेय-
विद्यावदातः सुखलाभिधानः ।
यं देहविद्यभिरयूयुजत्सः
प्रयोगसिद्धिं कृतवान् महार्थाम् ॥

इति श्रीकाश्मीरमहामाहेश्वराचार्याभिनवगुप्ताचार्यविरचितायां
अभिनवभारत्यां नाट्यवेदवृत्तौ सिद्धयध्यायः सप्तविंशः ॥

— ० —

INDEX OF HALF VERSES OF THE NĀṬYAŚĀSTRA